宝儿 BOA

明星、舞蹈家、炽天使骑士，机体·瓦尔基里·红

「我可是一定要成为载入史册的女演员的！」

「我所爱的世界，就是哥哥身边那么大一圈就好了。」

「这个世界上我最讨厌的人，是对我哥哥不好的人。」

唐·璜
DON JON

贫穷的贵公子、刺客、炽天使骑士，机体：蔷薇之鬼

「我还不能死，亦不能失败，为了那些爱着我的女孩们」

昆提良
QUINTILIANUS

海岛少年、冲锋型炽天使骑士，机体：奥古斯都

「征服或者摧毁，等待您的命令，殿下！」

西泽尔·博尔吉亚
CESARE BORGIA

教皇私生子、炽天使骑士、机体：红龙

「我所要的那种暴力，是究极的暴力，凌驾于一切暴力之上，也将终结一切的暴力。」

阿方索
ALFONSO

数学家、机械师、炽天使骑士、机体：所罗门王

「一不是不留恋生活，但适合我这种疯子的归宿，也只有战场了罢。」

阿黛尔·博尔吉亚
ADELIE BORGIA

碧儿 BEALIE

西泽尔的女侍长、秘书、助理情报官

「即使无法成为皇后，我这枚卒子也
会按照您的期待，一往无前的。」

FLAMING HEAVEN

江南◎著

天之炽·2

※ 我回翡冷翠的五年里只学了一件事，那就是攥紧石头。 ※

The only thing that I had learned during
the five years after I returned to Firenze
was to clench the stone.

CS 湖南人民出版社

我从地狱来，要到天堂去。（司汤达）

天之炽.2
FLAMING HEAVEN

❀

目录
CONTENTS

天之炽.2
FLAMING HEAVEN

第一章
——— 夜雨声烦之春 ———

这不该是父子相见的情形，他们本该拥抱本该哭泣，本该有再也不会抛下你的许诺，可什么都没有，有的只是充满敌意的对视，如猛兽们的重逢。

001 教廷来客

星历1876年，世界的北方，克里特岛。

深夜，小教堂，乌黑的屋顶下摆满了白色小床，每张床上都睡着一个眼帘低垂的男孩。

夜雨纷繁，空气闷湿，黄铜吊扇缓缓地旋转。

这是一座由教廷出资创办的小学校，名叫诺丁山初等学校，学校围绕一间小教堂建造，教师也由牧师和修女兼任。学校规定孩子们都得住校，校舍不够，就把男生宿舍搬进了小教堂。

今晚负责巡夜的是莉诺雅，年方二十岁的年轻修女，教美术和音乐。莉诺雅生得很漂亮，皮肤像最上等的白瓷那样莹润，嘴唇天生就是亮眼的樱色，别说年轻的男老师们会借故亲近她，连小男生也围着她的裙角转圈。曾有过刚入学的小男孩，什么都不懂，就认真地跟莉诺雅说我的理想是长大之后娶老师。

黑暗中一片静谧，雨打玻璃窗的滴答声格外清晰。

白天刚刚进行了体能测试，全校学生围绕着克里特城跑了一圈，所以孩子们一沾枕头就睡熟了。

在角落里的那张小床前，莉诺雅略略停了一步，前前后后地看了几眼，确定其他男孩都睡着了，这才俯下身来小声说："翡冷翠那边有好消息来哦，小西泽尔很快能去翡冷翠读书啦！"

这一刻她的声音很温柔，像是长姐或者母亲。

男孩睁开了眼睛，他的瞳孔是罕见的深紫色，映着莉诺雅的影子。

"谢谢嬷嬷。"男孩的声音很低。

"你的运气很好呢，今年新教皇当选，为了庆祝，翡冷翠的学校都会增加招生的名额。"莉诺雅以指封唇，意思是这是他们间的秘密，千万不要跟别人说。

"教皇？"男孩好奇地问。

"翡冷翠教皇，弥赛亚圣教的首席教士，他是这个国家的最高主宰，是代替神管理世界的人，你去翡冷翠就能见到他啦。"莉诺雅说。

"教皇"对莉诺雅来说也只是个概念，她只是个地位卑微的小修女，没有"面圣"的资格。单凭想象的话，教皇应该是位恩威并重的老者，手握黄金的十字权杖，一身圣洁的白袍。

教皇国是西方各国的领袖，它定都翡冷翠，幅员辽阔。克里特岛也是教皇国的属地，只是太过偏远，是世界遗忘的角落，大概连教皇都不清楚这座小岛也在他的管辖之下。

至于圣城翡冷翠，莉诺雅也没去过。据说那是不可思议的地方，由机械的力量构建和守护，比克里特先进了一千年，辉煌得像是天国。

克里特岛上只有初等学校，也就是小学，想继续进修就只能去翡冷翠。为了帮助这个落后的地区，翡冷翠的教会学院每年都会抽出几个名额，专门授予来自克里特岛的学生，但名额并不多，而且都被岛上有地位的家族垄断了。

多数学生对于去翡冷翠进修并不热衷，人人都知道翡冷翠不是好混的地方，那里满街都是豪门贵族，你若没有背景，会像泥土那样被碾来碾去。

"你若爱一个人，便送他去翡冷翠，因为那是天堂；你若恨一个人，便也送他去翡冷翠，因为那里是地狱。"某个诗人这么写过。

莉诺雅在男孩脸颊上轻轻一吻，小声说晚安，然后退出了小教堂。

风雨声中，孩子们拢着白色的棉被，沉沉地安睡，唯独角落里的那个男孩例外，他睁着眼睛，瞳孔如清澈的湖泊，倒映着缓缓旋转的吊扇，像是湖泊深处有漩涡渐渐成形。

"紫瞳的诅咒，终于也应验在了博尔吉亚家么？"

"只是个孩子而已，紫瞳居然会出现在这样的小孩子身上？"

"命运可能选中任何人，因果从怀胎的那一日已经种下了！"

"怎么办？杀了他？杀了他能终结紫瞳的诅咒么？"

"算了，赶他走！和他卑贱的母亲一起，永世不得回来！"

巨大的声音在他小小的脑袋里回响，像是暴雷。他把脸埋进被子里，身体蜷缩成团。

眼前忽然漆黑一片，一只枕头蒙在了男孩的脸上，压得他喘不过气来。他拼命地挣扎，但无济于事，七八只手按着枕头，还有人按住了他的胳膊和双腿。

雨一直下，缺氧的男孩在挣扎，痛苦得像是条被挂在鱼钩上的鱼。

莉诺雅拎着蜡烛灯，一路去往老师休息室，满心都是那男孩的事。

男孩名叫西泽尔，不是本地人，是从大陆上迁来的，刚来的那年他才四岁。一同迁来的还有他的母亲，和尚在襁褓中的妹妹。

一家三口长期租住在岛上最好的旅馆里，那旅馆的租金不菲，这家人应该是颇有点钱。

他们的到来一时间成了岛上的热门话题。太少有人从大陆上迁来这个偏远的小岛了，何况还是带着两个孩子的漂亮夫人。

六岁那年，西泽尔来诺丁山初等学校申请就读。莉诺雅接待了他，令莉诺雅惊讶的是这男孩居然没有人陪同，他坐在桌子对面，穿着略显宽大的花格小礼服，扎着深蓝色的领结。那领结跟他的小脸差不多大。

"家长怎么没陪你来呢？"莉诺雅伸手摸摸他的脑袋。

"我自己来的，不可以么？"西泽尔往后缩了缩。

"可以啊，通过考试就没问题。"莉诺雅收回了手。

男孩温顺有礼，但给她的第一印象却像是一只还未长成的小野兽，随时警惕着周围的变化。轻易地触摸一只小野兽的脑袋是对他的不尊重，谁知道他将来会长成什么东西呢？

莉诺雅认认真真地跟这位小绅士握手，像对待大人那样对待他。

西泽尔顺利地通过了入学考试，拿到了学籍。他学得很努力，成绩也相当优秀，但不那么讨人喜欢。

老师们觉得这孩子跟周围的一切都格格不入。从他的行为举止看，应该是长在豪门贵胄之家，从小过着有仆人伺候的生活。在这个地处偏远的海岛上，大家都活得自得其乐，忽然混进一个还没长成的贵公子，大家都有点不自在。

学生们则断言西泽尔是个野种，从骨子里瞧不起他。

这家子刚搬来的时候，岛上的人就对他们充满了好奇。这世上哪个家庭不是靠男人撑起来的呢？可这个家庭竟然没有男人！

议论了很久之后，大家断定西泽尔的母亲是某位贵族老爷的情妇，被人玩腻之后踢出了家门。去过大城市的人说，这是贵族老爷们抛弃女人的常见路数，给一笔不菲的生活费，送他们去偏远的地方，从此隐姓埋名地生活。要是被那老爷的正妻找到，没准还会雇杀手来结果他们呢。

唯有莉诺雅对西泽尔很温柔，因为她总是记得西泽尔第一次来学校的时候形单影只的样子。

西泽尔的睡眠很浅，甚至整夜整夜地睡不着，一个人望着屋顶发呆，但只要有人靠近他就会闭上眼睛装睡。但眼球会在眼皮下紧张地动来动去，这个小细节出卖了他。

莉诺雅就带他去老师休息室睡，老师休息室的床很狭小，只够睡一个人，莉诺雅让西泽尔睡床，自己睡在一张帆布躺椅上。

即使这样西泽尔还是睡不着，经常是莉诺雅一觉醒来，发现西泽尔默默地望着窗外发呆。

莉诺雅问他有什么心事，西泽尔沉默了片刻说："如果我告诉嬷嬷，嬷嬷能保证不告诉别的孩子么？"

莉诺雅伸出小指头说："我保证，我们拉钩，我和西泽尔是好朋友，好朋友不泄露彼此的秘密！"

西泽尔郑重其事地跟莉诺雅拉钩，然后说："我妈妈是个傻子。"

也许是为了不让莉诺雅太难过，他这么说的时候带着一点点笑容，像是大人说起自己最难过的事情时会用笑容遮掩那样。

后来西泽尔找了个机会，带着莉诺雅去见自己的母亲。不是正式的家访，而是躲在路边等她的马车经过。

马车停在岛上唯一的医院门前，那个闺名琳琅的东方女人被女仆搀扶着，从马车上走了下来。

漆黑的长发，白瓷般的肌肤，黛色眉宇，樱色嘴唇，她美得让人遗忘了时间。

莉诺雅也是美人，可在那个女人的面前就显得平凡了，那女人的美是极盛时的樱如雪，沉甸甸地压在枝头，随时都会坠落。

但那夫人眼神空洞，像是雪后的荒原。她拉着女仆的裙摆行走，像个四五岁的小女孩依恋着母亲。

满街都是围观她的浪荡子，人们不断地尖叫和吹口哨，有人大喊说："琳琅夫人你生的是缺男人的病！不用上医院，嫁给我病就好了！我给你治病！"

西泽尔站在街角的阴影里，拉着莉诺雅的手，遥望自己风华绝代的母亲和那些追逐他母亲的浪荡子，看起来既不愤怒也不悲伤。

但这个七岁男孩的声音坚硬如铁石，他说："嬷嬷，你知道我为什么要上学么？因为只有上学我才能去翡冷翠，只有去翡冷翠才能治好我妈妈的病。"

莉诺雅轻轻地点点头，说："好，老师帮你想办法。"

这话并不是随口说说，虽然她只是个穷修女小老师，可在某些事上还是有能量的。

每年的固定名额西泽尔是指望不上的，必须想办法争取额外的名额。莉诺雅留意着各种各样的机会。很快她就了解到，每年翡冷翠都会举办一个画展，参展的都是学童作品，评奖者则是翡冷翠的实权人物，红衣主教们。西泽尔若能胜出，就有机会得到某位红衣主教的推荐信，那可是去翡冷翠读书的强有力的敲门砖。

西泽尔不会画画，但这难不倒莉诺雅，她自己就是美术和音乐老师。在一张白纸上，她用极淡的炭笔勾勒出学校的小教堂来，构图简单而别致。

某个深夜，她悄悄把西泽尔唤醒，带他来到老师休息室。小桌上摊开各色颜料和画笔，西泽尔就照着莉诺雅的指点给那张画上色，炭笔很淡，水彩盖上去就看不出来了。

成品很让人惊喜，主体是诺丁山初等学校的小教堂，日出前，海浪在远处起伏，男孩独自把旗帜升到钟楼的旗杆上，风把旗帜展开，弥赛亚圣教的十字圣徽浮现。

莉诺雅把画寄往翡冷翠参展。作为这幅画的推荐者，她以老师的身份讲了一个故事，说这是一个很虔诚的男孩，每天早晨都第一个醒来，在日出之前把弥赛亚圣教的旗帜高高地升起在克里特岛上，让神的光辉普照全岛。这幅画就是那个男孩画他自己升旗时的情景，画技虽然不很成熟，但细看这幅画不难看出其中对神虔敬的心灵。

这个故事是用来讨好那些大人物的，只要他们中的某人心中一动，愿意给西泽尔写一封推荐信，那所有问题都迎刃而解了。

一封推荐信，对大人物来说只是动动手指的事情，却能改变小岛男孩的一生。

今天翡冷翠那边传回了好消息，红衣主教们对那幅画大加褒奖，甚至表示要将它呈给新任的教皇看看。

这就是莉诺雅能为那个男孩做的一切了，翡冷翠很遥远，在那里坚持下来也很不容易，但西泽尔一定能做到吧？他那么想去翡冷翠，莉诺雅就帮他实现心愿。

这个世界虽然广大，但天上地下，也只有那座城市配得上这个小小的野兽般的男孩，莉诺雅固执地这么觉得。

推开教师休息室的门，莉诺雅忽然愣住了。

桌上的蜡烛原本是熄灭的，现在被人点燃了，岩石般坚硬的身影坐在烛光中，抽着纸烟。

那是个中年男人，戴着一副染色眼镜，乱发如钢针。他穿着一身漆黑的长风衣，黑得就像窗外的夜色，但领口的圣徽夺人眼目。

教廷的官员都会佩戴圣徽，随着级别的递增，圣徽的材质也会提升，莉诺雅有幸接待过一位佩戴铜制圣徽的高级官员，他驾临克里特岛的时候，眉间眼角的傲气简直就像是一位君主。

而这个线条粗犷的男人，头发凌乱，浑身透着呛人的烟草味，简直像个不法之徒，他的圣徽却是黄金的——黄金的蔷薇花枝缠绕着十字架，锋利的荆棘仿佛四射的光。

莉诺雅忽然感觉到了夜风的冷，控制不住地瑟瑟发抖。那男人没说一句话也没做一个动作，她却觉得自己是被猛狮利爪摁住的羔羊，别说反抗了，连挣扎都是徒劳的。

难道说自己帮西泽尔作弊的事情被教廷觉察了，教廷从大陆上派来了稽查官员？

"你好，莉诺雅嬷嬷，不必惊慌。"男人摁灭了烟卷，"我这次来，只是作为学生家长。"

002 莉诺雅骑士团

这时西泽尔正在窒息的边缘挣扎，有些孩子负责捂住他口鼻，有些孩子负责按住他的手脚，还有人拿床单把窗户都挡上了。

这样一来教堂的前厅就变成了他们无法无天的领地，他们在这里做了什么，老师和神都不会知道。

也有些孩子没参与这件事，但他们也都坐了起来，抱着被子，静静地旁观。

西泽尔的挣扎越来越弱，皮肤因为缺氧呈现出可怕的青紫色，为首的高胖男孩这才使了个眼色，示意兄弟们放开这小子。

他们刚一松开手，西泽尔就像放箭的弓那样反弹起来，剧烈地咳嗽和呕吐，把床弄得一塌糊涂。

没等他吐完，高胖男孩就抓着他的睡衣领子，像拎只小鸡似的把他拎了起来："嗨！野种！我们得好好聊聊了！"

西泽尔认出了那些人，他们是这间学校里最威风的"头面人物"，管自己的组织叫"莉诺雅骑士团"。这是个立志守护莉诺雅的组织，但莉诺雅自己并不知道。

自称"骑士"的都是高年级男生。青春期的男孩很多都会仰慕比自己大的女性，这帮荷尔蒙分泌旺盛的小子都是莉诺雅的崇拜者，都想要独占莉诺雅的宠爱。

他们曾经试过用拳头来决出胜负，但没能成功，于是便集结起来，成立了骑士团，猛揍其他仰慕莉诺雅的小子。

总之，这是个行动逻辑和组织纲领都很混乱的组织，但拳头确实是很硬。

抓着西泽尔的高胖男孩就是骑士团的团长，贝拉蒙少爷。他的父亲是岛上的行政次长，在这偏远的地方，算是威风凛凛的大人物了，贝拉蒙少爷自然也是学校里的豪强。

"你最近的表现差劲极了，让我们大家都很不爽，明白吗？"贝拉蒙少爷脸上的横肉抽动起来，"你可真会卖乖啊！还挖空心思在莉诺雅老师的面前卖！这种事情我们骑士团可是不会允许的哦！"

西泽尔用袖子擦去嘴边的呕吐物，默默地看着贝拉蒙少爷。

"还敢看我？"贝拉蒙少爷一个耳光扇在西泽尔脸上。他是学校里的铅球冠军，全力以赴的一巴掌力气不亚于成年人，西泽尔的嘴角沁出了血丝。

西泽尔用袖子擦擦嘴角，仍是一言不发地盯着贝拉蒙少爷。

贝拉蒙少爷愣了一下，跟着又是一个耳光。这次西泽尔的鼻子里也冒出血泡来，但他的表情没有任何变化，用袖子把脸擦干净，顽固又沉默地抬起头来。

贝拉蒙少爷没来由地暴躁起来。他来找西泽尔的茬，并没有什么详细的打算，不过是要让这小子服自己，别整天跟在莉诺雅身边转来转去。

半大男孩的逻辑就是这么简单，莉诺雅当然不是他们能企及的，但只要没有别人距离莉诺雅更近，他们就满意了。

按理说这种事情很简单，三拳两脚下去就该差不多了，可西泽尔倔得像块石头，感觉再多的耳光打上去，他也只会擦擦脸，沉默地看着你，那眼神似乎在说："打够了没有？"

"给我打！别留手！打残了算我的！"贝拉蒙少爷恶狠狠地挥手。

男孩们一拥而上，用一张床单蒙住西泽尔的头，肆意地拳打脚踢。西泽尔从床上滚到地上，双手抱头，蜷缩成团，护住了腹部和头，随便男孩们怎么打，他连声音都不发出。

男孩们打累了，呼呼地喘气。西泽尔揭开床单，倒退着挪到靠墙的地方，抬起那双肿起来的眼睛，还是一模一样的眼神，不惊不怒，静静地看着贝拉蒙少爷。

贝拉蒙少爷下意识地退后一步。总是这样可恶的瞳孔，紫色的，瑰丽的，折射阳光。从第一次见面，贝拉蒙少爷就本能地厌恶这个男孩，想要避开那对可恶的紫色瞳孔。

准确地说，不是厌恶，而是畏惧。

贝拉蒙少爷也说不清楚自己在怕什么，在这间学校里他连老师都不用怕，他是行政次长的儿子，他的拳头比谁的都硬。可他就是害怕西泽尔的瞳孔，就像野兽畏惧火，毫无道理。

但这种时候他不能尿，他要是不征服这个野种，还怎么号令骑士团的兄弟们？

他上前一步，一脚踩在西泽尔的头顶："真有骨气啊！可是骨子里跟你那个傻子妈妈一样风骚！打你我都觉得脏了手！"

贝拉蒙少爷希望这小子露出害怕、急躁或者狗急跳墙之类的表情来，什么样的表情都好，就是别像现在这样，安安静静，壁垒森严，好像根本不是你在打他，而是你们坐在同一张桌上喝牛奶。

"打我可以，别把我妈妈扯进来。"西泽尔终于开口了，声音嘶哑得不像个七岁的男孩。

贝拉蒙少爷隐隐有些得意，西泽尔不让说，他就偏要说，他当然知道西泽尔不愿提起自己的妈妈，因为西泽尔的妈妈是个傻子还是个情妇，但越是这样贝拉蒙少爷越是要戳西泽尔的伤口。

"你妈妈不风骚怎么会当人家的情妇？"贝拉蒙少爷用力啐了一口，"人家玩腻了就一脚踢到克里特来。我们这座岛可不是收垃圾的地方，一大包垃圾还附送两小包垃圾！你妈到了这里也没干什么好事，尽跟那些野男人眉来眼去！我爹那个老不正经的也跟在她屁股后面转来转去！"

西泽尔的脸色变了，因为贝拉蒙少爷说的未必不是事实。

西泽尔无法为母亲的过去辩护，他没有见过自己的父亲，就是一个野孩子。他妈妈也确实是个傻子，如果不是那倾国倾城的美貌，她大概连当洗衣妇都不配。

她来到克里特之后确实也招蜂引蝶。一个被人抛弃的情妇，本就是个无主之物，那么美，又带着丰厚的私房钱，简直就是给恶狼准备好的一块鲜肉。各路鳏夫和浪荡子都争相讨好她，而她根本不知拒绝，别人送上鲜花，她就收下鲜花，别人送上糖果，她就含在嘴里，让各路男人都觉得自己有机会。可事实上她的智商跟四五岁的小女孩差不多，拿到鲜花糖果之后她就自顾自地走了，并不理会那些貌似深情的倾诉。

各路男人中，只有一个得到了不同的待遇，那就是贝拉蒙老爷。

贝拉蒙老爷顾名思义是贝拉蒙少爷的父亲，克里特的行政次长，算是这座岛上的头面人物之一。他中年丧偶，身材保持得很好，有股儒雅之气，跟身高体壮满脸横肉的儿子完全不同。

跟贝拉蒙老爷在一起的时候，琳琅夫人会格外温柔。他们久久地对视，琳琅夫人伸出手去抚摸贝拉蒙老爷的面颊，手指微微颤抖。贝拉蒙老爷要带她去哪里她都答应，他们就像少年情侣那样牵着手满城地转。

如果不是她那讨厌的儿子屡屡阻挠，贝拉蒙老爷早把这个尤物领回自家卧室了。但无论如何，贝拉蒙老爷都相信自己不日就可以骑上这匹漂亮的雌马，快乐地飞奔，因此在面对竞争者的时候，已经流露出了"尔等不堪一战"的傲气嘴脸。

西泽尔当然不希望母亲跟贝拉蒙老爷来往，他虽然小，却也听说过贝拉蒙老爷是出名的狂蜂浪蝶，精力充沛到能同时约会七八个女人。可他也没法否认，只有面对贝拉蒙老爷的时候，母亲那空洞的双瞳中才会泛起涟漪，就像突如其来的暴雨打在深潭里。

好像这世上剩下的时间对她都无所谓了，唯独跟贝拉蒙老爷在一起的时间才有意义。

003 幼狮

"我家混账老爹还惦记着要娶你家的傻子呢！"贝拉蒙少爷眼角抽动，"还叫我在学校里照顾着你一点，将来你跟我就是兄弟了！呸！你也配跟我当兄弟？"

他终于把心里藏着的话说了出来。他今天来找西泽尔的麻烦，并非只为莉诺雅，只不过要发动骑士团的兄弟们，当然要用大家都能接受的理由。

他恼火的是老爹正在考虑要向西泽尔的母亲求婚。贝拉蒙少爷早已习惯了老爹放荡的生活，出了家门他跟多少女人搞在一起贝拉蒙少爷就当不知道，反正他妈妈已经埋在墓地里了，不会悲伤不会流泪。可老爹要把贱女人娶回家里来，这是贝拉蒙少爷绝不能容忍的，那样的话他就得跟眼神可恶的野种生活在一个屋檐下。

"你妈妈真的是傻子么？傻子会那么善于勾引男人？真不知道她在我老爹身上下了什么迷魂药！"贝拉蒙少爷脚上加力，要把西泽尔的头踩得更低，"不过你也别做什么美梦，我那混账老爹可是头种马，人家都说种马是绝不会为了一匹母马放弃一群母马的！你家的傻子再怎么漂亮，毕竟是老女人了，哪能跟那些年轻漂亮的小女人比？那些追求你妈的人私下里说些什么你都不知道对吧？他们说啊，你妈那种贱女人，就像一件别人穿过的二手衣服，再怎么好看，穿上身总觉得脏！"

他深信这番话已经伤到了西泽尔，可惜这小子的头被他踩得太低了，他看不到表情，否则会更开心一点。

"哈哈，我说你妈妈是个傻子你很不服吧？我没说她是个花痴就很好啦！她被人抛弃了那么久，应该很需要我爹那种强壮的男人吧？我看你妹妹也不错哦，长大了会是大美人吧？不如就嫁给我吧，反正也是没有血缘关系的兄妹嘛！"贝拉蒙少爷的话越来越不堪入耳。

贝拉蒙老爷是那种狂蜂浪蝶的性格，结交的朋友也都是些浪荡子，没事就在家里喝酒聊女人，贝拉蒙少爷也是耳濡目染。

不过贝拉蒙老爷倒并未这么评价琳琅夫人，最近这个风流无度的老鳏夫像是因为爱情而容光焕发了，断绝跟各路情人的来往，一心锻炼身体要再度当新郎。

"可是等玩腻了之后，无论是你妈妈还是你妹妹，都会像旧衣服那样被我家丢出去。"贝拉蒙少爷猛劲地踩了一脚又一脚，像是要把一个铁皮罐头踩扁那样，"就像你亲爹把你们丢出来那样！你们一家子就是命中注定要被丢出门外的！为什么呢？因为你们贱呀！你妈妈是贱女人！你妹妹也是！她们就该被人抛弃！"

他忽然踩不动了，因为西泽尔举起双手，抓住了他的脚踝。

西泽尔猛地一拉，贝拉蒙少爷失去平衡，仰面倒地，西泽尔跟着扑上，像一只练习扑击的幼狮，骑在了贝拉蒙少爷的肚子上。

他手中握着不知何处抓来的石块，重重地砸在那张胖脸上，石块隔着脂肪层和面骨撞击，砰砰作响。

第一击下去贝拉蒙少爷的眼镜就碎了，玻璃碎片把眼眶周围的皮肤划破了，鲜血模糊了他的视线。

"我瞎啦我瞎啦！我被西泽尔戳瞎啦！"贝拉蒙少爷发出杀猪般的号叫，同时疯狂地挥舞手臂，在西泽尔身上留下一道道鲜红的抓痕，抓痕周围的皮肉都翻了起来。

他的眼球其实没有受伤，鲜红的视野里，西泽尔的那对紫色瞳孔仍是那么平静。他不惊不怒，但高举石头，以稳定的频率砸在贝拉蒙少爷的脸上，整个人就像一台砸石头的机器。

贝拉蒙少爷的兄弟终于反应过来了，一拥而上对西泽尔拳打脚踢，还有人想把他从贝拉蒙少爷身上拉起来。

这一切都是徒劳，无论多少记重拳落在身上，西泽尔都不为所动，只顾砸他的石头。鲜血一丝丝地溅到他脸上，他的脸色苍白，红与白交织起来格外狰狞，他看起来浑如平静的恶鬼，每个人都看得胆战心惊。

贝拉蒙少爷嘴里喷出的血越来越多，沿着领口滴滴答答地往下坠，西泽尔的领口上也都是血，那是从他自己嘴里喷出来的。这样砸下去的后果是什么，谁也不知道。

就在这时，教堂的门被人大力地推开，外面被灯光照得仿佛白昼。岩石般的男人站在风雨中，长风衣在风雨中翻卷，领口的黄金圣徽发出赤焰般的光芒。

"爸爸！爸爸！爸爸救救我！"贝拉蒙少爷尖叫着。

岛上连路灯都没有，夜间那么亮的光源只能是车灯。岛上的汽车也很少，贝拉蒙老爷就有那么一辆，所以每当看到车灯光听到引擎声，贝拉蒙少爷都知道是爸爸来了。

那身影也像极了他那地位不凡的爸爸，至于爸爸为什么在深夜里出现在学校，贝拉蒙少爷已经来不及想了。他想爸爸再不来救他，西泽尔就要把他打死了。

可那个男人并未冲上来阻止西泽尔，恰恰相反，他冷漠地旁观着这场对孩子来说太过残酷的斗殴，仿佛君王俯瞰斗兽。一袭白裙的莉诺雅眉眼低垂地站在他身后，就像仆从。

教堂外不是一辆礼车，而是数十辆装甲礼车，它们如铁桶般围绕着教堂。着黑衣的军人背着手，双腿分立，站在车旁，像是一尊尊铁铸的雕像。

男孩们一步步退后，恐惧但不敢出声。他们不知道那男人是谁，但本能地畏惧着他身上的气息。那绝不是贝拉蒙少爷的父亲，虽然眉目依稀相似，但这个男人带着莫大的威严，仿佛一怒之间可以毁灭一国。

死一般的寂静，只有西泽尔手中的石头砸在贝拉蒙少爷的脸上，发出沉闷的"扑扑"声。

"西泽尔·博尔吉亚，有人来看你了，你的……父亲！"莉诺雅的声音微微颤抖。

男孩仿佛从一场无休止的噩梦中惊醒。他仍旧骑在贝拉蒙少爷身上，茫然地转过头来，久久地凝视着那钢铁般的男人。

004 父亲

所有人都被赶了出去，门被带上了，教堂里只剩下父子二人。

男人坐在唯一的椅子上，背后是沾满了雨水的窗。他点燃了一支烟，慢慢地抽着，烟雾呈细线状直上屋顶。

西泽尔蜷缩在角落里，像是无法承受春夜的轻寒那样，微微战栗。

"长得真像你妈妈，一张软弱的脸。"最终男人打破了沉默，却是用如此冷漠的评价。

西泽尔没说话，就着窗外照进来的光，看着男人的脸。

男人的面孔消瘦，戴一副染色的眼镜，一头略显凌乱的灰发，身材精悍。他坐在那里的时候，平静得像是石头，行动起来却透着野兽般的气息。

他像是贝拉蒙老爷的翻版，但又不一样，贝拉蒙老爷是那种内心里开出花来的风骚男子，自带一股温柔，而这个男人坐在那里，便如一堵钢铁的墙壁展开，坚不可摧。

西泽尔长久以来的疑问终于有了解答，难怪母亲对贝拉蒙老爷那么温柔，因为她是傻的，她看到贝拉蒙老爷，以为自己的男人又回来看自己了。

西泽尔又往角落里缩了缩，手中仍紧紧攥着那块带血的石头。

这不该是父子相见的情形，他们本该拥抱本该哭泣，本该有再也不会抛下你的许诺，可什么都没有，有的只是充满敌意的对视，如猛兽们的重逢。

西泽尔之前没有见过父亲，直到父亲的家族将他们逐出翡冷翠，父亲都没有露面，更别说在家族面前为他们争取些什么。

西泽尔曾经想象过父亲的模样，大概是那种浪漫又柔弱的贵公子吧，所以才不敢站出来保护自己的母亲。可今夜站在西泽尔面前的却是这样的男人，他虽然只穿了一件黑色风衣，却如穿着威武的铁铠。

这样的男人，权掌天下，本该能够保护他们，可那么多年他都没有站出来，任他们孤独和痛苦。

西泽尔不想跟这种男人拥抱，这么多年的孤独和痛苦，又怎么是一个拥抱能够填平的？

男人起身站在窗前，望着窗外淅沥沥的夜雨："你在翡冷翠生活过的事情，你还记得多少？"

"不记得了，只记得那座城市的名字，还有那里也经常下雨。"西泽尔终于开口了。

"是啊，你们离开的那晚，雨也很大。"男人低声说。

西泽尔的心里微微一动，这句话的言外之意似乎是，他们离开翡冷翠的那天晚上，这个男人其实在远处悄悄地看着他们，同一场大雨洒在他们的身上。

男人转过身来，话里仅有的那丝温情已经不见了："如果你觉得我这次来是因为心里觉得亏欠了你们，想要对你们有所补偿，那你想错了。我来，只是给你一个选择的机会。"

"选择的机会？"西泽尔没有听懂。

"你可以继续过这样的生活，但必须迁往新的岛屿。你们在这里的消息已经被人知道，我的政敌们会用你们来扳倒我。"男人说，"你也可以选择跟我回翡冷翠，在那里你会接受训练以掌握权力，如果你能通过考验的话。"

"我不想要权力，我只想治好妈妈的病，"西泽尔摇头，"我们这样生活也很好。"

"打那个胖小子的时候，你在想什么？"男人问。

西泽尔愣住了，当时他脑海里一片空白，什么都没想，神经像是被火烧着那样痛，只想把石头砸在贝拉蒙少爷的脸上。

"想要摧毁他对么？用那块石头，用手中唯一的武器。从某种意义上说，握住石头，就是握住了一种权力。"男人冷冷地说。

西泽尔悚然。

"这个世界上，总有些人是你讨厌的，可通常你只能忍，因为你没有打倒对方的力量。"男人冷冷地说。

"你爱你母亲么？"男人又问。

"爱。"这一次西泽尔给出了明确的回答。

"那么你愿意为爱你的母亲和妹妹支付代价么？"

"什么代价？"西泽尔打了个寒战。

"把自己的手弄脏，去握住权力。"

西泽尔再度沉默。

"想想那些觊觎你母亲的男人，他们想霸占她的身体和财产，把她骗进卧室里脱光她的衣服。再想想那些觊觎你妹妹的蠢猪。如果你没有力量，连保护母亲和妹妹都做不到，谈何爱她们呢？"男人的语气高高在上，透着寒气，"爱是个艰难的字眼，很多人都把它轻易地说了出来，可懦夫是不配爱人的，被他爱的人只会不幸。懦夫也不配拥有珍贵的东西，即使侥幸得到，也会被他们失手打碎。"

西泽尔低下头去，看着自己手心里的血迹。

"我今天来，原本只是安排你去另外一个海岛，让你们在那里自生自灭。"男人说，"但很意外地，我在门外听了你和那个男孩的对话……所以跟你说了这些也许多余的话。我没时间久留，船在码头等我。告诉我你的答案，在这支烟烧完之前。"

他开始抽那支已经燃烧过半的烟，烟雾隐没了他那张坚硬的脸，唯有那对染色的镜片反射着微光。

大口抽的话，烟很快就抽完了，但西泽尔一句话都没再说。男人并未流露出遗憾或者鄙夷的神色，起身出门："我会安排你们去新的岛屿。"

就在他将要踏出那扇门的时候，听见背后传来极轻极远的声音："我愿意去翡冷翠。"

"想要握住更锋利的石块来对抗那些想要伤害你母亲和妹妹的人么？"男人站住了，但并不回头。

"是，我会砸他们的脸。"

"在你的心里，我也是伤害过你母亲和妹妹的人吧？看你的眼神我就明白了，养你这样的东西在身边，可真是有点不放心啊。"

"是，你也是。"

"有点意思，没有白来一趟。"男人微微点头，"那记住我的名字，我叫隆·博尔吉亚。最好别把我看作父亲，看作老师比较合适，我会教你很多东西……前提是你通过考验。"

他大步出门，男孩们都战战兢兢地站在屋檐下，只有受伤的贝拉蒙少爷躺在一张担架上，莉诺雅给他的伤口抹上了止痛止血的油膏。

男人走到贝拉蒙少爷身边，站住了，从部下手中接过大衣披上："如果不是你还年幼，我会杀了你的，连你父亲一起。"

戴着白手套的高级军官拉开了礼车的门，男人钻进车里，车队扬长而去。操场上一片寂静，雨沙沙地下着，要不是泥泞中的车轮印，很难叫人相信几分钟前一位大人物驾临了此地。

贝拉蒙少爷终于害怕得哭了起来。他早就想哭了，但一直忍着。他不知道西泽尔的父亲是谁，也不知道那男人到底有多大权力，那个男人说那句话的时候语气平淡，甚至漫不经心，可贝拉蒙少爷能听得出来，那男人并没有撒谎。

005 别离和新生

雨仍在下，西泽尔呆呆地望着沾满雨水的窗户。

今夜他是不可能回去睡教堂了，只能睡在教师休息室里，明天一早校长一上班就会给他办好结业手续。这是他在诺丁山初等学校的最后一晚。

莉诺雅睡在旁边的帆布躺椅上，望着那扇窗，看着雨滴沿着玻璃汇成细流。今夜她必须保护好这位贵公子，一刻都不能离开他的身边。

这也是他们之间的告别了，这个曾被称作野种的男孩，将会借他父亲的威势成为翡冷翠的风云人物，拥有灿烂的人生，而莉诺雅仍是平凡的修女，会终老于这个偏僻的海岛。

他们本就不是同一种人，他们之间的交集也就那么短短的一年时间，从此分道扬镳。

"不高兴么？从今天起西泽尔就有父亲了。"莉诺雅轻声说。

"嬷嬷，对不起。"西泽尔也轻声说。

"对不起？"莉诺雅愣住了。

"我并不是你以为的那种乖孩子。贝拉蒙说得没错，我故意在你面前表现得很乖，这样你才会多关照我。我在学校里没有朋友，大家都不喜欢我，只有嬷嬷你看我的眼神是不一样的。"

"我知道啊。"莉诺雅沉默了几秒钟，忽然笑了，"你不是乖小孩又有什么大不了的？"

这回轮到西泽尔愣住了："嬷嬷你不是因为觉得我很乖很可怜，所以想要帮我争取去翡冷翠的名额么？"

"说什么傻话啊！这可是一所教会办的慈善学校，学校里有好多很乖很可怜的孩子，我会为他们每个人争取去翡冷翠的名额么？"莉诺雅翻过身来，一把抱住这个呆小孩，亲亲他的额头，"我帮你，只是因为你想去翡冷翠，就那么简单。"

"嬷嬷为什么要帮我？"西泽尔蒙了。很少会在这个男孩脸上看到如此手足无措的神情，莉诺雅蛮开心的。

"因为你跟我一样是个会装睡的小孩啊。我小的时候啊，也在一所类似诺丁山的教会学校上学，跟你一样住校。我可不喜欢住校了，因为我比别的女孩都小，她们都不带我玩，可我家里很穷，想要受教育，就只有去教会学校。"莉诺雅轻声说，"没有人跟我玩，我就自己跟自己玩。在所有人都睡熟之后，我就折腾起来了，翻来覆去，东想西想，有时候趴在窗口往外眺望，有时候幻想自己是哪个皇室走丢的公主。别的孩子都醒着的时候，世界是他们的，只有等他们都睡着了，世界才是我的。"

"嗯。"西泽尔点点头。

"老嬷嬷来查房的时候呢，我就装睡。可我很紧张啊，虽然闭着眼睛，可眼球在眼皮下滚来滚去，老嬷嬷的眼睛很尖，一下子就看出我在装睡。可她没有责罚我，而是叹了一口气说：'真是个聪明的女孩子啊，可聪明的孩子会更辛苦的啊。'然后就带我回教师休息室，在那里我能看到带图画的神学书，还有线轴可以当玩具。我玩累了就睡着了，老嬷嬷坐在床边轻轻地摸我的头。"这么说着的时候，莉诺雅就轻轻地摸摸西泽尔的头。

"为什么聪明的孩子会更辛苦？"

"因为聪明的孩子有明亮的眼睛，看得到苦难啊。"莉诺雅轻轻地叹了口气，"这也是老嬷嬷说的……说起来，这也算绕了个弯子得偿所愿，西泽尔不是一直想去翡冷翠么？"

"嗯，一直想去。"

"据说翡冷翠有世界上最好的医生，一定能治好你妈妈的病吧？"

"是想治好妈妈的病，可还有另外的原因……因为我们家是被人赶出来的，所以一定要回去。"

"因为是被赶出来的，所以一定要回去么？"莉诺雅琢磨他说这句话时的心理。真是只不甘心的小野兽啊，果然第一次见面时的判断没错。

"但我会回来的，等我在翡冷翠出名了，治好了妈妈的病，我就回来。"西泽尔抬起头来，盯着莉诺雅的眼睛，赌咒发誓似的说。

"好啊，不过要快点哦，在老师成为老太婆之前。"莉诺雅挠挠他的头，把他的头发弄乱又用手梳理整齐。

"嗯！"西泽尔用力点头。

莉诺雅坐了起来，轻轻地拥抱他："你啊，就是心里揣着的事情太多了，可谁能把那么多事都扛在肩上啊？去吧！世界很大，男孩子就要去最高最远的地方！"

她顿了顿，说："如果成功了就回来，告诉每个人你成功了；如果失败了也回来，跟老师说你是怎么失败的，老师不会笑话你的。"

西泽尔也轻轻地拥抱她，这一刻他无比乖巧，细心地收起了自己的野兽爪子，怕伤到莉诺雅。

"嬷嬷，我爸爸到底是什么样的人呢？"他轻声问。

"他没有告诉你么？"莉诺雅愣住了，"他是……新一任的翡冷翠教皇啊！"

星历1876年，秋天，翡冷翠。

从北部边境驶往翡冷翠的列车要好几天才有一班。列车滑行进站，乳白色的蒸汽像水那样从排气管中泻出，流淌在精美的大理石月台上。

接车的人们骚动起来，有人高呼家人的名字，有人跳起来挥舞着手中的丝巾。他们已经等了将近一天。

西泽尔望向窗外，他的小妹妹阿黛尔整个人都趴在车窗上，眼睛里透着看到了另一个世界的惊喜。

这确实是另外一个世界，一辈子活在克里特的人绝对无法想象翡冷翠的辉煌，有人说这是用钢铁铸造的明珠，有人说这是蒸汽托起的天国。

这座车站本身便是惊人的杰作，巨大的钢铁穹顶如龟壳那样笼罩在车站上方，骨骼般的铁架支撑着它。整个诺丁山初等学校，连带着那座带钟楼的小教堂都能放置在下面，空间还绰绰有余。

车站外，豪华礼车排成长队，司机们身穿笔挺的制服，扶着车门等候贵宾。

汽车在克里特岛上非常罕见，每次贝拉蒙老爷开着他的礼车在克里特城跑马车的小街上横冲直撞都会吸引很多艳羡的目光，他能跟各路女人眉来眼去，那辆车也颇有功劳。

可在翡冷翠，阔绰的人家早已抛弃了马车。道路也是专门给汽车修建的，宽阔笔直，礼车风驰电掣地来往，车灯拉出的光芒像是并行的流星。

换乘小型火车也能前往市中心，这些摇晃着铜钟的小火车被称作"铛铛车"，虽然跑得很慢，坐在上面却能惬意地遍览圣城的风景。

今天的这一切都要感谢百年前的那场惊人的发现，如果不是那次大发现，翡冷翠的道路上跑的应该仍是马车，火车这种东西也还停留在先驱者的脑海里。

百余年前，今天统治着教皇国乃至于影响了整个西方的"弥赛亚圣教"还是个新兴宗教，被当时的皇帝迫害，信徒们纷纷被吊上绞刑架。

走投无路的情况下，一群狂热的教徒决定乘船出海，去寻找神在人间留下的最后遗迹。

那座叫阿瓦隆的神秘岛屿位于北方冰海的尽头，圣典中记载了它的大约位置，但在那个时代，根本没有船舶能在冰海中航行，因此那座岛是不是真的存在，即使在教派内部也是存疑的。

可对于走投无路的人来说，哪怕一线希望都要抓住，那艘木船就这样扬帆远航了。

经历了不知多少天的艰苦航行，他们的船侥幸没有被海冰撞碎，但食物和淡水还是耗尽了，他们迷失在茫茫的冰海上。临死之际，信徒们聚集在甲板上祈祷。

奇迹竟然真的发生了，一头巨大的逆戟鲸被船锚钩住了，它带着那艘船一路向前，找到了那座传说中的小岛。那座小岛已经被冰雪覆盖了不知多少万年。

人们从冰下挖掘出了神创时代遗失的技术，今天的各式机械乃至于这座辉煌的翡冷翠城都源于那种神秘的技术。

那座岛的发现也证明弥赛亚圣教的神学是正确的，弥赛亚圣教的神是真实存在的，弥赛亚圣教的教士们掌握了世界的真理。

不过也有人怀疑那座神秘的岛屿是否真的存在，因为以今天的航海技术和铁壳船已经足以深入冰海，却再也没有人找到那座神秘的岛屿。

此外，关于在那座岛上的真实发现，弥赛亚圣教也是语焉不详，称这事关神对人类的恩典，不能轻易公布。

可无论那座岛是不是真的存在，弥赛亚圣教毕竟是引发了机械技术的革命，把世界领入了全新的时代。

"先生，列车已经到站，作为贵宾，请优先下车。"列车员来到西泽尔身边，恭敬地鞠躬。

从收拾行装到出发耗费了几个月的时间，翡冷翠那边传回的电报一直是"等待出发的指令"，一周前电报忽然变为"立刻出发"，当夜便有一艘快船带着西泽尔一家离开克里特岛，到达最近的大城。当时这列火车已经等候了足足十二个小时，其他乘客都已经叫苦连天，但贵宾不到，它就是不开动。

仅有的一节贵宾车厢是临时加挂上去的，只供西泽尔一家乘坐，想来是他那位高高在上的父亲终于解决了各种阻碍，于是他们被勒令立即出发。

西泽尔点了点头，列车员们立刻从行李架上拿下捆扎紧密的行李箱。女仆拎着裙子屈膝行礼，有请那位繁樱般的琳琅夫人，一路上她安安静静，仪态万千，像个漂亮的大布娃娃。

可临走前这位夫人还捅了大娄子，她深夜里忽然溜出家门去找贝拉蒙老爷，换作别的时候贝拉蒙老爷肯定是求之不得，赶快把这位前来寻求安慰的寂寞女人引进卧室里去……可如今岛上都传遍了，那是新任教皇的女人！

就算是教皇玩腻的女人，那也还是教皇的女人！给贝拉蒙老爷一万个色胆，他也不敢在这种问题上犯错误。

他死死地抵住房门，哀求说："夫人您千万不要再这样了，如我这样孤苦的鳏夫，只求和我那愚蠢的儿子安静地过完此生，怎敢对您这样尊贵的夫人有非分之想，求您放过我们父子吧！"

最后还是西泽尔找了过来，默默地拉走了母亲。

真是天上地下的差别，几个月前他们还被人视为草芥，任人践踏，此刻他们却享受最高等级的礼遇返回了这座曾经驱逐他们的城市。

这就是权力的滋味么？没有掌握权力的时候你就被人欺负，掌握了权力你就被人惧怕，从来没有中间的状态。

西泽尔再度回想起那个男人的话，如果这个世界就是这么糟糕，你是不是宁愿弄脏自己的手也要握住权力？

"哥哥哥哥，翡冷翠会有冰激凌么？会有巧克力糖么？"阿黛尔缠着他问东问西。

这个自小长在克里特岛的女孩只听说过冰激凌和巧克力糖这两种美妙的食物，却从没吃过。在克里特岛，即便是贝拉蒙家的零食，也不过是蜂蜜和麦芽糖。

"有冰激凌也有巧克力糖，但是不能多吃，多吃会有虫牙。"西泽尔轻声地抚慰着妹妹。

记忆里他是吃过那两种食物的，很甜很好吃，但具体是什么味道，他也早已忘记了。

接车的人早已到达月台。一位相当体面的管家为首，训练有素的女仆们跟在后面。翡冷翠那边发来的电报上早就说好了，他们的生活有专人安排，不用做任何的准备。

"先生，行李就这么多么？"管家数完行李后跟西泽尔做确认。

这个男孩虽然只有七岁，却是这个三口之家的主人，因为除了他没人能做主。至于他那高高在上的父亲，从法律上说跟这个家庭并无关系。

"就这些。"西泽尔在四岁的妹妹阿黛尔面前蹲下，摸摸她的头，"照顾好妈妈。"

他把妹妹的手交到那名看起来最慈柔的女仆手里。妹妹被女仆抱走了，他自己却留在了月台上，冲他们招手。

"哥哥！哥哥！"阿黛尔忽然发现不对了。她开始哭喊开始挣扎，向西泽尔伸出双臂要哥哥抱她。

"我有些事，做好之后就会回家的。"西泽尔轻声说。

他知道这样的解释阿黛尔听不懂，他也并不指望阿黛尔能听懂。

就这样，在他的视野里，那个繁樱般的女人和那个苹果脸的女孩越来越远了，管家提着行李，女仆挽着夫人抱着女孩，倒像是他们才是一家人。

只有那还萦绕在耳边的哭声提醒他这个世界上有人舍不得他。

其他车厢也开门了，乘客们涌了出来，和接站的人混在一起，他们有的是家人重逢，有的是情侣相见，含蓄的人搓着手相互寒暄，冲动的则拥抱在一起。

蒸汽遮蔽视线的时候，男孩吻着女孩，仿佛蜻蜓点水后飞去。

一眼望不到边的人群里，七岁的男孩默默地看着自己的脚下，像流水中的礁石。

"是西泽尔·博尔吉亚吧？"背后传来磐石般坚定的声音，"我名为何塞·托雷斯，少校骑士，奉您父亲的命令来接您！"

西泽尔慢慢地转过身来，陌生的年轻人站在他背后，黑色军服，银色的火焰领章，铁石般的面孔，结实的肌肉块在军服的遮挡下仍旧可辨轮廓。

他把照向西泽尔的阳光全都挡住了。西泽尔站在阴影里，忽然感觉到了秋天的寒意，不由自主地打了个冷战。

但他没有流露出任何惶恐不安的神情，仍是安安静静的，彬彬有礼的，问："去了就会知道要接受什么样的考验了，是么？"

男孩的平静令年轻的何塞·托雷斯骑士有些惊讶，他迟疑了几秒钟："没那么恐怖，若是坚强的孩子，应该可以承受。"

天之炽.2
FLAMING HEAVEN

第二章
———— 炽天之鬼 ————

四面八方的灯同时亮了起来，巨大的黑影从不同方
向投射在西泽尔身上，它们古奥如神，它们狰狞如魔！

006 钢铁之都

装甲礼车并未驶向翡冷翠市中心，而是远离车流一路向北。托雷斯和西泽尔坐在后排，前排开车和押车的也都是黑衣军人。

"这是翡冷翠最早的工业区，你应该没有来过。"托雷斯指着窗外，"我们在这里奠定了第一代的工业文明，但这里在五十年前已经废弃，你现在所见的只是废墟。"

车窗外不时有钢铁森林般的大型机械闪过，锈迹斑斑，仿佛巨人的骨架。机械文明才发展了一百多年，这里就已经被荒废了五十年。

看那些机械的残骸，大约也能想到它们昔日的功能——把高燃素的煤从地底挖出来，破碎为煤粉；煤粉熊熊燃烧，爆裂般的蒸汽力量驱动大型机械；熔炉煅烧铁矿石，蒸汽巨锤锻打钢件，燃烧室的阀门打开时，连夜空都被照得通红。

相比眼前的一切，克里特岛就像是被时间封印在了千年之前。

前方出现了巨大的黑影，那是一座废弃的火车站，规模不亚于翡冷翠如今正在使用的那座车站，只是简陋很多，纯用粗重的铁架搭建。

礼车驶过锈迹斑斑的铁轨，咯噔咯噔作响，接着驶入了废弃的火车站，前方的铁门次第打开，车站里是一条斜向下方的甬道，车行越远他们就越深入地下。

再次看见光的时候，他们抵达了一处月台。月台位于地下几十米深处，两侧都是地下隧道，隧道深处回荡着隆隆的响声。

那竟然是一条修建在地底的铁路。小型火车已经等候在月台边了，拖着工厂里常见的平板车厢。礼车直接开了上去，列车拉了一声汽笛，冲入前方的隧道，黑暗铺天盖地地涌来，吞没了他们。

隧道里一片漆黑，偶尔有灯光从窗外照进来，也就是那么短短的一瞬，照亮了托雷斯那张坚毅的脸。

"吃糖么？"托雷斯忽然伸出手来，就着光，他手心里居然是几颗巧克力糖。

西泽尔略有些吃惊，没想到这个铁石般的骑士会随身带着糖。

"谢谢托雷斯骑士。"西泽尔拿了一颗，但只是握在手里。

"如今的孩子已经不吃巧克力糖了么？"托雷斯讨了个没趣，剥了颗糖自己吃了。

西泽尔觉得有些辜负了这位骑士的心意，便也剥开糖纸把糖含进嘴里。

何塞·托雷斯笑了起来，其实他本人也没超过"大男孩"的范围，爱吃巧克力糖并不奇怪。他佩戴着高级军官的银质军徽，但真实年龄大概只有二十岁，不知道怎么升上去的。

"托雷斯骑士跟我父亲……很熟么？"西泽尔在嘴里滚着那块糖，问得好像很随意。

托雷斯骑士愣了一下："我的军籍在炽天骑士团，但直接隶属圣座管理，是圣座的机要秘书之一。"

"圣座""炽天骑士团"，西泽尔默默地记下了这两个称谓。原来在翡冷翠，教皇被称作"圣座"，至于"炽天骑士团"，想来是什么很有战斗力的组织。

"西泽尔是想了解圣座的近况？"托雷斯很快就反应过来了。

"我只见过他一面。"西泽尔抬起头来，无声地笑笑，"我是个私生子，托雷斯骑士也知道的，对吧？"

托雷斯点了点头："想知道什么的话就问我好了，能回答的问题我都会回答的。"

"就想听你讲讲他，讲什么都行。"男孩的声音很轻微。

托雷斯沉吟片刻："你的父亲隆·博尔吉亚，是新一任的教皇，这你已经知道了。他是位大人物，但区别于那些俗世的皇帝，他是由枢机会选出来的执政官，受枢机会的制约。"

西泽尔点点头："我倒宁愿我父亲是个普通人……"

"我知道你们在外面流落了很久，对圣座应该是有些不满的，"托雷斯说，"不过圣座虽然冷漠，但为了把你们接回翡冷翠，暗中还是做了很多努力，一周前才除掉了所有障碍。他今天没来接你们，你也别难过，圣座有各种各样的政敌，他不能给对手留把柄。枢机会能选举圣座，也能罢免圣座，他也不能一意孤行。"

没来中的，西泽尔又想到那晚在小教堂，父亲无意中说到他们离开翡冷翠的那晚，翡冷翠下着瓢泼大雨，也许那晚他真的有来送行吧，只是不曾露面。

今天他会不会也站在很远很远的地方，看了一眼母亲和妹妹的背影呢？

可西泽尔立刻又打消了这个念头，那个男人真不像这么多愁善感的人，他驾临克里特岛的那一夜都没去看自己的女人和女儿一眼，来去匆匆，就像一场钢铁的风暴卷过。

"像我妈妈那样的女人，父亲有很多么？"西泽尔又问。

托雷斯犹豫了片刻："这些话就当我们私下聊天，别跟别人说是我告诉你的，好么？"

西泽尔点了点头。

"你还小，有些事你长大了才会明白……其实在外面有女人这种事，在翡冷翠一点都不稀罕，大人物谁没有几个女人？连那些道貌岸然的红衣主教都不例外。"

"就是说我妈妈那样的女人，圣座有很多吧？"

"不，圣座在女人方面出奇的洁身自好，听说他有私生子和私生女，我们都吃了一惊呢。"托雷斯说，"不过圣座是有妻子的，还跟妻子生了两个儿子，就是说你有同父异母的兄弟。"

"哦。"西泽尔点点头。正妻生下的兄弟，那是堂堂正正的博尔吉亚家少爷，跟他并不是一类人。

"别沮丧，圣座对家庭和子女都不上心，我看他花在那两个孩子身上的心思，还不如花在你身上的呢。"托雷斯说，"他经常连家都不回，在办公室里支张床就睡了。"

"如果不在乎，为什么要结婚呢？为什么还要生孩子呢？"

"所以说你还小，很多事将来就明白了。圣座那种人，为了权力什么都能舍弃。如果不是他那位出身名门的妻子，他也没那么容易登上教皇的宝座。婚姻是他……"托雷斯也知道这么说不合适，但面对这男孩沉静的眼睛，还是说了，"为了权力支付的代价吧？"

"权力那么重要么？"

托雷斯沉默了好半天："很重要，尤其是在翡冷翠……将来你就明白了。有人说在翡冷翠，活着无权，还不如死了。"

"托雷斯骑士，谢谢你跟我说这么多……你是我来翡冷翠认识的第一个人，我可以叫你何塞哥哥么？"西泽尔抬起头来，看着何塞·托雷斯骑士的眼睛。

年轻的骑士愣了好久，很勉强地点点头："您想这么叫我当然可以……可您是圣座的儿子……您将来还会是……"

"很高兴认识你，何塞哥哥。"西泽尔截住了他剩下的话。

这时列车驶出了隧道，巨大的空间陡然出现在前方，西泽尔的瞳孔骤然放大，他看见了一座……钢铁的都市。

无数的铁轨将这个巨大的空间分割成碎片，列车穿行来去，准确地在站台边停靠，红绿灯光频繁地闪变，管理着这些钢铁长龙。

纵向轨道上则升降着巨大的平台，起重机把新组装的战车从下方提升上来，推入等候在钢铁月台旁的列车，列车带它们去往目的地。

不可思议的巨型熔炉位于前方，顶天立地的轮转式进煤机将数以吨计的煤倒入熔炉，阀门开启的时候，几十道幽蓝色的火柱从火眼中喷出，银亮的红色液体在熔炉中爆开，仿佛喷珠溅玉。

列车在临时月台边停靠，西泽尔呆呆地跟着托雷斯漫步在这个奇迹般的空间中。

"欢迎来到翡冷翠的暗面，"托雷斯淡淡地说，"这个区域其实并未废弃，只是将核心工厂搬到了地下。教皇国最机密的机械装备都在这里生产制造，有了这座机械工厂，翡冷翠就是永不陷落的城市。"

托雷斯指向那座喷吐烈焰的熔炉："世界上最大的熔炉，我们叫它'维苏威火山'，用于熔炼级别最高的武器级合金。百年来它只熄火过三次，为了清除积灰。"

各种颜色的钢水正从"维苏威火山"中流出，有的呈明亮的金红色，有的却泛着令人不安的暗蓝色，偶尔有细小的炭渣飘到液面上方，立刻化为舞动的火苗，就像是小精灵在平静的河面上跳舞。

"那边的大家伙是冷凝机，外号'冰霜巨人'，必要的时候它能释放出大量的冷空气给维苏威火山降温。"

"精密工坊，超微机械在这里制造，操作必须在显微镜下完成，所以在这里工作的都是巧手的女性。"

"超重型水压机，它的作用是把金属材料一次性压成结构致密的部件。"

"你在看那个断头闸模样的东西？我们叫它'斩铁剑'，在蒸汽机的驱动下，它的硬金铡刀几乎可以切断世界上一切的人造物，甚至可以一次性切断一辆虎式战车。"

维苏威火山喷出焰柱的时候，整个地下空间都是血红色的，浓郁的蒸汽云不时卷来，有时候仿佛行走在云海里。一路上托雷斯都拉着西泽尔的手，怕他走丢了。

托雷斯侃侃而谈，西泽尔一言不发，眼前的一切对这个在克里特岛长大的七岁男孩来说简直就是另一个世界——一个神国，一个由钢铁构建的神国！

通过重重的关卡，他们踏进了一条长长的甬道，甬道尽头是一扇黑色的机械门。他们在那扇门前停下了脚步，门上蚀刻着巨大的六翼猫头鹰。

"六翼猫头鹰，这是密涅瓦机关的徽记。在教廷的各大秘密机关中，这可能是最神秘的一个。踏入这扇门，你就真正踏入了密涅瓦机关的辖地。"托雷斯仰望着那座钢铁巨门。

"密涅瓦机关？"西泽尔喃喃。

"是的，我们把这扇门叫叹息之墙。"

"叹息之墙？"西泽尔不禁打了个寒战，这个名字让人有种不祥的预感。

"原意是分隔天堂和地狱的墙壁，在天堂里的灵魂永恒快乐，在地狱里的灵魂永恒受苦，可其实天堂和地狱只是一墙之隔。那是道永恒不摧的墙壁，任地狱中的灵魂怨念了几千万年，它也绝不会坍塌哪怕一个角。连神到了它面前也只有叹息，所以叫叹息之墙。"托雷斯低声说，"走进这扇门，你就是我们中的一员了，不过，先得通过考验。"

"知道的，我答应了父亲的条件。我愿意来接受这个考验，他就把妈妈和妹妹接回翡冷翠来。"西泽尔点点头。

"其实你连这个考验是什么都不知道，对么？可一路上你完全不问我要去哪里。"托雷斯挑了挑眉，"你可真是个怪小孩。"

"我得到的命令就是跟着何塞哥哥，何塞哥哥去哪里，我就去哪里。"

托雷斯怔了片刻，无奈地笑笑："你叫我何塞哥哥，我还真不适应呢。"

托雷斯的手按上机械密码锁，准备开门，可他还未开始行动，刺耳的警报声充斥了整条甬道，机械门忽然裂开了一道缝，炽热的白色蒸汽刺刺地溢出。

托雷斯愣了一刻，猛地拉起西泽尔的手后退，一路上他都对西泽尔恭敬有加，可这时候他的动作里蓄满了暴力，根本不容西泽尔抗拒。

机械门轰然洞开，那只是一扇门，却由数道钢铁门扉组成，每道门扉都如犬齿般紧密地扣合，浓烈的燃烧气息扑面而来，一个黑影以肉眼无法捕捉的高速冲出门来。

"实验体突破叹息之墙！实验体突破叹息之墙！放弃捕捉！直接摧毁！重复命令！直接摧毁！"声音从四面八方传来，血红色的光铺天盖地。

007 实验体

托雷斯腰间的重型佩剑陡然出鞘，自下而上撩出青蓝色的剑弧，凭感觉攻击黑影的咽喉。

这一刻便可看出这个看起来还有几分青涩的年轻人绝对是曾经出生入死的职业军人，剑刃破风带出凄厉的尖啸，技法和力量都臻于完美。

但，只是在黑影身上割出了一串火花。

托雷斯一击失手，断然弃剑，撩开军服的后襟，拔出乌黑的大口径枪械，顶着黑影的胸口发射。

巨大的轰鸣声中，子弹反弹回来，又在甬道壁上二度反弹。

托雷斯意识到手中武器根本无法奈何对方，猛地一按身后西泽尔的头，吼道："闪开！"

这时肉眼无法分辨的黑色利刃已经高速袭来，在他胸前割出了一道飞血。那一斩凌厉到匪夷所思，若不是他及时后仰，心脏都被切开了。

托雷斯倒地的瞬间，黑影腾空而起，从西泽尔的头顶越过。西泽尔仰起头，它的血滴洒在西泽尔的眼角，带着介乎腐臭和芬芳之间的神秘气味。

黑影的身高大约是人类的两倍，浑身都被造型狰狞的机械设备包裹，机械部件将它完整地包裹起来，如同一件甲胄。

最可怖的是它的脸，那是一张黑色金属铸造的面具，面具上的每个孔都往下拖出一行鲜血。诡异的黄色眼睛缩在漆黑的眼孔深处，不像人类的也不像野兽的，倒像神话书中被钉死在十字架上的恶魔……

怪物落在西泽尔身后，下蹲蓄力，想要再次起跳的时候，铁门里又有黑影冲了出来。这次冲出来的不是怪物，而是黑衣军人，军服外罩着链甲。

他们用铁钩锁住了怪物的双肩，想把它拖回铁门里去，四个人同时发力，跟那个怪物暂时僵持住了。

"不要冒险捕捉！你们不是他的对手！"铁门中传来焦急的吼声。

但已经晚了，怪物的双腕之间忽然弹出弯月形的刀刃。它高速地旋转起来，四名军官的手臂连同胳膊上的护甲同时被斩断，断臂中迸出浓腥的鲜血。

怪物转过身，带着两道笔直的蒸汽，加速逃逸。它奔跑的姿态就像是筋疲力尽的人，可速度却快得不可思议。

"甬道里的人回避！甬道里的人回避！"铁门中有人大吼。

军官们强忍着断臂的痛苦，紧靠着甬道壁站立，托雷斯也一跃而起，抱着西泽尔扑到了墙边。所有人的脸色都很难看，汗如雨下。

怪物已经接近甬道尽头了，逃出甬道它就自由了，以它那惊人的力量和敏捷，在那巨大的空间里将再也没人能够阻挡它。它可以跳上任何一列火车，远离这座钢铁都市。

但坚厚的铁门轰然落下，封锁了外射进来的光，也锁住了甬道的出口。怪物暴怒地捶打那扇门，钢铁的利爪在门上滑动。铁门无动于衷，怪物只是制造出火星、爪痕和令人牙酸的声音。

甬道上方降下异形的枪械，多根枪管组成的转轮旋转起来，它吐出了暴风雨般的火光。

密集的弹道呈束状，准确地命中怪物的后背，将它狠狠地压在铁门上。怪物身体表面的机械装置逐一破碎，子弹如利刃般切割它的身体，火花和血花同时在黑暗中炸开。

西泽尔紧紧地塞着耳朵，在枪火的照亮下，他平生第一次目睹死亡。

连射铳停下了，甬道中弥漫着刺鼻的硝烟味，十几秒钟里，数百发子弹被倾泻在那怪物的身上。怪物倒在血泊中，从那么大的出血量看，它肯定是没救了。

身穿白色长袍的人沉默地走出铁门，他们戴着白色的面罩，看不见脸。他们用末端带电的工具戳了戳怪物，确认它已经死了，这才围绕它蹲了下来，用旁人听不清的声音窃窃私语。

托雷斯缓缓地起身，在胸前画了个十字，摸出白色手帕捂住了鼻子，把另一张白色手帕递给西泽尔。

不知为什么，分明是刚才举剑相对的敌人，可这一刻西泽尔觉察到托雷斯的眼里有种隐隐的哀伤，便如一鸟死去，群鸟悲鸣。

医生给那些断臂的军人包扎伤口，这些精锐军人，一直强忍着疼痛，这时精神放松下来，立刻就昏了过去。

一名戴着银色军徽、穿高级军服的人走出铁门，看到托雷斯的时候他停了一步，双方互行军礼。

"又出事故了么？"托雷斯低声问。

"这个月的第二起，"军官低声答，"枢机会对进度逼得很紧，我们不得不提高了实验的强度。"

"非要摧毁不可么？毕竟是……"

"没办法，失控的时候实验体穿着半成品甲胄，如果让他离开中央圣所，结果不堪设想。"军官说，"慈悲对他来说没用，神经系统一旦崩溃，快点结束反而更好。"

他们在甬道这边说话，甬道那边已经传来了浓重得令人不安的血腥味，穿白色长袍的人们正围绕着怪物的尸体，仿佛一群食尸鬼在进食。

他们从金属箱子里拿出锋利的剥皮刀、柳叶刀、劈开关节用的短斧还有不知用途的叉形物，熟极而流地肢解着怪物。看他们的动作，不知做过多少次了。

紧贴怪物背脊的甲片被拆了下来，隐约可见甲片内部布满金色的细针……觉察到西泽尔在远处看，解剖师们相互靠得更近了些，用身体挡住了现场。

"脑白质坏死超过95%……没能抵抗住甲胄的侵蚀。"

"最后想必是痛得不行了才要逃跑的吧？之前还算是实验体中最乖的呢。"

"这下子又没有合适的实验体了，进度方面又要被枢机会压得喘不过气来。"

"谁说没有实验体？你没看到他们带来的那个男孩么？"

声音渐渐低落下去，最终只剩下模糊不可分辨的低语，解剖之后碎片被用铁铲铲起倒入金属容器，由几名解剖师抬了出去，不知道是挖个坑掩埋还是投入那座熔炉烧成灰烬。

所谓实验体的命运大概就是这样的。

西泽尔的脸色苍白得像纸。虽然解剖师们用身体挡住了他的视线，但他仍然看到了被解除武装后的怪物的一部分，那是一截苍白的、细瘦的小腿，恰如挽着裤管踏入海中的少年的腿。

008 佛朗哥教授

西泽尔坐在黑暗中，托雷斯坐在旁边陪他。这里伸手不见五指，只能通过呼吸声确定对方的存在。

此刻他们已经在叹息之墙内了，踏入那扇门，是完全由钢铁和钢铁管道构成的狭长通道，钢铁管道残留着泼墨般的鲜血，穿白色长袍的人们正在擦拭。

铁门内的通道非常复杂，仿佛一座迷宫，沿路都是血迹，还有尸体。不过尸体都已经用黑色的胶袋套好了，那些白袍人正把它们抬出去。

想来那个实验体到达 "叹息之墙" 前跑了很长的路，克服了很多障碍，还杀了很多人，但终究还是没能逃离这个地方。

最后托雷斯和西泽尔抵达了这个黑暗的空间，摸索着在金属靠椅上坐下。一路上两个人都保持着沉默，好像有什么东西沉甸甸地压在两个人的心头。

外面燥热且充斥着燃烧后的气味，这间屋子里却极其湿冷，还弥漫着呛人的消毒水味，闻起来倒像是医院，或者说太平间。

"你看见甲胄里的东西了，对吧？"托雷斯忽然说话了，声音很低。

"是的，何塞哥哥，那里面装着一个小孩。"西泽尔的声音微微发抖。

"别害怕，你跟他不一样，我们会尽全力保证你的安全。实在害怕，就想想你妈妈和妹妹。"

"是。"西泽尔点点头。

随着这句话，他真的安静下来了，心跳频率慢慢地降低，呼吸慢慢地平顺。他坐得笔直，挺起瘦弱的胸膛。

脚步声由远及近，是他们接下来要见的"重要人物"吧？托雷斯没说来这里是要见谁，但西泽尔敏锐地觉察到他踏进这个黑暗的空间之前整了整自己身上的军服，扣好了风纪扣。

黑暗中的人打了个清脆的响指，一束明亮的灯光自上方打下，把西泽尔、托雷斯和那人自己都罩在了光圈中。

"重要人物"扶了扶脸上的眼镜，目光灼灼地盯着西泽尔看，眼里满是贪婪。但不是那种野兽看到血食的贪婪，而是小孩子看到玩具的贪婪。

"重要人物"远比西泽尔想的年轻，三十多岁，一头凌乱的灰白色头发，不过不是因为衰老，而是天生的，加上懒得梳理，看上去能够塞进去一个喜鹊窝。

对方套着满是油污的白袍，身材倒说得上挺拔，脸上也有一大块油渍，大概是手上沾了润滑油身边没有东西擦，就在脸上抹了抹，留下清晰的五指印子。他一边观察西泽尔一边喝酒，酒气醺人欲醉。

"佛朗哥教授，按照圣座的命令，我把西泽尔·博尔吉亚带来了。"托雷斯神色恭谨地说，"就是这个孩子。"

"长得一点都不像隆那个混蛋嘛！""重要人物"点点头，"倒像一个小姑娘！"

"我必须提醒您，从名义上说西泽尔和圣座并无亲属关系，虽然这件事您知道我也知道，但还是不适合说出来。"托雷斯略有些尴尬，"以免给某些人留下口实。"

"我平生最讨厌的就是隆这种做了坏事不承认的混蛋了啊。有私生子很丢脸么？这座城市里的大人物不是都有私生子吗？"

"佛朗哥教授您也是一位大人物啊。"

"不要提我的伤心事！"佛朗哥教授一屁股坐在他们对面，"我没有孩子不是我的问题而是那帮跟我要好的女人不够努力！"

"佛朗哥教授您的裤子拉链开了。"

"哇！你为什么不早提醒我？让我在小姑娘面前丢脸！"佛朗哥教授赶紧把那个扁酒壶叼在嘴里，低头在自己的胯间摆弄，把露出来的花色内裤塞回去，把拉链拉好。

西泽尔非常讶异，从礼车开入这片废墟到逐层进入这个基地，他感受到的是越来越森严越来越恐怖的气氛，此刻他抵达深渊的最底层，见到的本该是魔王般的存在，最后看到的却是这种不着调的货色。

好处是紧绷的神经不知不觉地放松下来。

　　佛朗哥教授流露出大灰狼欢迎小白兔来家里做客的笑容，对西泽尔伸出手来：
"叫我佛朗哥好啦，不用像那些啰里巴唆的人那样叫我教授。我是这间机构的负责
人，以后你就把这里当家吧！"

　　"您好，佛朗哥教授。"西泽尔跟他握手的同时，心说大概老鼠都不愿意把这里
当家吧？住久了连蟑螂都会神经衰弱。

　　"你刚从叹息之门那边过来？刚好碰到实验事故了吧？没吓到你吧？"

　　"还好，我没事。"西泽尔违心地说。

　　就在不久之前，一个皮肤苍白四肢纤细的孩子死了，他被解剖后的遗体碎得连自
己的母亲都认不出来，却笼统地以"事故"来概括，被如此轻描淡写地讲出来。

　　"其实这种事情也不是每天都发生的，如果不是枢机会那帮老变态天天催天天
催，还派军队来监工，也不会出现那么多的实验事故……你说枢机会那帮老贼，玩政
治就玩政治，政治玩腻了玩玩女人也行，非要跑来玩科学！他们要能懂科学，我养的
狗都能当十字禁卫军元帅了！不过说起来我也没有养狗……"佛朗哥开始骂娘。

　　托雷斯面无表情地听着，想来这位教授总这么说话，大家也都拿他没办法。

　　"说了半天我们的小姑娘还不了解这个地方吧？"佛朗哥发泄了一通怨气之后，
这才回归主题，"你听说过密涅瓦机关么？"

　　"没有听说过，先生。"西泽尔摇摇头。

　　佛朗哥摘下自己的领徽递给西泽尔，领徽以某种特殊的金属材质制成，散发着柔
和的金蓝色微光，上面的花纹是一只猫头鹰，背后扬起六枚羽翼。

　　"六翼猫头鹰，这是我们的徽章。没有听说过是很正常的，听说过才奇怪。这个
世界总是这样，真理不被大多数人知道。我们不被世人所知，但我们解读真理，我们
代表真理，我们就是真理！"说到这里的时候，佛朗哥神态高傲，陡然间端庄威严起
来，像是换了个人。

　　"密涅瓦机关是国家的最高技术机关，过去的百年里，大部分技术革新都出自这
个机关。历任总长都是我国的首席科学家，是最接近真理的人，譬如你对面的佛朗哥
教授。"托雷斯为佛朗哥的话做了注解。

　　"很多第一次踏足翡冷翠的人都说这是一座奇迹之都，但事实上他们只是看到了
奇迹的边缘。时至今日，人类已经掌握的、真正的顶级技术可不是机械礼车和高压蒸

汽火车那种粗糙的东西。人类对真理的理解，已经逼近神国的边缘！"佛朗哥说起技术来不再是那副不着调的嘴脸，而是铿锵激昂，每句话都掷地有声，无愧于他首席科学家的身份，"你父亲送你来这里，便是要你看到神国的边缘！"

"神国的边缘？"西泽尔心中微微战栗，人类真的已经摸到了神国的边缘么？

"我知道你在想什么，"佛朗哥教授猛灌了一口酒，目光炯炯，"你在想神国的边缘是什么东西，那玩意儿能吃吗？"

西泽尔想说我真没这么想，我也没那么饿，可这话被他咽回肚子里了。

"下面就让我为你揭示这个国家最大的秘密。在看之前请深呼吸，要以对待伟大音乐和伟大绘画的心情来瞻仰它们，对它们赞叹也对它们感恩。百年前，就是这些东西为教皇国争取到了今天的领土，令弥赛亚圣教发扬光大。百年来，也是因为这个东西，西方各国在我们面前噤若寒蝉！"佛朗哥忽然高举双手，大力击掌，"光！给我们足够的光！能够照亮这个世界的光！"

四面八方的灯同时亮了起来，巨大的黑影从不同方向投射在西泽尔身上，它们古奥如神，它们狰狞如魔！

西泽尔惊得霍然起身。他这才意识到自己所处的地方是一间冰库的正中央，他的周围都是五米高的冰墙。那些光源都是透过冰墙照进来的，同时也照亮了封存在冰中的东西，那是机械的……魔鬼！

009 炽天使

西泽尔趴在坚硬的冰面上，通过带着气泡的冰层，敬畏地端详这些像是随时都会动起来的金属躯壳。

机动甲胄，他早已听说过这种东西，但还是第一次亲眼看到。在这个机械为王的时代，战场基本上是被这种东西主宰的。

机动甲胄，顾名思义就是由机械驱动的甲胄。传统的甲胄只能起到防御的效果，而且防御力有限，它必须用尽可能少的金属或者皮革打造，步兵甲胄最重也不能超过五十公斤，超过这个重量别说作战，迈步都困难。

但机动甲胄因为有内置的机械系统，完全摆脱了这个限制。它的重量可达数百公斤，身高可以是常人的几倍，战士用机动甲胄武装起来，相当于骑上机械的战马。

单论火力，机甲骑士或许比不上重型战车，但他们极其灵活，战术多变。他们可以从小道跨越山隘发起突袭，也能攀上敌人的城墙，或者在万军之中闪袭对方的元帅，堪称战场上的死神。

最先组建机甲骑士部队的是教皇国，之后各国也都通过仿造或者改进拥有了自己的机动甲胄，并建立了机甲骑士团。

西方著名的骑士团，诸如教皇国的炽天骑士团、叶尼塞王国的神怒骑士团、新罗马帝国的狮心骑士团，都是机甲骑士团。如今这个年代，骑着战马的骑士队只是君王加冕仪式上的仪仗队了。

"代号'炽天使'，正式的名称是初代超机动战术甲胄，它们于百年前被制造出来。"佛朗哥凝望着那些冰中的神魔，"百年过去了，仿造它的人无数，可它仍旧是最强大的！"

"炽天使？"西泽尔轻声地重复了这个可敬可怖的称谓。

他上的是教会学校，从一年级开始就有神学课，对"炽天使"这个名字有所了解。

弥赛亚圣教说，世间只有一个神，他至高至上至伟大，神创造了世间万物和人类。神也创造了名为"天使"的仆人，他们看起来和人类相似，但远比人类强大，那是宇宙间最完美最接近神的造物。

天使分为若干等级，最高等级的天使被称为"炽天使"，他们由纯净的光焰构成，负责守护神的御座。一切与恶魔的作战他们都是主力军。

这些机动甲胄竟然以最强的天使为名！

"小西泽尔，你父亲希望你能穿上这些甲胄中的某一具，"佛朗哥教授抚摸他的头顶，"成为……炽天使骑士！"

"炽天使……骑士？"西泽尔愣住了。

"我知道你在想什么。你在想成为骑士算什么考验，这不是所有男孩的梦想么？"佛朗哥教授严肃起来，"那你就错了，炽天使和普通的机动甲胄不同。我刚才跟你说了，这东西有百年的历史，是人类制造的第一批机动甲胄。它们是有灵魂的机械，它们挑选骑士，而不是骑士控制它们。平均每十万人里，可能只有一个人能驾驭这些金属恶魔。剩下的所有人都会被这些甲胄排斥，甚至死在它们里面。"

"比如今天的那个实验体？"西泽尔忽然明白了。

他们在甬道中遭遇的实验体就穿着一件没有完全成型的机动甲胄，外面没有覆盖装甲板。那是他第一次目睹机动甲胄，没有认出来，误把它当作了怪物。

那个实验体死了，死于发狂，发狂的男孩被这间机关抹杀了。

西泽尔狠狠地打了个寒战。死亡，这对一个七岁的男孩而言，是个多么遥远的词语，现在这个词语忽然就来到面前。

"机械当然不可能真的有灵魂，这只是一种形象的说法。"佛朗哥教授又说，"炽天使是一种古式甲胄，跟现在军队列装的甲胄区别极大。按道理说人类的技术总是不断进步的，百年前的东西，不可能比今天的东西强大。但炽天使恰恰是个特例，它采用了已经失传的神经控制技术，甲胄内部的微电路直接和人的神经系统接驳，你会感觉到甲胄变成你身体的一部分，指挥它不再是通过电路或者油压传动，你只需要在脑中想象那个动作，甲胄自然就会为你实现。这样真正达到了人类和机械合为一体。"

他叹息着摇摇头："这是惊世骇俗的技术，也是残酷的技术，人类不再是单方面控制机械，同时也被机械控制。炽天使会对骑士的神经系统造成破坏，即使那名骑士能够驾驭炽天使，他们踏入骑士舱的次数越多，也就被侵蚀得越厉害。可以说每个人驾驭炽天使的时间都是有限的，不尽早退休的话，他们就会变成植物人，或者疯子。"

"那个实验体就是疯了么？"西泽尔轻声问。

"是的，"佛朗哥微微点头，"他很不幸，实验中他忽然失控。一旦失控，骑士就成了嗜血的杀戮机器，即使从骑士舱里抢救出来也没用了，所以死亡对他而言未必是最糟糕的结果。"

"很多孩子……失控么？"

佛朗哥挠头："我这么说好像是在推卸责任似的，但如果是密涅瓦机关控制实验的进度，这种悲剧并不多见，我们一旦意识到他可能失控就会中断实验，把他从骑士舱里抢救出来……可目前是军部在监督炽天使的实验，准确地说，枢机会在监督，他们大幅度地提升了实验的密度和强度，想要重现失传的神经接驳技术，这是以实验体的生命为代价的。"

"他的家里人会很难过吧？"西泽尔轻声问。

"他是个孤儿，没有家里人，不会有人为他难过。他预先也知道这种实验的危险，跟军部签署了契约，即使他死在骑士舱里也不是国家的责任。"

"那他是为了什么来当炽天使骑士的呢？他连家人都没有……"

"我只负责实验的技术部分，跟实验体的接触很少，没问过，"佛朗哥耸耸肩，"不过每个心甘情愿踏入骑士舱的孩子都有自己的理由吧？为了家人，为了梦想，为了权力，或者是单纯地不想卑微地活着。"

"可父亲怎么知道我适合呢？既然十万人里才有一个人能够成为炽天使骑士，那个人会是我么？"西泽尔问。

"因为你是生着紫色瞳孔的孩子啊……"佛朗哥并不多解释，"而且密涅瓦机关也会支持你，虽说神经接驳技术已经失传，但我们研究炽天使很多年，多少对它的脾气有所了解。"

"明白啦。"西泽尔望着冰中的魔神，点了点头，"希望我是有用的，希望我不会给大家添麻烦。"

如此干脆的回答倒是让佛朗哥教授吃了一惊："我得提醒你，就算一切顺利不出意外，你也会承受巨大的痛苦，那痛苦直接作用于你的神经系统，可不是手指被刀片割破那么简单。这些心理准备，都得在踏入骑士舱之前做好。"

"不用准备啦，您刚才不是说么？每个心甘情愿踏入骑士舱的孩子都有自己的理由。"男孩无惊无怖，清澈的瞳孔中倒映着魔神们的身影，"我知道我是为什么而回到翡冷翠的，从一开始，我就知道。"

佛朗哥教授沉默良久："真是隆·博尔吉亚的儿子啊！只有你们家的疯子，才会用这种不留退路的语气说话。"

"那么这就开始吧！你父亲等着你成功穿上甲胄的消息呢。"他踩下地面上的黄铜电闸，屋子忽然微微地震动起来。冰中的魔神们也跟着震动，仿佛要活了过来。

010 中央圣所

他们随着隐藏在地面上的升降梯，沉向下方，进入了一个巨大的黑色空间。

层层叠叠的钢铁平台位于高处，地面和四壁都敷设了坚韧的青铜合金板，地下拖满了手腕粗的电缆，如同纠缠在一起的黑蛇。

场地的正中央是黄铜质地的圆台，看起来年代相当久远了，有着复杂的环形结构，外人难以揣摩它的用途。多条电缆都接驳在圆台底部，白袍人正围绕着它做测试，随着他们开合电闸，蓝紫色的电火花反复闪灭。

"中央圣所。"托雷斯低声说，"据说当初就是在这里制造了炽天使甲胄，时至今日这也是密涅瓦机关最神圣的实验场。"

"那些站在上面的人是？"西泽尔问。

半空中的钢铁平台上站着穿黑衣的军官们，银色甚至金色的肩章和领徽表明他们的军衔级别，背手而立的姿态说明他们习惯于发号施令。他们的视线随着西泽尔移动，神情冰冷，就像是一群俯瞰老鼠奔逃的夜枭。

"你父亲的政治对手。大人物中有你父亲的政治盟友，比如佛朗哥教授，但不喜欢你父亲的人占了大多数。在你抵达这里之前，这批人已经入驻了中央圣所，以军部的名义监督着实验进度。频繁出现实验事故就是因为他们在强行提速，他们想尽快把他们选拔出来的孩子送进骑士舱做测试。现在你来了，他们当然不会高兴，所以也不会下来跟你打招呼。"

西泽尔点点头："我看得出他们讨厌我。"

"没错，但在翡冷翠只有掌握权力的人有话语权，你现在置身于圣座的保护之下，他们还没有实力挑战圣座的权威，"托雷斯指了指那个黄铜圆台，"佛朗哥教授是国家首屈一指的技术权威，你的实验由他主控，不用担心。在你到达极限之前，他会终止实验，把你从骑士舱里救出来。"

"嗯！还有何塞哥哥在。"西泽尔说。

何塞·托雷斯怔了一下，摘下手上的白手套，轻轻抚摸西泽尔的头顶："去接站之前我本来想会是多么难缠多么难伺候的少爷，却没想到接到的是你这种孩子……如果可能，真不想是由我的手把你送到这个鬼地方来。"

西泽尔听出了这名年轻骑士的不忍，可想而知那实验的残酷性，即使有佛朗哥教授的保驾护航，也不是一般人能承受的。

但他仍只是孩子气地笑笑："我怎么会是那种难伺候的少爷呢？从法律上说，连父亲都不是我的父亲……"

佛朗哥跟托雷斯骑士对视一眼，搭乘升降梯去往半空中的钢铁平台。控制中心就在那里，各种各样的黄铜仪表和绘图机在这里汇总，数以万计的指示灯闪烁着。

正中央是一块巨大的铜板，铜板上镶嵌着大量的指示灯，灯光下，只能看到炽天使骑士的剪影。骑士和甲胄的接驳状态就显示在这块铜板上。

佛朗哥漫步在仪表台之间，亲自调整各项参数。他大口地喝着酒，酒精对他来说就像是某种兴奋剂，越喝他的眼睛越亮，操作的速度也越快。

军部的代表们站在远处的阴影中，他们在窃窃私语，但声音不出他们的那个小圈子。

"居然请到了密涅瓦机关的总长亲自来给儿子穿甲胄，圣座是有多在乎这个儿子的死活啊？即使他是个私生子。"

"你太不了解隆了，他会在乎一个后代的死活？那不过是一夜欢愉的副产物而已，他真正想的是把自己的血统植入炽天使！"

"没有把婚生的儿子送来试穿甲胄，而是从克里特岛把当年丢得老远的私生子捡回来，这小家伙对隆来说是个可以牺牲掉的棋子。"

"据说这孩子是紫色的瞳孔，不是说有紫色瞳孔的个体天生就能够抵抗炽天使的精神侵蚀么？"

"是啊，所谓的魔鬼体质，父亲贵为教皇，儿子竟然是传说中的魔鬼体质……"

蒸汽喇叭吹出的呜呜声打断了他们的对话，围绕在圆台旁调试的机械师们都站起身来，小跑着撤离，搭乘位于各个角落的升降梯去空中平台。

几分钟前下面还人来人往，此刻全部清空，只剩下西泽尔和陪着他的托雷斯。

西泽尔已经换上了某种黑色纤维缝制的连体服，那种黑色纤维的弹性极强，贴紧他的身体表面，仿佛是另一层皮肤，在身体的要害部位植入了轻薄但坚韧的金属护甲。

实验就要正式开始，此时此刻他的母亲和妹妹应该已经由那位体面的管家陪同，抵达了教皇厅为他们安排的住处，那应该是一处昂贵的住所，有管家有女仆，应该还有桃花心木家具和24小时不间断的热水。那奢华生活的代价就是他要接受的眼下的实验。他必须通过这场考验，母亲和妹妹才能继续留在翡冷翠，继续享受那样的生活。

这就是翡冷翠，这座城市美得就像天国那样，但这里的一切都是有条件的。西泽尔只有七岁，但这些他都明白。

"进入那具甲胄之后你会出现幻觉，"托雷斯压低了声音，"那是因为甲胄介入了你的神经系统，它在干扰你的思维。就像噩梦，非常真实的噩梦，会让你误以为那是现实。你要对抗那种幻觉，控制住甲胄。"

"谢谢何塞哥哥。"西泽尔点点头，"何塞哥哥也是炽天使骑士吧？何塞哥哥为什么要来当炽天使骑士呢？"

"我父母很早就过世了，但我有个妹妹。"托雷斯轻声说，"以我的家境，我妹妹只能在社会的底层过一辈子。但如果她哥哥是一位骑士，她就能嫁给真正爱她的人。"

"何塞哥哥真是个好哥哥，很高兴认识你。"

"愿神保佑你，西泽尔，我也很高兴认识你这样勇敢的男孩。"托雷斯后退着，忽然转身，最后一部升降梯带着他驶向高处的平台。

西泽尔仰起头，望着半空中的人们，那些人扶着铁栏杆俯瞰他。好像这是一个巨大的斗兽场，观众们下好了赌注，等待着结局，而场中的野兽只有一个七岁的男孩。

"各部门就位，准备倒计时！"佛朗哥教授发出指令，目光扫向实验场。

踏进控制中心以来他的全部精力都在仪表台上，这才刚刚看向实验场。这一看，他愣住了，揉了揉眼睛，以为自己眼花了。

他的视野中出现了几乎一模一样的两个镜像，每个镜像里都包括了一片空荡荡的实验场、一个铜质圆台和一个身穿紧身衣的男孩。

"怎么回事？"他环顾四周，愤怒地低吼。

下方其实是两个实验场，被一扇接近十米高的巨型机械门分隔开来，每个实验场中都有一个圆台和一个男孩，两组实验正在平行开展。

西泽尔所在的位置是看不到另一个男孩的，他的视线被机械门阻隔了，但从高处的控制中心看就一目了然了。

"是军部的意思，说让'黑龙'和西泽尔做对比实验。"一名实验员低声说，同时看了一眼那些站在阴影中的黑衣军人。

实验流程被军部做了修改，下属们也是刚刚知道不久，佛朗哥教授来晚了，下属们还没来得及或者说不敢告诉他这个消息。

"军部的老爷们似乎忘记了这是什么地方，"佛朗哥恶狠狠地灌了一口酒，转过身来，盯着那些黑衣的身影，"在密涅瓦机关的势力范围里，我还是第一次听说有人要修改我制定的实验流程！"

"佛朗哥教授，您贵为枢机会的一员，我们怎敢冒犯您？"一名年轻的副官脱帽行礼，"不过重建炽天使部队的决定是枢机会做出的，责成军部和密涅瓦机关共同负责。我们并未干预您控制的实验，我们只是把另一场实验安排在同时进行，相信两个孩子在进入骑士舱时的不同表现，会帮助我们了解炽天使的操控方式。不是么？"

"既然教皇厅对西泽尔·博尔吉亚那么有信心，那应该不会介意让他跟黑龙对比一下吧？圣座不是希望他掌握炽天使么？胜不过黑龙，就掌握不了炽天使。"副官背后的魁伟身影沉声说。

"连奥奎因将军也惊动了么？"佛朗哥教授皱眉，"你们对这个孩子真的挺重视啊。"

那位魁梧军人的脸虽然藏在阴影里，但那标志性的白发和低沉有力的声线，说明了亲临现场坐镇的是十字禁卫军军部的四号人物——奥奎因将军，有传闻他正向第三号人物的位置挪动。

这位大人物本身也是一位骑士，私下里被称作"红色奥奎因"，因为他年轻时曾在一场战役中抓着敌军的机甲骑士作为盾牌，迎着密如暴雨的炮火，孤身一人突破了敌军布置在咽喉位置的重炮阵地。

战后人们找到甲胄动力耗尽的奥奎因时，他的甲胄已被鲜血彻底染红，简直像是从地狱血池里拖出来的恶鬼。

在军部的最高层中，他可能是最懂炽天使的人。

"与其说我们重视这个孩子，不如说我们重视这个孩子背后的人。"奥奎因将军冷冷地说，"平行对比实验之前也经常做，有什么问题么，佛朗哥教授？"

佛朗哥教授望向更高处的平台，那里的结构和设备都跟他所处的控制中心没什么两样。身穿黑衣的军人们占据着那处平台，有条不紊地准备着第二套实验。

平行对比实验，就像奥奎因将军所说，这种实验在中央圣所并不罕见，也不会干扰到西泽尔这边的实验进程，军部应该是想通过对比来考察西泽尔的潜力。

而用来跟西泽尔对比的，则是迄今为止跟炽天使共鸣最高的那个实验体，军部给他的代号是"黑龙"。

佛朗哥教授再望向下方，那个代号黑龙的男孩默默地站在黑暗里，低头看着地面，背影和西泽尔出奇的相似，一样的细瘦，一样的伶仃。

011 巴别塔

对于控制中心发生的事，西泽尔一无所知，他只是反复地深呼吸，好让自己平静下来。

从他的位置看去，实验场是个矩形的空间，周围都是近十米高的巨型金属闸门。没有人告诉他穿着甲胄的流程，也没有人留下来辅助他，他像是一个囚徒，被丢进了钢铁的深井里。

难怪那个实验体那么想要逃离这里，即使他已经疯了，意识深处依然残留着对这个实验场的恐惧吧？

"小西泽尔，能听见我的声音么？"耳机中传来佛朗哥教授的声音。

"我听得见，佛朗哥教授。"西泽尔说。

某种铜质构件紧贴着他的下颌骨，将他说话时的颌骨振动转化为电信号，再通过微型无线电传输到半空中的控制中心。

"你的心情怎么样？紧张么？"

"我很好，佛朗哥教授。"

"鬼扯吧，从我这里看，你的心跳频率是每分钟190次，血压是正常状态下的两倍，你正在出汗，或是吓得尿了裤子，总之我们检测到大量的液体正在浸润你的衣服……"

西泽尔惊了一下，没想到自己身上这身看起来并不起眼的黑色制服有这么复杂的功能，密涅瓦机关所用的技术真的是匪夷所思。

"那身制服的作用不只是保护你的身体，还会把你身体的各种变化转化为电信号，通过无线方式发送到我这里来。"佛朗哥教授又说，"所以我可以随时监控到你的状态，一旦出现异常就会中断实验，别害怕。"

"好的，佛朗哥教授。"

"沿着台阶上到那个圆形台子的顶部，你会在圆台中央看到一把椅子，坐到上面，双手放在扶手上就行了，后面的事情都交给我。"佛朗哥教授说，"实验开始后上面会有些电火花，但是别介意。"

"好的，佛朗哥教授。"

"现在上到那个圆台的顶部去吧，哦对了，你应该知道那个圆台的名字，我们叫它巴别塔。"

巴别塔，那是弥赛亚圣教的神话中的东西。

据说太古的人类修建了那座塔，当时人类的技术非常先进，准备把塔一直修到天上去，好通过那座塔抵达神国。神把这看作人类的狂妄和僭越，便在一夜之间摧毁了那座螺旋形的高塔，彻底斩断了人类自行前往天国的念头。

密涅瓦机关把这种圆台称为巴别塔，似乎有着某种特殊的寓意——一座能通往天国的塔。

巴别塔的高度大约三米，周围有螺旋形的阶梯可以拾级而上。西泽尔上到顶部，看到了佛朗哥所说的那张椅子。

椅子用极薄的钢板打造，形状怪异，随处可见锋利的边角，看起来简直是件刑具，座椅下方还走着黑色的电缆。他在那张椅子上坐了下来，把双手放在寒冷坚硬的扶手上。

出乎他的意料，坐在这张椅子上并不像想象中的那样难受，除了材质冷硬之外，它的结构恰好把整个人包裹在其中。

"坐下了么，小西泽尔？手有老老实实地放在扶手上么？"耳机里再次响起佛朗哥的声音。

"都按您说的做了，佛朗哥教授。"

"还有什么没准备好么？全都准备好了就要开始咯。"

西泽尔沉默了十几秒钟："如果我出事的话，能不能请何塞哥哥跟我妈妈说……"

"别想这些了孩子，想要你妈妈好好地生活下去，就努力从甲胄里爬出来！你如果爬不出来，什么话都没意义，无论是'我想你'……还是'我爱你'。"佛朗哥打断了他。

这完全不像是佛朗哥这种不正经的货色说出来的话，西泽尔不由怔了一下。

是啊，其实他只是害怕而已，他强撑到现在，心里还是害怕的。他想留几句话给妈妈是这个年纪的男孩脆弱时的正常反应，害怕的时候想要母亲温暖的怀抱。

可他妈妈是个傻子，只会穿得像个漂亮的大布娃娃，坐在那里发呆。就是西泽尔主动拥抱她，她也不回应，目光越过西泽尔的肩膀，没有焦点地看向前方。

不过那也没什么，如果这个世界上没有给你准备的温暖怀抱，你会变得越来越不怕冷。

佛朗哥教授说得对，在这方面他跟父亲是一样的，总是说着无路可退的话，既然这条没有退路的路是自己选的，怎么都要走到头。

"全都准备好了。"男孩轻声说。

"好极了！去吧！小西泽尔，抓住天使的羽翼，强迫他带你飞向天国！"佛朗哥猛地合拢电闸。

电闸合拢的瞬间，整个中央圣所都变成了一个高电压区，可以想象何等惊人的电流涌了进来。

巨大的机械圆盘从上方降下，罩在西泽尔的头顶。蓝紫色的电弧击穿了空气，粘连在巴别塔和机械圆盘之间，咝咝咝咝地闪灭。

座椅扶手上忽然弹出了钢铐，锁住了西泽尔的手腕、脚踝、腰部和颈部，这张异形的座椅正在变化形状并且升高，将西泽尔托举在圆盘和巴别塔的中间，丝状闪电在他的身体上游动，这个世界在他的视野里开始扭曲。

西泽尔面孔扭曲，四肢痉挛。他本想保持平静，但这一幕委实太可怖了，佛朗哥说"有些电火花"，可眼前分明是一场闪电构成的暴雨。

"保持镇定！保持镇定！"耳机里断续传来佛朗哥教授的声音，但被如此强烈的放电现象干扰，噪音大得像是雷鸣。

形成鲜明对比的是二号实验场那边，那代号黑龙的男孩静静地躺在电弧中，承受着一切。

军官们彼此对视，无声地微笑起来。实验一开始就看出了高下，黑龙表现出了更优秀的心理素质。

不过事情本来就应该这样发展，黑龙是他们花费了极大心血，从不知道多少候选者中挑选出来的，又怎么是一个克里特岛长大、对炽天使认知为零的私生子能胜过的？

"开始神经耦合。"佛朗哥下达命令。

西泽尔感觉到巨大的疼痛从背后传来，那种痛楚之剧烈，简直像是要把人钻透。座椅中探出了金色的细针，一根接一根地插入他的脊椎，进入脊髓灰质。

当最后一根针也进入了西泽尔的脊椎，金属座椅忽然自行收拢，如一件轻薄的甲胄那样将西泽尔包裹在其中。

"骑士舱合拢，等待进一步的命令。"

原来那张椅子就是实验用的骑士舱，骑士舱合拢，武装的第一步完成。

"心跳每分钟210次，肾上腺素分泌达到正常值的2.5倍。"

"体温升高到39摄氏度，还在继续上升。"

"血压超过上限45%，给他注射血管保护剂。"

控制中心里，各部门的人都在吼叫着，西泽尔的数据并不怎么理想，如果算成分数的话，仅在及格线徘徊。托雷斯皱着眉，佛朗哥的神色倒还正常，两人快速地交换了一下眼色。

"开始武装！"佛朗哥下令。

第二阶段开始了，圆盘背面蜘蛛状的八支机械臂降了下来，它们带着炽天使甲胄的部件，将它们逐一装配在西泽尔的身体上，螺丝飞旋，电焊的火花坠落如雨，男孩细弱的身体逐步被狰狞的机械覆盖。

二号实验场里，黑龙顺利地武装着，各项数值有序地上升，铜板上的指示灯逐步地由红变绿，一个指示灯就意味着一处神经枢纽，黑龙的所有神经枢纽都对炽天使甲胄无保留地开放，炽天使侵入他的同时，他也控制了炽天使。

一号实验场这边，铜板上只有少数指示灯在红绿之间反复跳闪，这意味着炽天使甲胄不断尝试打通和西泽尔之间的联系，但西泽尔的神经系统正固执地反抗。

"他的反抗有点太强了，"托雷斯低声说，"也许他并不像圣座期待的那样适合炽天使甲胄……"

炽天使骑士着装中出现的最可怕的反应就是自身的神经系统对抗甲胄，这种情况的结果是甲胄模拟的神经电流反复尝试，最终严重损毁骑士的大脑和脊椎。

之前那个出问题的实验体很可能也是这种情况，所以医务人员第一时间就是检查他的大脑损坏程度。反倒是放开自己任炽天使甲胄侵入的骑士，不仅受到的损伤很小，还能把甲胄当作身体的一部分来控制。

"没什么，第一次武装，反抗是正常的，"佛朗哥摇头，"每个成功穿上甲胄的人，都相当于死而复生！"

012 噩梦

西泽尔根本感觉不到自己正被一具深红色的机械覆盖，最后一根细针贯入他的脊椎时，奇异的世界铺天盖地地降临了。

各种不可思议的景象在他眼前闪灭，这一刻他觉得自己正站在一望无际的荒原上，阴霾的天空下生长着唯一的巨树，它的枝条上悬挂着果实，每颗果实都是苍白的人体。

下一刻他又站在群鸦环绕的殿堂中，巨大的水池往外溢水，那水是鲜红的，一层层地漫过白色的大理石台阶。

再下一刻巨大的钟开始轰鸣，顶天立地的青铜指针飞速旋转，它轰鸣一次，世界就坍塌一部分，坍塌而成的粉末坠入黑色的虚空。

现实中，他的面孔完全扭曲，深湖般的瞳孔中，只剩下一片摄人心魄的紫。

铜板上亮起的绿灯开始逐渐变多，从脊椎开始，一个节点一个节点地往四肢末端延伸。

"就这样！他正在逐步获得甲胄的控制权！就这样！一步一步地，一步一步地……吃掉它！"佛朗哥大口地喝着酒，眼睛亮得像是要燃烧起来。

二号实验场中，武装完毕的黑龙已经扶着机械臂缓缓地站直了。那个不超过十岁的男孩操纵着身高2.5米左右的机械巨人，屹立在二号实验场的巴别塔上，浑身上下的部件自动开合，喷出炽热的白色蒸汽。

二号控制中心的铜板上，所有的指示灯都变成了绿色，只有几个小灯还偶尔闪过红光，但在黑龙的意志之下，那些神经枢纽又迅速地被控制住。

军部高官们的神色越来越满意，平行对比实验正在摧毁那个所谓紫瞳的神话。

瞳色为紫的孩子是非常罕见的，绝大多数家庭生下这种孩子都会视为不祥，因为神话里恶魔的眼睛就是紫色的，这种恶魔体质的孩子注定要为家族带来不幸。

然而历代炽天使骑士中，紫瞳的比例却相当之大，因而紫瞳的孩子又被认为在驾驭炽天使方面具备特殊的优势。但紫瞳又怎么样呢？黑龙，那是百万中选一的人！紫瞳，终究也还是比不过百万中选一！

"增加神经电流的强度！"佛朗哥拍着仪表台。

"虽然有进度，但是他的体质……能坚持得住么？"托雷斯问。

根据铜板上的显示，西泽尔正在打一场艰难的阵地战，神经枢纽逐一被打通，但他的心跳、血压都高得可怕。

"是的，从生命体征看很危险，"佛朗哥根本不看仪表台上的数据，"但你难道没有注意到，那孩子一声都没有出过。"

托雷斯一怔。确实，从实验开始到现在，西泽尔痛苦地挣扎，简直像是被捆在火刑架上焚烧，却没有发出任何声音。

"他挣扎，那是因为在甲胄侵入他的身体时肌肉会失控，你看不到你自己第一次穿上甲胄的模样，比他还要夸张！"佛朗哥面无表情，"但他始终控制着最后一块肌肉，那块甲胄用不到也不会试图控制的肌肉，他的咽喉！他的神智还在起作用，在他的意识深处，他现在就像是被恐惧之土活埋的人，但他正在往外爬！"

"距离他的极限还有多远？你确定你能在他到达极限之前终止实验？"

"其实根本没人知道极限在哪里。"佛朗哥死死地盯着巴别塔上扭动的金属人形，"我说的那些是骗他的，如果实验真的出问题，即使密涅瓦机关守着他，也没法把他从骑士舱里救出来！"

"什么？"托雷斯惊呆了，"那是圣座的儿子！"

佛朗哥冷冷地看了托雷斯一眼："亏你还是教皇的机要秘书，跟了隆·博尔吉亚那么久，还不知道那个疯子的秉性么？被他选中的人，都得是能够放上棋盘、能为他作战的棋子。我明确地告诉你好了，没有任何备份方案，也没有救援计划！给这孩子的待遇跟给其他实验体的待遇是一样的！"

"怎么会……这样……"托雷斯呆呆地站在那里。这个上过战场、杀过人的年轻人本以为自己已经见识了世界最残酷的那一面，可这一刻他觉得自己无知得就像那个正在甲胄中挣扎的男孩。

"如果这孩子穿不上甲胄，那他对隆·博尔吉亚还有什么意义呢？不如死在骑士舱里好了。"佛朗哥抓住电压阀，缓缓地向上推动，"但那个孩子一定能做到吧？有时候你也要相信小孩子的话，他说他知道为何钻进骑士舱里去，他还要活着去见他的妈妈和妹妹……有那么强烈的意志在，又怎么会做不到？"

肉眼可见的青紫色电弧沿着金色细针钻入西泽尔的脊椎，炽天使甲胄的神经控制系统毫无保留地冲击着他的神经枢纽，这一刻仿佛有机械的魂灵从天而降，死死地拥抱着这个颤抖的男孩。

时光仿佛倒流，往事从天而降，最可怕的噩梦这才降临……对他来说，最可怕的噩梦其实是现实。

他重回了四岁那年的雨夜，那是他第一次清醒认识这个世界。男孩在寒雨中哭泣着颤抖着，看那些穿着黑衣的男人把他的母亲压在鹅绒枕头里，把锋利的手术剪插入她的后脑……电光闪落，把世界从漆黑照成惨白，再由惨白变回漆黑。

"隆怎么会喜欢上这种女人？亏得家族在他身上投入了那么多的资源。"

"好在还没传播开来，否则他的政治生命就得彻底完蛋，妻族也不会饶了他。"

"为什么不杀了这个女人？"

"用不着，脑白质手术后她就什么都不会记得了。"

"喂！角落里的那个孩子一直在看我们，还是紫色的瞳孔，真恶心。看那小家伙的眼神，真像只小野兽，随时会扑过来似的。"

"小野兽？奶猫而已。"

着黑衣的男人们在风雨中说话，完全忽略了角落里的奶猫，奶猫抱着一床毯子流泪，连哭声都没有发出……可谁也不知道，在那床毯子下面，他的手里握着一柄锋利的小刀。

杀了他们……抱着妈妈快跑！

快跑！快跑！快跑！从未有过的强烈意志在男孩的大脑中回荡，仿佛隆隆的钟声。

那一夜他第一次睁开眼睛看世界，有人说如果你第一次看到这个世界的时候是白天，那从今以后你的心里都充满阳光，如果你第一眼看到的是黑夜，那连你的瞳孔都是黑的。

而名为西泽尔·博尔吉亚的男孩，他的第一眼看到的，是地狱。

013 本能

是他们把她变成了大布娃娃！是他们把她变成了那个痴痴地等着男人回来看自己的傻子！

从那以后她再也不会拥抱人……是那些人，那些人夺走了本来属于他的温暖怀抱！

强烈的恨意在他的脑海深处咆哮，无比强横的意志控制了男孩的身体……无边无际的雨夜中，他攥紧了手中的小刀，爬向那些穿黑衣的男人。

爬着爬着他开始用膝盖行走……他站了起来，膝盖那么沉重，他要拼尽了全力才能挪动它们，但他终究是找到了双腿存在的感觉……力量如怒啸的水，涌向他的四肢末端，他的手越收越紧，刀柄摩擦手心的痛楚让人如此欣喜。

走过去……走过去……走过去杀了那些人……修改那个雨夜中发生的错误……杀了他们，杀了他们一切就都会回复到正常轨道，他曾经拥有的温暖怀抱也不会消失！

他完全沉浸在噩梦中，根本意识不到在现实里他已经从巴别塔上跌落下去。他爬行，然后膝行，再然后是跌跌撞撞地行走，一路留下深深的划痕。

他的前方什么都没有，他却摆出了野兽进攻前的姿态，锋利的铁手紧紧地攥着并不存在的小刀。

"神经耦合度65%……72%……75%……"

"左臂接入完成，运转正常！"

"右臂接入完成，正在试运转！"

"腰部完成耦合，关节自检中！"

"甲胄出力提升至300匹马力……不！320匹马力！"

各部门都在大喊，频道里乱成一团，佛朗哥干脆摘下了耳机扔在一旁，冲到那面铜板前，死死地盯着那些闪烁的指示灯。

当所有指示灯都变绿的时候，西泽尔便完全掌握了那具古老的甲胄，他的所有神经枢纽都对机械开放，他被机械吞噬，或者说，他跟机械融为一体。

这具尘封已久的炽天使，即将复活！

唯一值得担心的是西泽尔的生命体征，渐渐控制住甲胄的同时，他也在高速地滑向死亡，每分钟260次的极限心率，两倍于常人的超高血压，超越医学常理的44摄氏度体温。

人的体能跟机械的出力一样是有极限的，一台设计每小时跑100公里的车，也可能跑到每小时200公里，但在那种速度下它随时都会散架。

为了克服甲胄接入带来的负荷，西泽尔的身体已经突破了极限，问题是他能撑多久。这台车是会冲破终点，还是会在终点分崩离析？

"紫瞳的传说看来也不是完全没有道理的。"奥奎因将军低声说。

他看着佛朗哥教授时而全神贯注，表情狰狞，时而挥舞拳头，嘶叫呐喊。黑龙能否成功地武装对奥奎因而言完全不是重点，重点是教皇厅那边送来的孩子是否会成为第二个黑龙。

西泽尔正向着成功推进，那个孩子看起来细瘦得像只流浪猫，神经系统却如此的强大，甚至……蛮横，这超出了军部的预料，不过说起来黑龙也是这般瘦骨嶙峋的模样。

"神经耦合度80%！"有人高呼。

奥奎因将军的眉峰略略一挑。80%，这是个敏感的数字，第一次武装的神经耦合度就超过80%，这已经可以视为很大的成功了。想要保护骑士的话，此时此刻就该切断电源，让精疲力尽的骑士从甲胄中出来。

但佛朗哥教授仍未叫停，因为西泽尔的数据仍在艰难地上升。黑龙的第一次武装，神经耦合度达到惊人的92%，80%的成绩算是合格了，却无法挑战黑龙的地位。

而教皇厅想要的，绝非黑龙的追随者，而是黑龙的竞争者，是空前绝后的骑士之王！

"那几位阁下对于这样的结果大概不会高兴的。"副官在奥奎因将军耳边低声说。

奥奎因浑身微微 震，是啊，那几位阁下……他来这里其实是用自己的眼睛代替那几位阁下来看看西泽尔，而"西泽尔成功地穿上了炽天使甲胄并取得了足以威胁黑龙的成绩"这种消息，那几位阁下当然不会想听到。

而让那几位阁下不开心的后果可是很可怕的，即使他是"红色奥奎因"，也免不了会打个寒战。

"是不是……"副官征询他的意见。

奥奎因轻轻地点了点头，副官的目光上扬，向一直守在二号控制中心栏杆边的军人打了一个眼色。

轰隆隆的巨响中，分隔两个实验场的钢铁阀门缓缓地升起，西泽尔和黑龙忽然看见了对方。他们本是困在两个兽笼中的野兽，现在这两个兽笼被口对口地放在了一起。

他们不约而同地转向，动力核心带着高频噪音旋转，甲胄喷出炽热的蒸汽。他们的喉中发出低沉的吼声，完全不像是孩子的声音。

"谁开启的阀门？"佛朗哥教授惊呆了，随即大吼，"关闭！快关闭！"

"无法关闭阀门！无法关闭阀门！电信号传不出去！"工程师们手忙脚乱。

"你们！"佛朗哥教授忽然意识到这是怎么回事了，转身怒视阴影里的军人们。

奥奎因将军无所谓地耸耸肩："别比数据了，反正他们终究都要踏上战场，用血来说话。"

"混账！你的黑龙是受过训练的骑士！西泽尔还是第一次穿上甲胄！他的神智还没恢复！他现在只有……野兽的本能！"佛朗哥教授怒吼。

"他们存在的意义，就是作为极致杀戮的野兽，虽然还是幼兽，但幼兽也有自己的爪子。让两只幼兽较量高下的方法难道不是把他们放进一个笼子里么？"奥奎因将军淡淡地说。

他的话音未落，原本走得摇摇晃晃的西泽尔已经带着两道蒸汽凝结的白线冲向了黑龙，那冲锋的姿态，完全就是一头狂化的野兽。

这一刻，黑龙甲胄的眼孔中，闪过了彻寒的光。

014 崩坏

两具甲胄相撞，黑龙锁住了西泽尔的脖子，机械手忽然间爆发式出力，西泽尔的颈部闪出了电火花，显然是有些线路被破坏了。

西泽尔也并不示弱，他头顶着黑龙继续向前冲，以极致的力量把黑龙撞在坚固的钢铁墙壁上。

黑龙的双肘重击西泽尔的后背，铍青铜装甲凹陷开裂，蒸汽带着刺耳的声音喷了出来。

"左臂接入故障！重击让西泽尔的左臂出现了接入故障！"一号控制中心中，工程师大吼。

"左臂重置！只有一只手他是不可能挡住黑龙的！"佛朗哥下令。

黑龙和西泽尔背后都还拖着电缆，这种情况下控制中心还能修复他和甲胄之间的连接，医疗组也能使用安装在甲胄内部的肾上腺素针和止痛针提升他的耐力。

在二号控制中心显然不会制止黑龙的情况下，留给一号控制中心的唯一选择就是强化西泽尔，帮他顶住黑龙的进攻。

对比实验并不是骑士决战，不至于搏命，坚持到实验结束就可以了，坚持下来对西泽尔来说就是胜利。

紫色的微电流在左臂表面噼里啪啦地闪过，断开的左臂重新接入。那块显示神经接入状态的铜板上，刚刚变红的左臂瞬间变回绿色，付出的代价是西泽尔的心跳和血压又上了一个台阶。

为了穿上甲胄西泽尔的身体已经不堪重负，现在他却不得不进一步增加身体的负担和黑龙搏斗。

不过这个代价是值得的，左臂恢复的时候，西泽尔正被黑龙抓着头颅往墙壁上撞。左臂恢复，这男孩凭着本能挥出了一记下勾拳，重重地打在黑龙的下颌上。

这是可能造成脑震荡的重击，黑龙的神经接驳面板上多处闪现了红灯。但他不愧是如今军部手中的最强筹码，红灯迅速转回绿灯，他凭借自身的力量重置了那些出问题的神经枢纽。

黑龙向后跃出，刚刚承受重击，但他的站姿依旧倨傲。他比西泽尔大得并不多，却已经显露出真正骑士的威仪，在他的面前，西泽尔根本就是一头发狂的斗牛而已，凭借噩梦中的本能作战。

但这头发狂的斗牛却给黑龙优化后的作战方式构成了压力。西泽尔的进攻方式是野蛮的肘击、膝击、撞击和扭打，如果不是炽天使甲胄没有牙齿，他甚至可能扑上去撕咬。

黑龙受的重创不多，但盔甲表面的伤痕甚至多于西泽尔。

西泽尔围绕着黑龙游走，伏低身形，攻击的准备动作像是狼或者狮子。

这时候一号控制中心里已经完全乱套了，跟表面上呈现出来的亢奋相反，西泽尔的各项身体参数已经恶化到了极点，那是将死者才会有的身体状况，身体正汲取每一分力量维持这个男孩的呼吸和心跳，这男孩却毫不吝啬把它花在进攻上。

他的身上呈现出生和死两种完全相反的特质，他正爬向暴力的巅峰，同时也正在死去。

"终止实验！"托雷斯低声说，"我们这边率先终止实验，军部也不能继续纵容黑龙进攻！西泽尔现在连清醒的意志都没有，他不可能挡住黑龙的进攻！"

"终止实验，他就永远失去资格。对于他父亲来说，他就是个没用的人。"佛朗哥转过头来，神色略显狰狞。

托雷斯也愣住了。佛朗哥说得没错，这时候终止实验，就意味着对黑龙认输，他一直没跟西泽尔透露的真相是，教皇厅要的并不仅仅是一个炽天使骑士，而是骑士之王，西泽尔若不能成为骑士之王，教皇厅就会另选他人。

回想那个男孩在踏入实验场之前说的话，对西泽尔而言，到底是生命重要，还是穿上甲胄握住权力重要，托雷斯也没有把握。

西泽尔说他一早就知道自己回翡冷翠是为了什么，可到底为了什么，他没有说，这个男孩的心像井那样深。

"终止实验！"托雷斯下定了决心，"圣座把他托付给我，只是要我保证他的安全！我的一切行为都以他的安全为最高准则！"

"即使毁掉他的前途也在所不惜，是么？"

"有一天，也许会有人赋予他的生命别的意义，可他如果死了，那就什么意义都没有了。"托雷斯的声音仿佛从喉咙深处挤出来，"这个世界上……不是每个人都是为了掌握权力而活着。"

"你真的开始在乎这个孩子了啊，托雷斯……这可真不像你这种杀过人的骑士会做的事情，"佛朗哥把手伸向那个红色的安全阀。切断那个安全阀，神经控制系统就会终止运作，骑士舱弹出，这场对比实验到此为止。

就在这时，甲胄中的西泽尔吼叫起来，他高高跃起，扭曲着身体扑向黑龙。过激的动作令他背后的黑色电缆脱落下来，一瞬间绝大部分仪表数值清零，除了植入骑士服内的无线传输的感应器仍在工作，显示着那几近疯狂的生命数值。

"见鬼！"佛朗哥大吼。

在这一刻西泽尔获得了自由，控制中心再也无法像关闭一台仪器那样关闭他，同时也无法再支援他。他变成了一头完全自由的野兽，狂舞在那个……暴风雨之夜！

他根本没有意识到自己是在跟黑龙战斗，他的意识陷在那个幻觉中的风雨夜。他跳起来扑向那些穿黑衣的人，苍白的小手呈现扭曲的爪形，他要把他们撕碎，全都撕碎！

黑龙只是略微迟疑，就被西泽尔撕裂了面甲。那张清秀的男孩面孔暴露出来，天生的白发汗湿后贴在额前，面庞上有两道血痕，那是西泽尔挥舞利爪割出的。

更加疯狂的搏击方式紧跟着到来，西泽尔的身躯和四肢以不可思议的角度拧转，利爪在空气中留下密集的铁色弧光，在黑龙的外壳上刮出无数火花。

黑龙在那狂风暴雨般的打击中步步后退，只能交叉双臂来遮挡面部要害。

"受过严格训练的骑士，竟然被疯狗般的孩子逼成这样！"奥奎因将军面露不悦，"通知黑龙，不必有所保留！做他能做的一切！"

副官迟疑了几秒钟，向着仪表台上的军官点了点头。军官用微微颤抖的手按住通话器："黑龙，放手做吧。"

黑龙忽然站住了，脚跟咬住地面，双手抓住了西泽尔的手腕。那个面容清秀的孩子，自始至终神色没有过丝毫变化，无论是被西泽尔压着打的时候，还是此刻忽然爆发的时候。

他的全部数值都开始稳步上升，西泽尔奋力地扭动身体却无法挣脱他的控制。黑龙的甲胄缝隙中喷吐出大量的蒸汽，惊人的力量从动力核心源源不断地输往双手。

西泽尔双腕的护甲缓慢变形，黑龙骤然发力，扭断了西泽尔的左手腕，抬脚把他踢飞出去。

机动甲胄远比骑士要高，因此骑士的手脚并不能到达甲胄的肢端，黑龙并没实际伤到甲胄中的西泽尔，但因为神经是联通的，西泽尔仍旧感觉到了腕骨折断般的痛苦。

铜板上，骑士的双手部分亮起了红灯，神经耦合率瞬间下跌了25%之多。西泽尔痛苦地吼叫起来，但他已经挣脱了控制电缆，控制中心已经没法给他任何支援了。

佛朗哥教授发疯似的把各种电缆从仪表台上拔下来，试图关闭西泽尔身上的甲胄，这样就能宣布认输，阻止黑龙的进一步进攻。

但这些全都是徒劳，在黑龙狂风暴雨般的进攻中，西泽尔的甲胄逐步变形崩溃，却无法关闭。男孩尖声嘶叫着，还在试图反击，但他格斗的姿势实在太笨拙了，每次扑上去的结果就是受更多的伤。

他本来就什么都不懂，在克里特岛他能够打得贝拉蒙少爷哭是因为他手中握着石头而贝拉蒙少爷没有。某个男人说过石头也是种权力，可此刻他手中没有石头，真正"握着石头"的人是黑龙……百万中选一的天赋骑士，黑龙！

黑龙锁住了他的咽喉，把他举向空中，西泽尔浑身上下都冒着电火花，几乎所有的关节都已经被黑龙打得松脱开来无力地下垂，蒸汽从身体各处的缝隙中渗漏，暗绿色的黏稠液体也渗透出来，沿着甲胄表面往下流，汇成暗绿色的小溪，看起来像是甲胄的血液。

西泽尔颈部的护甲早已受创，此刻完全崩溃，男孩细弱的、白色的脖子暴露出来，但脸还被面甲遮蔽。

黑龙扭头看向二号控制中心，二号控制中心的军方负责人扭头看向奥奎因将军，奥奎因将军站在阴影里，目不斜视，铁石般的脸上毫无表情。

没有人叫停，除了一号控制中心里吼叫着的佛朗哥教授，但他的命令对军部是不起作用的。

黑龙缓慢地增加着力量，铁手上凸出的棱卡进西泽尔的脖子里，鲜血涌了出来，男孩的颈骨发出痛苦呻吟。这一幕令人想起被宰杀之后放血的鸡，被人提在手里，痉挛着渐渐死去。

"是有人……不想让他活下去！"佛朗哥终于明白了，木然地倒在助手们为他推来的椅子上。

他身后的铜板上，红灯越来越多，双手小臂失去联络……左侧膝盖失去联络……肩部失去联络……西泽尔跟甲胄之间的联系正在逐步断开，佛朗哥教授的助手们默默地看着那块铜板，无能为力。

奥奎因将军的嘴角无声地咧开，露出森严的白牙。

没人能救西泽尔了，在他的幻觉中，在那个无边的雨夜中，他也被穿黑衣的男人锁着脖子举向空中，他手足痉挛，瞳孔泛白，视野却越来越黑。

闪电照亮了窗户，在那扇窗下，蒙面的医生把手术剪插入了那女人的后脑，剪刀开合，脑白质切除手术完成。

眼泪从西泽尔的眼角滑下……他忽然明白了，那件事其实早已发生了，无从修改，时间无法逆转，那已经失去的温暖怀抱再也找不回来……

现实中，人们清晰地看见男孩的面甲下方挂着两道鲜红的痕迹，在现实中，这个孩子的眼泪殷红如血。

他张开了嘴，那骤然拉长的面部从面甲下方暴露出来，那口整齐的白牙在此刻看来是那么的狰狞凶恶，整个实验场都被男孩的吼叫声填满，残破的甲胄忽然喷出巨量的蒸汽，尖锐得像是汽笛声。

铜板上最后的几盏绿灯位于脊椎附近，此刻它们也熄灭了。原理上说这是甲胄和骑士彻底脱开的迹象，但西泽尔那尚未被彻底破坏的右手猛地收紧。

"不可能！这不可能！"佛朗哥猛地坐直了，放声咆哮。

各种现象都说明甲胄已经跟西泽尔断开联系了，那男孩很可能已经死了，但植入骑士服的感应器却传回了惊人的数据，狂暴的心跳、狂暴的血压、狂暴的肾上腺素……那孩子濒临死亡的身体中仿佛烧起了一场焚烧世界的烈火。

他抓住黑龙的手腕，以绝对的暴力掰断了那只手，并把它砸在身后的铁墙上。黑龙不愧是受过训练的骑士，神经联结中断的剧痛他生生地承受下来，明智地选择了后退。

西泽尔沉重地落地，缓缓地站直了，深紫转为漆黑的眼孔深处，似乎睁开了另一双诡异的眼睛。

西泽尔……你回到翡冷翠是为了什么？为了给妈妈治病么？为了给妹妹幸福的生活么？为了获得权力爬到最高处向那些欺负过你的人炫耀么？

不……我回翡冷翠……是因为我恨它！

015 疯小孩

西泽尔再度扑向了黑龙……无与伦比的力量、无与伦比的战斗本能、无与伦比的……狂暴！

这不是对比实验，甚至不能说是骑士之间的决斗，而是赤裸裸的杀戮！

如同重生的西泽尔占据了压倒性的优势，肆意地破坏着黑龙，拧断甲胄的肢体，再用那截钢铁残肢作为武器，猛砸对方相对脆弱的关节处，或是把他高举过顶，狠狠地砸在护墙上。

黑龙的防御很快就崩溃了，西泽尔那具赭红色的甲胄爆发出的力量太过惊人，每一次重拳出击或者撕扯都有摧毁钢铁的力量。

黑龙的甲胄表面满是裂痕，甲胄内部发出残喘般的声音，那是受损的动力核心在做最后的挣扎。但黑龙仍旧保持军人般的斗志，无论多少次被西泽尔打倒，都靠自己的腿艰难地起身，再度摆出格斗的姿态。

"神啊……神啊……"工程师们站在铁栏杆旁，恐惧地看着这场已经无法停止的死斗。黑龙背后的电缆也脱落了，现在他们无法操控任何一方。

西泽尔的左脚脚踝和左手手腕已经被黑龙破坏了，但这个拖着残肢行走的钢铁人形却比完好的甲胄骑士更加恐怖，他的断脚在金属地面上拖动，左臂无力地下垂。

他似乎随时都会倒下，但黑龙就是避不开他的重击。每一击都伴随着金属破碎的可怕响声，那暗绿色的、像是机甲之血的液体涂满了黑色的墙壁，就像黑色的画布上画了地狱中才会盛开的花。

"这怎么可能？这怎么可能？"奥奎因将军在咆哮，从一开始就胸有成竹的"红色奥奎因"也被这残酷的一幕震撼了。

他自己就是甲胄骑士，他比任何人都了解这恐怖的机械，但再恐怖的机械也得符合机械的规律，机械不能长时间超过额定功率工作，机械更不可能死而复生。

但这一刻，超越规律的事情在他面前发生，他甚至都怀疑那具甲胄里的西泽尔已经死了，是某个恶魔依凭那具甲胄复活了。

"终止实验！把他们分开！"奥奎因将军高呼。再这样下去他们很可能会损失黑龙，那个被军部寄予厚望的男孩。

"别蠢了，控制电缆已经脱落，没人能掌控那些机械。"佛朗哥慢慢地回过头来，"怎么终止？他们穿着这个世界上最致命的武器！这世上能阻止炽天使的……只有炽天使自己！"

西泽尔抓住了奄奄一息的黑龙，从他的手臂折断处抽出了一根暗金色的链条，机动甲胄内部到处都是这样的链条，就像是机动甲胄的肌腱。

他将这根链条缠绕在黑龙的脖子上收紧，黑龙用尽最后的力量抓住那根链条以免被绞死。双方都把最后的力量集中在那根链条上，动力所剩无几的甲胄发出巨大的轰鸣声，喷吐着浓密的白色蒸汽。

他们靠得极近，四目相对，弥漫的蒸汽云遮蔽了他们的大半身体，那是黑色和赭红色的魔神，他们像是在拥抱，又像是要咬断对方的喉咙。

控制中心里，有人低下了头，有人背过脸去，军官们脱下军帽托在臂弯里。这是场错误的实验，在这场错误的实验里他们注定失去这两个孩子中的一个或者两个，那两个孩子都是绝无仅有的天赋者。

后悔已经来不及了，无人能够阻止事件滑向最糟糕的结果，人们只能沉默地等待。

"托雷斯，准备好向圣座报告吧……我们要失去他了。"佛朗哥轻声说。

他俯视仪表台上那可怕的身体数据，西泽尔正被他自己体内那股力量惊人的焚城之火烧死，即使他能勒断黑龙的脖子，他自己也会因为超出负荷而死。

"托雷斯？"他忽然愣住了。

他忽然意识到何塞·托雷斯骑士并不在他身旁，从西泽尔狂化之后，他就再也没有见过这位年轻的骑士。

控制中心里忽然传出巨大的惊叹声，因为黑色的影子从天而降，带着浓烈的白色蒸汽。第三名甲胄骑士，他落地就冲向了西泽尔和黑龙，长两米的巨刃从背后的刀鞘中脱出，弧形的刀光闪灭，斩断了那根暗金色链条。

那人立即松开刀柄，脚踢黑龙，肩撞西泽尔，将两个男孩左右分开。

他从出现到解决问题，只用了几秒钟的时间，但在那几秒钟里世界上能做得比他更好的人并不多，对于西泽尔和黑龙来说，都只看见一道铁色弧光在面前落下，然后被一股巨大的力量震得后退。

如果落刀的位置差一点，黑龙和西泽尔就可能肢体断裂，他们残破的甲胄已经提供不了什么防护了，如果那一刀不够快，解决问题的人自己就会被狂化的西泽尔攻击。

西泽尔还没来得及起身反扑，那名骑士已经抓住了他，把他和骑士舱一起生生地从甲胄中扯了出来，跟着撕裂骑士舱，把一根满是金色细针的金属索带从西泽尔背上扯了下来，将他平托在手中。

男孩仿佛从一场很长的噩梦中惊醒，呆呆看着眼前地狱般的景象。他恢复了神智，明白这一切都是自己做的，满地的金属碎片和金属残肢，随处可见的锋利划痕，几乎被拆成碎片的黑龙……

急救组冲进了实验场，正把那个名叫黑龙的男孩从骑士舱里拖出来。他在这种情况下身体各部件还完好无缺，真可谓是万幸，但遍体鳞伤是少不了的，上身还有一道从腰腹部延伸到颈部的巨大伤口，正大量地出血。

令人惊讶的是这种情况下那个白发男孩仍未失去意识，他被放在担架上抬走时经过那名骑士的身边，扭头看了西泽尔一眼，然后才闭上眼睛。

骑士面甲打开，露出何塞·托雷斯的脸。佛朗哥此刻也冲进了实验场，拍着额头庆幸，多亏有这位年轻的骑士在场，他动用了第三具甲胄，在没有接到任何命令的前提下冒险冲入实验场解围。

这严重违反了军纪，可能面临终身监禁的处罚。不过他及时制止了斗争的恶化，是军部和教皇厅都乐于见到的，这些大人物们不主动追究，谁也不会动何塞·托雷斯一根汗毛。

"好了，没事了。"托雷斯凝视着西泽尔的眼睛。

"何塞哥哥……我是不是个……疯小孩？"西泽尔的声音很嘶哑，瞳孔中藏着太多的恐惧，不是畏惧托雷斯骑士，而是畏惧他自己。

"不，我想西泽尔要做的一切事，都有西泽尔的理由。"托雷斯骑士以机械手轻轻抚摸他的额头，昂首阔步地抱着他离开实验场。

这个时候，没有亮灯的三号控制中心里，出现了一个暗红色的光点。

那是一个男人点燃了烟卷。

在地下空间，没有光源的区域就完全隐没在黑暗里，男人在那个空荡荡的控制中心坐了很久很久，完全没有人意识到他的存在，除了站在他背后的红袍老人——教皇厅史宾赛厅长。

这位红衣主教本来就德高望重，却还兼管着教皇厅，权势更是熏天，可在这个男人旁边他从来不坐，而是仆从般侍立。因为那个人是翡冷翠教皇。

"一天之内，西泽尔·博尔吉亚这个名字就会为翡冷翠的权力者们所知。"史宾赛厅长微微躬身，"圣座可以放心了。"

"这只是开始，是他在翡冷翠扬名的第一步，接下来要做的工作还有很多，你都准备好了么？"

"把一个七岁的私生子制造成翡冷翠的顶级权力者，让他有资格站在圣座您的身边，毁灭您的敌人，那是很庞大的工作量，不敢说都准备好了，但请容我一步步地做。"史宾赛厅长顿了顿，"有句话不知道当问不当问？"

"问吧。"

"看见自己的儿子在通往权力巅峰和通往地狱的岔道口挣扎，作为父亲，您真的没有犹豫过要让他换一种生活方式，作为普通人平平安安地过完一生么？"

"你是问我有没有想过要叫停实验？"

"是。"

"没有。"

天之炽.2
FLAMING HEAVEN

第三章
———— 神圣家族 ————

　　以西泽尔的性格,他能记住他在意的人说过的每句话,当然也不会忘记任何伤害过他的人。
　　他来这里根本不是要跪舔家长们的脚面,而是要看看他的仇人!

016 温暖

西泽尔缓缓地睁开了眼睛，发现自己睡在一间精致的卧房里，屋顶漆成海水般的湛蓝色，四壁是合欢花的壁纸，身下是光滑的丝绸床单，他只穿着贴身衣物，睡在一张四角带柱的罗马式床上。

透过象牙色的麻纱窗帘，阳光柔和了许多，空气里飘浮着轻微的消毒水气味，何塞·托雷斯骑士坐在床边，却没有像第一次见面那样穿军服，而是穿着深红色的礼服，看起来像是那位来接站的管家。

"你醒了。"托雷斯说。

"何塞哥哥？"西泽尔环顾四周，这个小小的动作都让他肌肉酸痛，"我在哪里？"

"家里，你自己的家里。"托雷斯说，"你在密涅瓦机关的急救室里住了两天，他们给你输了几倍于成人血量的血浆，这才把你从死亡线上救了回来。"

"那个男孩……他怎么样？"西泽尔忽然想起。

"第二个问题竟然是问曾经试图置你于死地的对手。"托雷斯微微摇头，"黑龙的伤势其实比你轻，他急救了一天之后就能下床行动了，此刻应该已经在密涅瓦机关的实验场里熟悉新的甲胄了。"

"他想……置我于死地？"西泽尔有些茫然。

"黑龙是他的代号，他的真名是龙德施泰特，军部从北部高原地区找到的候选者。他和炽天使甲胄之间的神经耦合度极高，也非常听话，是军部最看重的孩子。换句话说，他是军部的棋子，你是教皇厅的棋子，你们是竞争对手。他想要你从这个世界上消失，也是很自然的想法。"托雷斯骑士说，"不过这应该不是他自作主张，至少打开两个实验场之间隔墙的人不是他而是军部的某位高层，有更隐秘的大人物不想你活下去。这也很自然，你来到这座城市是要成为顶尖的权力者的，你会挡很多人的路，他们当然想要把你连根拔起。"

"他们……是谁？"

"不知道，他们藏得很深，那位直接下令的军部大人物——奥奎因将军，也不过是他们的棋子之一。"托雷斯骑士说，"史宾赛厅长在查，但很可能查不出来。查出来也没用，没有证据。有证据也没用，在这座城市里是用权力说话的。你父亲的权势如果压不倒对方，就没法制裁对方。你父亲的权势如果能压倒对方，实话说，无论对方有没有想要伤害你，他都会把对手铲平。"

"听不太懂。"西泽尔轻声说。

"会有人教你的，在这座城市里你要学的东西还有很多，"托雷斯把一枚精巧的钢铁徽章放在他的枕边，"恭喜你，通过了考验，获得了军籍。"

"军籍？"西泽尔托着那枚徽章仔细看。

这个就是军徽么？跟教廷所用的圣徽颇为相似，只是十字架是熊熊燃烧的。

"这个徽章意味着你在国家的分类中从平民变成了军人。军籍是个特权身份，拥有军籍的人，他们的生命属于国家，即使他们犯罪，民事法庭也不能审判他们，必须转交给军事法庭或者宗教法庭。拥有军籍的人会按时得到国家发放的军饷和医疗福利，佩戴着军徽去很多乡下地方，人们都会把你当大人物看待。对很多贫家男孩来说，获得军籍是他们一生的梦想，但对于你来说，这只是第一步。"托雷斯说，"你的军服还在制作中，军徽先给你，此外你要特别注意的是，你的军徽和普通军人的不一样。"

"不一样？"

"一般的军徽是十字架加盾牌，而你的军徽是十字架加火焰，火焰，象征着炽天使。"托雷斯说，"百年之前，国家拥有一支全部由炽天使组成的骑士团，名为炽天骑士团。后来随着炽天使制造技术的遗失，骑士团改用次一等的机甲，但还是叫炽天骑士团。这就是炽天骑士团的军徽。你的军籍属于炽天骑士团，收好这枚徽章，很多人一辈子连摸摸它都没机会。"

西泽尔默默地看着那枚军徽，这就是所谓的第一步么？终于在这座他恨着的城市里站下了一只脚，妈妈和妹妹终于有了安全的住所和保障。他无声地笑了笑，笑得有些开心。

"关于炽天骑士团、教廷、翡冷翠……你还有很多东西要学，但在那之前我想先问你一个重要的问题！"托雷斯忽然严肃起来。

"什么？"西泽尔赶紧集中精神。

"你饿不饿？"托雷斯忽然笑了。

西泽尔愣住了，好像是为了回应托雷斯的问题，他的肚子咕噜咕噜地叫了几声，极不争气。

"起来吃东西。"托雷斯一把掀开他身上的被子，把一摞衣服丢在他身上，转身走到窗边，抱臂斜倚着窗看外面的风景。

怀里抱着衣物，望着那年轻骑士的侧影，回想他冲入实验场挥出力挽狂澜的一刀，西泽尔忽然觉得他就是自己的哥哥。

017 铁十字堡

沿着宽阔的台阶级级上升，西泽尔跟着托雷斯踏入那座巨大的白色建筑物。托雷斯全身军装，而西泽尔只是在胸前佩戴军徽。

这座建筑位于教廷区内的显要位置，但风格和那些教堂式的建筑区别很大，平实得仿佛一块白色岩石，周围一圈都是白色的罗马柱，极高，给人一种神殿的感觉，并不因为简约而被那些精美的教堂式建筑压过了。

十字禁卫军军部，翡冷翠人通常称它为"铁十字堡"，因为从正上方看下去的话，这座建筑呈现出一个完美的正十字形。

西泽尔略微有些紧张，他很清楚地记得在密涅瓦机关的地下实验场里，那些藏在阴影中冷冷看他的军人。

"并非整个军部都是你父亲的敌人，军部中的势力也是错综复杂的。"托雷斯压低了声音，"至少炽天骑士团并不屈从于某些大人物的权力，你既然佩戴着炽天骑士团的军徽，炽天骑士团就会保护你。尽量自然一些，这是你以后经常要出入的地方。"

可是放自然真的很困难。铁十字堡里，不时有佩戴黄铜或白银领章的高阶军官健步而过，外黑内红的大氅在空气中翻飞，至于更高阶的、有副官陪同的大人物，肩章上的黄金流苏发射着耀眼的光。

每层台阶上都站有荷枪实弹的卫兵，他们军礼服上的黄铜扣子闪闪发亮，但真正警戒的人却隐藏在阴影里，西泽尔能从那些人的眼神中感觉出杀气，即使他们只是轻描淡写地一瞥。

真正经历过死亡的人，是不需要笔挺的军礼服和闪亮的铜扣子来彰显身份的。

"铁十字堡建成也已经近百年了，最初没有这样的规模，不断修缮之后才变成现在这样。十字禁卫军的军部位于这里。所谓十字禁卫军，就是这个国家的中央军。大约二十年前，十字禁卫军完成了机械化，目前主要由五个分支机构组成：海军被称为南十字军，装备了金属外壳的蒸汽战舰；骑兵部队只保留了少数战马，骑乘工具更换成名为'斯泰因'的重型军用机车，一共五个师团；炮兵部队装备了'龙吼'长程炮和焚城炮；此外是战车部队和后勤部门。"托雷斯指着那些密密麻麻的路牌，看来一定有很多来军部汇报的下层军官在这个巨大的建筑里迷失道路，所以才设置了这样的路牌。

"那炽天骑士团呢？炽天骑士团不算分支机构么？"西泽尔问。炽天骑士团这个名字从一开始就给他留下了深刻的印象。

"可以算，也可以不算。"托雷斯骑士说，"炽天骑士团在作战中配合军部的行动，全体骑士都有军衔，看起来很像纯粹的军人，但指挥权其实归属于教廷。但教廷也不能完全指挥这支军队，历任炽天骑士团团长都有很大的自决权。"

"自决权？"西泽尔吃了一惊。

这些天来托雷斯一直给他讲解翡冷翠的各种事。七岁男孩的理解能力有限，不过他现在至少不再是那个刚回来什么都不懂的西泽尔了。在这个等级森严的国家里，拥有自决权是多不可思议的事啊。

"因为炽天骑士团往往能逆转胜负，而优秀的骑士，无论是炽天使骑士还是穿着普通机甲的骑士，都是珍稀资源。"托雷斯说，"在这个唯权力是从的国家，拥有了这种能力的人当然能有自决权。你父亲希望你成为炽天骑士团的下一任团长，就是因为在那个位置上的人有自决权，他能逆转战场上的胜负，也能改变这个国家的格局！"

"改变这个国家的……格局？"西泽尔呆住了。

那个男人对自己的期望竟然如此之大么？难道不是丢弃了也不可惜的私生子么？

这种感觉就像外出狩猎的时候看到一只小野狗死死地咬住野猪的鼻子不放松，就想把它拎回来培养成最优秀的猎犬那样可笑啊。

"是的，你以为他只是希望你成为一名优秀的骑士么？错了，以翡冷翠教皇的地位，他需要的是更强有力的人。成为炽天使领袖，那才是你父亲对你的希望！"托雷斯沉声说。

他们穿越了一重又一重的门，进入铁十字堡的最深处，最后抵达了一处圆形的广场，四面八方都是黑色的铁门，铁门上盘踞着金漆的狮子。他们站在广场的正中央，可见的范围中空无一人。

落叶被风吹起，沙沙作响，西泽尔感觉到了一股寒意。

"何塞哥哥，这里怎么看不见人？"他问。

"因为他们没有权限，在铁十字堡，你每经过一扇门都得拥有那扇门的权限。"托雷斯低声说，"而你我的权限，也只够踏入这些铁门中的一扇。"

"那扇门里面是什么？"

"圣座，或者说，你父亲。"托雷斯摸摸他的头，"你不是一直很想见他么？现在终于是时候了。"

在某扇铁门前，托雷斯摸出黄铜钥匙插入锁孔，缓慢旋转。门内传来齿轮咬合转动的声音，数道锁舌同时收回，铁门轰然中开。

巨大的殿堂出现在西泽尔面前，弥漫着神圣的气息，天使和魔鬼的大理石雕塑矗立在殿堂两侧。两张面孔，一张狰狞一张圣洁，都半隐在黑暗中。

黑白两色的格子地面，好像无穷无尽地延展出去，看得人眼前一花，仿佛误入了什么梦境。

不明作用的机械设备位于殿堂的二层，仿佛无数黄铜制造的圆筒交错着叠在一起，组成了巨大的机械，机械的后方连着各种颜色的电路。

历代机动甲胄的外壳排列成两行，挂剑而立，仿佛死去的武士们仍在保卫着这个国家，巨大的战旗悬挂在大殿的尽头，旗上是被火焰包围的十字架。

"骑士圣堂，所有炽天骑士团的成员都在此宣誓效忠，"托雷斯压低了声音，"我只能送你到这里了，记住，不要忤逆你的父亲，在你可以和他谈条件之前……"

在那面战旗的下方摆着一把椅子，男人背对着门坐在那把椅子上，一身黑色的长风衣，灰色的乱发如同钢针。男人指间夹着烟卷，青烟笔直地上升。

西泽尔心里微微一颤，恍惚觉得自己又回到了克里特岛上的那座小教堂，门外是蒙蒙的细雨和焦急等待的莉诺雅。

可惜莉诺雅已经在千里之外了，他只有自己面对那雄狮般的父亲。

"谢谢你，何塞哥哥。"西泽尔转过身来，向托雷斯点了点头。

托雷斯转身退了出去，大门关闭了，骑士圣堂里弥漫着某种暗蓝色的微光，一切声音都被隔绝在外。

西泽尔绕过那张椅子，才发现其实是有两把椅子的，只不过被父亲的背影挡住了。另一张椅子没人坐，显然是为他准备的。

018 世界的真相

父亲和儿子隔着很远对坐，中间甚至没有摆放一张桌子，在这巨大的空间里，有种两个人互相审问的感觉。

"我听说你通过了考验。"父亲的声音毫无起伏。

"是的，我现在能够驾驭炽天使了。"男孩的声音也很冷淡，"我妈妈和妹妹可以回翡冷翠了对吧？你说过只要我通过考验你就会保证她们在翡冷翠的生活和安全。"

"暂时的。托雷斯是个很多嘴的人，翡冷翠的事这几天他应该跟你讲了很多吧？我是翡冷翠教皇没错，但教皇只是名义上的最高领袖，在这座城市里有很多人凌驾于我之上，只是平民们看不到那些人的存在。连我都不是绝对安全的，我怎么能确保你的家人绝对安全呢？能确保她们安全的人不是我，是你，你应该已经有了这个觉悟。"

"成为炽天使的……领袖么？"

"是的，你通过考验，就有资格跟我谈交易了。我们之间的交易是，你服从我的命令，我就支持你成为未来的炽天骑士团团长。"

"成为炽天骑士团的团长，我就能保护妈妈和妹妹了对么？"

"当然，炽天骑士团的团长，那是这座城市里的特权人物。你应该已经听说了，炽天骑士团虽然名义上隶属于十字禁卫军，但拥有自决权，连教廷都不能确保100%

控制住那支军队。到时候谁想伤害你的家人，你就处决他们好了。那时的你有权在不违反法律的前提下处决很多人，这就是我所说的权力的美。到那时你的家庭将成为翡冷翠的新晋豪门，再没有人敢于轻视你们和欺负你们。"教皇面无表情地抽着烟，"但在那之前，你要谨言慎行，今时今日，你在这座城市里还是个随时可以被抹除的小角色。"

真不像父子间的对话啊，更不像父亲会跟七八岁的小孩子说的话，但西泽尔竟然很能接受这种对话方式，他点点头："明白。"

"再然后，你将带领军队横扫东方，等待你的将是'东方总督'的头衔。那时我会给你母亲名分，也承认你是我的儿子，让你成为一个真正的博尔吉亚。"

"东方总督？"西泽尔震惊于这个尊贵至极的头衔。

在人类已知的世界中，以阿尔卑斯山为界，分为东方和西方。东方国土浩瀚，国家众多，其中以古老的夏国最为强大，夏国的领土比西方各国加起来还要大。这些都是西泽尔从地理书上知道的。

如果有人被任命为东方总督，那意味着他统治的国土甚至超过西方诸王的总和，总督已经配不上他那绝顶的身份，更适合他的称号是——东方之王！

"是的，很长时间以来，这一直都是整个西方的目标。由一位空前绝后的开拓者，打通前往东方的道路。那个人就是东方总督，他会为教廷统一整个世界。"教皇冷冷地说，"很多人都认为这是土地、人口和资源的战争，其实不然，这牵扯到一个秘密。正是这个秘密，改变了整个西方的文明进程。你是没有资格听这个秘密的，但我仍要告诉你，因为只有知道这个秘密你才能成为我的助力。所以，你在这间圣堂里听到的每个字都不能外传。若你去外面胡说，我也不能保证你的安全。"

"明白。"西泽尔轻声说。

"你如今是能驾驭炽天使的人了，佛朗哥应该告诉你了，炽天使是人类历史上的第一代机动甲胄，同时也是最强大的机动甲胄。这件事没有引起你的好奇么？按理说技术应该一直在进步，新式的武器优于旧式的，但在炽天使的身上，这个'常理'失效了。迄今为止，最初的仍然是最强的，后人仿造它改进它，可就像临摹的画匠想要修改大师的作品，任何变动都是自取其辱。"

西泽尔怔住了，忽然想起在密涅瓦机关里，他趴在坚硬的冰面上，通过带着气泡的冰层，敬畏地端详着那些看起来颇为古老的甲胄。

佛朗哥教授的话再度浮现在耳边："代号'炽天使'，正式的名称是初代超机动战术甲胄，它们于百年前被制造出来。百年过去了，仿造它的人无数，可它仍旧是最强大的！"

当然他太过紧张因而忽略了这个细节，为何百年前的机动甲胄会比如今的机动甲胄更强大？为何百年前"神经接驳"技术就被用于实战了，佛朗哥却说这种技术"失传"了？

难道说人类的技术竟然是在退步的么？

"是的，人类真正到达技术的巅峰是在百年前，之后我们一直在遗忘着最精尖的技术，比如'神经接驳'技术。那种技术可以令机械和人类合为一体，制造出最强大的战士，但如今人们别说制造出新的炽天使，就连改造它和使用它都很勉强。佛朗哥和他的团队所做的事，只是把孩子们送进那些机械里去试，看谁能适应那些机械。是用人去适应机械而不是机械去适应人。"教皇幽幽地说，"造成这一切的，都是百年前那场神秘的大发现。"

"阿瓦隆岛？"西泽尔忽然明白了。

教皇缓缓地点头："故事要从那艘开往北方冰海的船说起，船上满载了狂热宗教徒，他们要么找到传说中的阿瓦隆，要么撞上冰山沉船……根据现在教廷公布的历史，他们真的在一头逆戟鲸的引导下找到了阿瓦隆，继承了神话时代的技术，导致了机械文明的大爆炸。但细想就会发现这个故事完全不合理，神迹为什么要存在于一座北方的小岛上呢？找到了神迹，为什么机械技术发展起来了呢？神不该是那种挥手之间可以创造万物的东西么？难道还要像我们这样建立工厂、生产制造么？为什么阿瓦隆在历史上只出现过一次？既然找到了神迹，不该对外展出让世人都知道神是真实存在的么？"

教皇吐出一口细长的烟："不，他们找到的不是神迹！而是另外一个文明的遗迹，一个失落的……史前文明！"

"史前文明？"西泽尔瞪大了眼睛。

他是教会学校的学生，从小接受的就是教廷的世界观，神创造了世界和人类，人类繁衍至极，有一天世界会结束，末日审判到来，行善的人上天堂，作恶的人下地狱。世界的历史似乎就该这么简单，神早已为人类规划好了一切。

但教皇说史前文明……难道说在人类开始记载历史之前还有别的文明？那么末日

审判莫非已经进行过了一次，那个文明彻底结束了？各种各样的念头在西泽尔脑海里爆炸，冷汗浸透了内衣。

"那些失落的技术，根本就不是人类的技术；而炽天使，则是史前技术的遗存。当初那帮狂热宗教徒用史前文明残留下来的某些零件构造了第一批机动甲胄，之后零件用完了，炽天使就再也无法生产出来了！"教皇幽幽地说，"之后的机动甲胄都是纯粹的人类造，跟第一代的君王级甲胄相比，它们只是试图在舞台上模仿君王的戏剧演员。"

西泽尔呆呆地听着，骤然间涌入的信息量太过巨大也太过惊悚，让七岁的男孩难以承受。

世界、时间、人类历史之前的文明……这些巨大的概念像是轰雷般把他的脑海炸得一片空白。

"所以炽天使并非什么神圣的东西，而是怪物，只有怪物才能驾驭怪物，而你和黑龙，恰恰是人类中的怪物！"教皇吐出细长的烟，"当然，史前文明这种事，教廷是不会承认的，这会动摇弥赛亚圣教存在的根基。为此教廷把阿瓦隆的秘密一再地封锁。"

身为教皇，说话却完全不是站在教皇的立场。不过对此西泽尔倒不奇怪，他的父亲隆·博尔吉亚，本就是历任教皇中最不像教皇的怪物。从第一次见面开始，西泽尔就不相信这种男人真会虔心信奉某种东西，除了权力。

教皇顿了顿："关于阿瓦隆和史前的那个文明，我知道的也只是极少的一部分，但几乎可以确定的是，阿瓦隆遗迹给我们带来的福利已经用完了。百年来我们的技术水准在下降，而其他国家通过模仿我们，技术水准在上升，这样下去我们的统治迟早都要坍塌，所以枢机会才会决意重新起用炽天使，那些暴虐的机器已经荒废很多年了，但只有它们能打通通往大地东方的交通线！"

"为什么是东方？"西泽尔低声问。

"因为根据在阿瓦隆得到的指引，那个曾经异常繁荣的史前文明其实发源于世界的东方，阿瓦隆只是那个文明遗落在西方的一处小小遗迹。那么，它的绝大部分遗迹还掩埋在东方的地层之下。教廷说神钟爱西方，令文明发源于这里，但事实恰好相反，东方才是文明的起源地，一旦他们接触到东方地层下的史前遗迹，就会掀起新一轮的畸形发展。我们必须在那之前征服东方！"

"为什么选中我呢？"西泽尔问，"父亲为什么会信任我呢？父亲身边有很多很优秀的人吧？"

"因为炽天使的特性，最能适应神经接驳系统的不是成人而是孩子，枢机会正在广泛地选拔骑士，所有的候选人都是七到十二岁。炽天使骑士们只需为国家效命到二十二岁，在甲胄未对他们造成不可逆转的伤害前就退役。按照计划，这支军队会在三年内形成雏形，征伐东方的战争中，它将扮演极其重要的角色。那是一支能够逆转战场胜负的精锐部队，各方都想把它握在手中，我也不例外。"

"但炽天使的领袖，本身必须是个炽天使骑士。"西泽尔点了点头，"所以我只有通过那个考验，对父亲你才是有用的。"

"没错，我需要权力，而通往权力的道路上我需要盟友。盟友常常会背叛你，但有血缘关系的盟友会更加稳固一些。你是我的儿子，虽然不是婚生的，但血管里仍然留着我的血。你是我需要的那种人，从见你的第一眼我就知道。"

"是……我想要……"西泽尔轻声说。

"征服东方这种事我并不感兴趣，但恰恰是因为战争就要开启，我这个根本不懂交易只懂军事和政治的人才会被选为教皇。也正是因为战争需要，你才有机会回到翡冷翠。今天的教皇国，是教廷和贵族的国家，权力由一个贵族传给另一个贵族，由一个教士传给另一个教士。只有战争，才能撕裂这个腐朽的制度，只有战争，才会孕育新的权力者。就像那天夜里我在教堂里对你说的，握住权力，就再也没有人能够伤害你所爱的人。"

"接受交易的话，我将亲自训练你，训练你成为无与伦比的权力者。在我们未来的战场上，你要一直穿着甲胄站在我背后。全世界都会知道西泽尔·博尔吉亚是我的儿子，也是我的利剑。"教皇伸出手来，小指上的家徽戒指闪闪发光，"拒绝的话，就从这扇门里出去。"

西泽尔默默地看着面前的那个男人，他是自己的父亲，却要跟自己做交易，他号称神在这个世界上的代行者，躯壳里却装着魔鬼。

答应了这男人的条件，他会得到很多很多，但是答应这男人的条件，就得陪他去走那血迹斑斑的道路，他的手再也不会干净……

雕花玻璃窗外，何塞·托雷斯看着那男孩站起身来，缓步走到父亲的面前，单膝下跪，低头亲吻那枚荆棘玫瑰的戒指。

交易达成，巨大的殿堂中寂静无声，却又仿佛群魔欢腾，庆祝又一个灵魂坠入了它们的怀抱。

托雷斯轻轻地叹了口气，一切都如教皇所预料的那样发生了，从看见儿子把石头多次砸在贝拉蒙少爷的脸上时，"铁之教皇"隆·博尔吉亚就选中了这个孩子成为他的伙伴，他也确定儿子会答允他的条件。

那个时候，何塞·托雷斯其实就驾驶着教皇乘坐的那辆装甲礼车，他透过风雨看见，白袍上溅满血点的男孩骑在另一个男孩身上。那个男孩是那么凶狠，眼神却又那么荒芜。

他砸的哪里是欺负他的大男孩，他砸的大概是整个世界吧？

教皇响亮地击掌，战旗下面的门开了，早已等候在外面的秘书们走了进来，搬着桌子放在西泽尔的面前。

一份又一份的文件摆在西泽尔的面前，签字笔塞进他手里，秘书指点他签字的位置，西泽尔默默地签下自己的名字。

根据第一份文件，西泽尔·博尔吉亚被委任为瓦伦西亚省的牧师，并掌管整个瓦伦西亚省的教会财产。瓦伦西亚是距离翡冷翠不远的富裕省份，省内有好几座大城市。跟偏僻的克里特不同，那里的牧师都是人上人。

第二份文件由教皇厅颁发，委任西泽尔·博尔吉亚为教皇秘书局的首席秘书，从落笔的那一刻开始，西泽尔已经是这群秘书名义上的上级了。

第三份文件是一份领取证书，签字之后西泽尔领到了一枚黄铜的家徽戒指。

翡冷翠的大贵族子弟都有这样一枚戒指戴在小拇指上，既是装饰物又是个人印信，代替签字使用。那是博尔吉亚家的家徽，图案是与荆棘共生的玫瑰花。

第四份文件证明这个七岁的男孩拥有军籍，他为国家效命，愿把自己的生命献给国家。

第五份文件包括一张黄金卡片和一份银行开具的证明书，在证明书上签字以后，西泽尔可以每月从银行支取160枚金币，这是他的年金。

第六份文件则是一份地契，说明一座小型城堡式的豪华建筑被划到了他的名下，建筑的名字是坎特伯雷堡，就是他现在和母亲妹妹一起居住的地方。那座建筑物的花田就有12亩之大，每次西泽尔问它的租金是多少，托雷斯都笑笑表示这不重要。

原来那座屋子是属于他的财产。

　　他每签一个字就获得一重光环，所有签字完成之后他已经可以算得上是翡冷翠中一位堂堂正正的世家公子、一位被军部器重的少年军官、一位拥有牧师身份的虔诚信徒和教皇的秘书长了。

　　原来权力并不那么难于获得，只要你愿意向权力的祭坛献祭。

　　最后加在他身上的是一身崭新的军服，按照他的身材定做的，比起标准版的军服自然是小了好几号，但军徽、领章和袖章一样不缺，每个细节都遵循高级军装的要求。

　　当那件猩红色衬里的黑色大氅披在西泽尔肩上的时候，一直冷眼旁观的教皇开口了："那么快就做出了决定，倒是出乎我的意料，你这么软弱的性格，我还以为你要犹豫很久。"

　　"如果我家里必须有一个人做坏事，那就是我好了。父亲你说的，你不是我的家人，我家就只有我一个男人。"男孩的大氅无风而动。

　　"这样的觉悟令人欣慰，从今天起，你的代号是……"教皇顿了顿，"红龙！"

019 四季

　　春天，翡冷翠的郊外，男孩气喘吁吁地奔跑，胶底的军靴在泥地中印下深深的痕迹。

　　"快一点！再快一点！"托雷斯骑着斯泰因重机跟随在后，手中掐着秒表，"五公里的泥地跑就让你精疲力尽了，将来你怎么应付从白天持续到黑夜的拉锯战？"

　　"何塞哥哥……我……我跑不动了……我喘不过气来了……"西泽尔的心跳得像是擂鼓。

　　医生说他先天心脏不够完整，心律不齐，长时间超负荷的运动对他而言甚至有致命的危险。换而言之，他这种人天生就不适合战场。

　　何塞·托雷斯当着医生的面撕掉了诊断书，拍了拍西泽尔的肩膀说："没事，我会训练你。"

　　于是整整三年，托雷斯都会在日出之前唤醒西泽尔，骑着斯泰因重机带他来到山中，换上单薄的夏服，穿上厚重的小号军靴长跑，风雪无阻。

然后带着精疲力尽的男孩去吃高热量的早餐。

"跑不动了？跑不动了就别跑了。"托雷斯冷冷地说，"留在这里等人来救你吧。"

斯泰因重机吼叫起来，带着两道白烟消失在远处，一望无际的原野上只剩下气喘吁吁的男孩，他的脚沉重得像是拴了铅块，他的头顶鸟儿站在树枝上欢唱。

西泽尔艰难地笑了，跟着车辙继续跑。

他既不害怕也不犹豫，因为类似的话托雷斯说了很多遍，可每次他都会在前面不远处的树下等着西泽尔，远远地看见西泽尔来了，他才继续骑着车往前跑。

夏天，维苏威火山的烈焰烧得地下工厂灼热难当，好像把手放在铁栏杆上都会被烫得和栏杆黏在一起。

而在中央圣所的实验场里，浑身湿透像是从水里捞出来的西泽尔和托雷斯再度用机械武装起来，托雷斯从背后拔出了他惯用的巨刃，炽天使标准武装中的"龙牙剑"，西泽尔从武器架上取下了双短刀"闪虎"。

"用双短刀对破甲剑么？"托雷斯踏上一步，"那是最危险的选择，你足够快么？"

"不知道，剑术比不上何塞哥哥，要想赢，就只有用最险的战术！"闪虎在西泽尔手中翻转，刀柄被机械手心的螺栓锁死。

"不要说'不知道'，在战场上你必须知道。当你选择了闪虎，就要相信那对刀能刺穿我的心脏。一个骑士，即便是盲信，也不能不信！"托雷斯的声音如管风琴的低鸣。

"是！"西泽尔的声音高亢如短笛。

面具落下，骑士舱正位，神经接驳瞬间完成，甲胄表面流动着紫色的电光。在佛朗哥教授喊出"第一百二十八次实验性对抗启动"前，骑士们已经带着细长的白色蒸汽流冲向了对方。

他们的刀剑在顷刻之间交击了上百次，溅射的火星如同新时代的曙光，骑士们斗志昂扬。

他们的身影在这黑色的巨大空间里如流星般飞射，每一次在钢铁墙壁上反弹，连空间都被震动。

工程师们惊叹着目睹这场超越人类视力极限的战斗，欣喜地看向佛朗哥，佛朗哥却仍在摇头："以目前的进度，我们仍然只是在追赶黑龙的步伐。"

秋天，风吹起贵妇人渐渐加厚的裙裾，树叶飞旋着落下，台伯河中的鲈鱼肥美。

夜深人静，银白的月光洒在教堂的钟楼上，戴着银色面具的老人们会聚在礼拜堂里，用过简单的圣餐，开始漫长的会议。

这就是所谓的枢机会，这个国家最高级别的会议，这群被称作枢机卿的人决定着这个国家的未来，而不是坐在会议桌尽头的教皇隆·博尔吉亚，他只是枢机会选出来的执行者。

有资格参加这种会议的人除了枢机卿就只有秘书，年轻的秘书们或者等候在窗帘后，或者小跑着来去，为他们效忠的枢机卿们传递卷宗和便条。

只有一位秘书静静地站在主人的身后，穿着高领的白衬衫和黑色的小礼服，还带着稚气的脸上已经略微呈现出坚硬的线条。

他很少做那些传递文件的琐碎工作，只在大家意见相悖、僵持住的时候微微躬身在教皇耳边说话。

"那就是隆的小黑山羊么？前几天就是这个孩子帮隆推翻了你们要增加预算的提案？"枢机卿们交头接耳。

"是个难缠的孩子，记忆力好得出奇，知道这个国家的方方面面，逻辑也强到很难挑出漏洞，有他在隆背后，那边就有两个脑子在想问题。"

"还是两个很同步的脑子。"

"据说是私生子，大脑的回路当然和他的父亲相似。"

"有什么忠狗比流着自己血的忠狗更好用呢？"

闲言碎语飘进了西泽尔的耳朵里，他的听力当然比那些垂暮之年的老人强，但无论听到什么，这男孩的脸上都没有任何表情。

他默默地站在教皇背后，思考、分析，大脑机械般运转，给出最合理的建议，同时也更深地了解这个国家。

冬天，风雪浸没了整座城市，贵族们守着壁炉饮着烈酒，贫寒人家则只能用毛毡塞住门窗的缝隙，军人们在军服外披挂了厚重的黑色大氅。

铁十字堡的深处，黑白相间的骑士圣堂里，寒冷得滴水成冰。铁十字堡里虽然有管道吹送的暖风，但无法温热如此巨大的空间。

隔得远远的，父亲和儿子各坐一张椅子，就以地下的黑白格子为巨大的棋盘，下着惊人的棋局。

正常的棋盘是八乘以八，这张棋盘的每条边却都有上百个格子，棋盘上有数不清的标注，说明地形是山地、林地还是河流，棋子上也有无数的标注，其中既有战车和重机骑兵，又有轻重炮火，当然也有机动甲胄部队。

机械计算机在高处的平台上嗒嗒地运转着，每次西泽尔和教皇移动棋子，或者下令炮火覆盖阵地，计算机便迅速算出双方军队的损耗，再由机要秘书将损耗数字标注在棋子上，当兵力全部耗尽，那枚棋子便从棋盘上挪走。

这可能是世界上最复杂的棋，以极度逼近真实阵地战的方式展开，沉浸在棋局中的人就像是陷身在那场惨烈的战役中，眼前炮火闪灭，鲜血横流。

何塞·托雷斯俯瞰这对仿佛入魔的父子，仿佛也闻到了战场上飘来的硝烟味。

星历1881年，西泽尔返回翡冷翠的第六个年头。

黑色的殿堂深处，银镜反射着寒冷的光，老人们叼着长长的烟斗，青烟缥缈，在黑暗中画出变幻的图案。

"隆从克里特带回来的那个孩子，今年十二岁了吧？"慢悠悠的声音，好像一切都不值得放在发言者心上。

但无论他高声或者低声说话，语速急或者缓，听他说话的人都得战战兢兢。

"那个紫瞳的孩子？如今已经成长为一头怪兽了，枢机卿们都知道他的名字，他们叫他'枢机会里的小黑山羊'。在跟政敌的对抗中，那只小黑山羊可是帮了隆不少忙。"又一个慢悠悠的声音，这群老人说话好像都是一个速度。

"隆想怎么样？扶这个私生子上位么？莫非他还对那个女人旧情难忘？"

"隆那种疯子，旧情难忘这种事情不会发生在他身上，那孩子不过是他手里的武器而已。"

"是柄不可控的武器，炽天使骑士、战略者、熟悉这个国家的权力结构……各位不要忘记，当年切除他母亲的脑白质，把她变成白痴是家族的决断，或者说，我们的决断。"

"那句东方格言怎么说来着？识时务者为俊杰。这孩子既然愿意效忠于隆，那么也不排除他愿意效忠于家族。为了已经变成白痴的母亲跟家族作对？以他的聪明程度该不会做那样的傻事。"

"那就见见他吧，他也成长到该被家族关注的程度了。他叫什么名字来着？"

"西泽尔。"

"西泽尔·博尔吉亚是么？隆给他起的名字？那是……君王的名字啊！"有人沉吟着说。

020 家庭晚宴

清晨，女侍把带露水的浅绿色的玫瑰花放进大理石雕刻的花盆里，因为这是阿黛尔最喜欢的花，有了这盆花放在桌上她才会好好吃饭，没有花她就东张西望。

厨师在奶油浓汤里丢进翡冷翠郊外采摘的鲜蘑菇，这是琳琅夫人最喜欢的汤，她的固执更胜女儿，若是不喜欢的，她连碰都不碰。

至于这家的男主人，那位十二岁的西泽尔殿下，反倒是最好对付的，什么味道他都无所谓。

何塞·托雷斯骑士监督了整个早餐的准备过程，在坎特伯雷堡，尽管知道他是位拥有军籍的高阶骑士，女侍们通常都称他为管家大人，因为他在坎特伯雷堡的角色委实跟管家没有任何区别——除掉从不离身的短枪和重剑。

这就是西泽尔一家如今的生活，有豪华住宅和管家、厨师、女侍，在翡冷翠是上等豪门才享受得起的。

只是家里太空旷，没有客人，甚至不太有声音。

西泽尔总是早出晚归，这个十二岁的男孩跟一个三十岁的男人在家中承担的责任是一样的。他不在的时候，琳琅夫人总是呆呆地坐在窗前，她背后巨大的客厅里，阿黛尔搂着她的玩具小熊飞跑，白衣女仆们跟在后面追。

阿黛尔是这间空旷大宅里，唯一欢闹的精灵。

西泽尔慢慢地喝着蘑菇浓汤，偶尔在阿黛尔的手背上拍几下，免得这小女孩偷偷伸手去抓那些带刺的玫瑰花。

小女孩像小猫那样冲哥哥龇牙，但还是老老实实地把那漂亮的手收了起来，老老实实地吃早餐。

阿黛尔如今已经九岁了，母亲那世所罕见的美这才渐渐出现在她的身上，偶尔她回首的瞬间，烟波流转，一如那个繁樱般美丽的女人。

这令西泽尔欣慰却也令他不安，他总觉得母亲的不幸很大程度上源于惊人的美貌，能让父亲那个铁腕的权力者沉迷的，应该就是她的美吧？如果她不是那么美，这一切也都不会发生在她身上……

而那个女人自己倒是对这一切都不再感觉到疼痛，她总是穿得很美很美，坐在窗前，从日出望到日落……那是怀春的少女等待情郎的姿态。

这么多年过去了，她认不出她的孩子们，却仍在等待那个男人。离开了克里特岛之后他们过上了更好的生活，母亲却郁郁寡欢起来，因为她再也见不到那个能给她带来笑容的贝拉蒙老爷。

而她真正等待的男人就住在距离他们不远处教廷区的白色城墙里，一次都没有来坎特伯雷堡看望这个被他遗弃的家庭。

有时候西泽尔也会遗憾自己长得丝毫不像父亲，除了神情，如果他多少有那么点像父亲，母亲看到他的时候大概会露出笑容吧？可他又庆幸自己不像父亲，这样便能离父亲那一支更远些。

可他又固执地把那枚家徽戒指戴在了小指上，这荆棘玫瑰的戒指无时无刻不在提醒周围的人他是个博尔吉亚，那个出疯子成名的博尔吉亚家族的一员。

他把刀叉放进盘子里，再把吃空的盘子微微推向前方。坎特伯雷堡的女侍是最有眼色的，立刻张开了悬挂着金色绶带的军装大氅，那上面的肩章是银色的。

在教皇一派势力的推动下，这个男孩的军衔只用五年就升到了少校，领章肩章已从铜质换成了银质，在可以预见的未来，金质又会取代银质。

男孩披着大氅的背影只到大人的肩膀高，可是从远处看又像是个太过消瘦的成年人。他像是一株小树正被强行地催长，谁也不知道成长后他会是什么怪物。

西泽尔走到餐桌尽头拥抱母亲，跟往日没什么两样，琳琅夫人全无反应，好像西泽尔完全是个陌生人。接下来他摸了摸妹妹的头顶，从她的裙子口袋里搜出两块巧克力糖和一小包鸡骨头，随手丢在侍女手中的托盘里。

阿黛尔被哥哥偷袭了，抱着熊气哼哼的，但在哥哥的眼神压制下只能撇撇嘴，摆出个要哭的样子。

女孩子长成她这个样子也不容易，跟男孩子一样淘气，整天跟猫一样在家里钻来钻去。巧克力糖是她偷来自己吃的，因为西泽尔禁止她吃这种食物，对她换牙很不好。鸡骨头是她偷来或者是从厨师那里死乞白赖得到的，她拿去喂附近的野猫玩。尽管西泽尔严令这间大宅里的人不能给阿黛尔任何喂猫的食物，因为他担心妹妹被猫抓了，可小公主靠着撒泼打滚还是能屡屡得偿所愿。

最初西泽尔不悦地撤换了那些偷偷给妹妹准备猫食的厨师和女侍，但后来他还是停止了撤换用人的处理方式，因为他意识到并非用人们在对抗他的命令，而是他在用自己的权威对抗妹妹的魅力，很多时候妹妹的魅力还要占优势些……所以他只是搜她的裙袋和各种藏东西的小窝点，不许她野得太厉害而已。

"今晚会回来得很晚么，殿下？"女侍问。

她们都叫这个男孩殿下，虽然他至今还没有任何贵族封号，但传闻他的第一个封号就会在伯爵以上，可能是侯爵，甚至公爵！

在教皇国的历史上，即使是最强有力的家族倾力培养，也很少有人能在区区十二岁就站在这样的位置上。每个知道他的人都在猜测这只幼狮开始吼叫的时候，会发出什么样的声音。

"应该要到午夜了，哄我妈妈早点睡。"西泽尔垂下眼帘，"如果她还是哭，就给她一针镇静剂……不，半针就好了，那东西对身体不好。"

"是，殿下。"

"家庭教师今天来，对么？"

"是，殿下。"

"如果阿黛尔的拉丁文还是不及格，就取消她今晚的甜食。"

小野猫样的女孩在旁边愤怒地挥着爪子，但哥哥的手按在了她的头顶。西泽尔看都没看她："通过的话，她可以有两份甜食。"

"是，殿下。"

托雷斯将小一号的军官佩剑抛起在空中，西泽尔一把抓过，两人并肩出门……这时门外响起了彬彬有礼的叩门声。

托雷斯忽然停步，长眉轻轻一挑，一手拉住西泽尔，一手按住了后腰中的短枪枪柄。坎特伯雷堡虽然不是一座真正的城堡，但也是一座典型的豪华住宅，有着坚实的外墙，门口有警卫徘徊。因为西泽尔的身份，这些警卫都是有过战场经验的军人。

也就是说，没有通报的情况下，没人能走到客厅的门外敲门才对，女侍和厨师们并不走那扇正门。

有了实验场中黑龙袭击西泽尔的事情在前，教皇厅确定这座城市里有人已经盯上了西泽尔，他们想在实验场上终结西泽尔，那么派出刺客也并不奇怪。教皇国的历史上，刺客横行，太多在桌面上解决不了的事情，转手就交给刺客解决。

"哪位？"托雷斯沉声问。

"邮差，我这里有一封寄给西泽尔·博尔吉亚先生的挂号信，需要他签字才能收信。"

门外真的是一个邮差，头发花白的老邮差，身穿深绿色的邮差制服。他跟那些疲惫不堪、制服邋邋遢遢的邮差完全不同，他挺胸收腹，温和庄重，简直像是一位佩剑的骑士站在你面前。

见到这样一位邮差，连身为高阶军官的何塞·托雷斯也不由自主地摆出了尊敬的神色。他招呼西泽尔近前，示意西泽尔在邮差手中的签收单上用小指上那枚家徽戒指盖章。

邮差确认印章之后，才将一个深蓝色信封交到西泽尔手中："这是一份请束，尊敬的殿下，期待着您的光临。"

他转过身，跳上一匹披着蓝色马衣的骏马，骏马头上插着华丽的羽毛标记。他调转马头离去，来去之自如就像递交国书的大使。

"何塞哥哥……这是……"西泽尔翻转着那枚信封，有点不知所措。

"看看信封口的火漆，"托雷斯神色凝重，"如果我没猜错的话，和你戒指上的徽记是一样的。"

西泽尔看了一眼火漆，果然是和荆棘共生的玫瑰花，博尔吉亚家的家徽。剥掉火漆之后，他从信封中倒出了一封秘书手写的金色请束。

"博尔吉亚家的老人们邀请你参加家宴么？"托雷斯望着邮差远去的背影，轻声问。

"是的，信上说，作为一名博尔吉亚，我被邀请去见见家里的老人们。"西泽尔默默地放下请束，手竟然克制不住地微微颤抖。

"那是所谓的家族邮差，只有翡冷翠最大的几个家族才有家族邮差。他们进入任何豪华住宅都不会被阻拦，因为他们带着的是最重要的、主人迫切想要看到的邮件。"托雷斯说，"所以那封信必然来自这个国家的最顶层！"

"国家的最顶层？"

"你的家族，就位于这个国家的最顶层，现在，这些身在最顶层的人注意到你了！"

021 圣堂

"最顶层么？"西泽尔攥着那张极致精美的手写请柬，体会着其中沉甸甸的分量。

他回到翡冷翠已经五年了。他所接受的精英教育虽然可以说是拔苗助长，却也让他的心智和分析能力提升到了成年人的地步。

五年来他认真地研究过翡冷翠的权力结构，作为未来的权力者，不可能不研究他需要掌握的东西。但越是研究得深就越被教皇国那错综复杂的制衡体系所震撼，反而更看不清这个巨型机械般的国家是怎么运转的。

以枢机会为例，枢机卿们显然死死地制约着教皇，教皇真的敢于违背他们的意愿，他们就会更换教皇。但反过来枢机会也对教皇投鼠忌器，因为教皇是执政官，只有教皇清楚国家各部门的运转细节，轻易更换教皇会令整个系统出问题。

军部也是这样，各种权力脉络错综复杂。太多的人能够发号施令，以西泽尔如今的高度，依然看不到这个国家所谓的最顶层，他们的面目隐藏在重重的迷雾中。

可今天，最顶层就这样以一封信函的方式现身了？

"关于最顶层，我也是道听途说，"托雷斯低声说，"人们通常都会避免谈及他们，以免一不小心惹上麻烦。"

"我和何塞哥哥之间，就算是道听途说也可以分享的吧？"西泽尔说。

"希望对你有帮助吧。"托雷斯点点头，"这国家，有人说是教皇在统治，有人说是枢机会在统治，也有人说军队才是左右政局的核心力量，但那都错了，真正统治这个国家的，是家族。"

"家族？"西泽尔凝视着自己小指上的家徽戒指。

"是的，你属于博尔吉亚家族，这个家徽戒指说明了你在这座城市里拥有特权，即使你犯了法，警察和法官都会对你格外优待。但你可能不知道这座城市里有多少人姓博尔吉亚，大约三万五千人。这座城市里的博尔吉亚足够组成一支军队。你们博尔吉亚之间还有高下的区别，有些博尔吉亚出身于家族的分支，连家徽戒指都不能拥有，有些博尔吉亚则出身于家族的主干，被称作'纯正的博尔吉亚'。"

"父亲是最纯正的博尔吉亚吧？"

"不，据我所知圣座的出身并没高贵到那种程度，只是博尔吉亚家族的支系，但他后来当上了教皇，自然也就被家族看作核心成员了。家族中的主干和支系也是随时调整的，某个支系中如果出现了精英的后代，他可能会被礼貌地邀请参加家族会议，这样就能成为家族的核心成员。家族主干出来的孩子，如果不够精英，也会慢慢被家长们疏远。"

"家长们？"西泽尔敏锐地抓住了这个关键的词语。

"是的，就是家族中真正掌权的那些老人。有人说这个国家像一部巨大的机器，那么家族就像一部稍小的机器，家长们就是家族机器上最核心的几个零件。遇到各大家族的家长们，枢机卿也要以礼相待，这些家长之前可能就是枢机卿，只是年纪太大了，把自己的席位让给了后继者，但仍旧借助后继者的手影响着国家的运转。邀请你的人就是博尔吉亚家族的家长们，有幸被邀请参加家庭晚宴，应该说是你的荣耀。"托雷斯沉吟，"也是对你的挑战。"

"怎么说？"西泽尔挑了挑眉。

"像博尔吉亚这样的大姓氏，在翡冷翠还有好几个，你应该也听说过，美第奇和格里高利什么的。各大家族的势力总是此消彼长，这取决于哪个家族能够涌现出更多、更强的权力者。圣座当选了新任教皇，博尔吉亚家族的势力就在一夜之间暴增。你如果像圣座希望的那样成为东方总督，博尔吉亚家族就是当之无愧的第一家族。所以贵族家庭都很注意培养后代，家族晚宴就是为了选拔最优秀的后代而举行的。一旦某个家族后裔表现良好，在某一领域内的成就令家长们注意到了，就可能会被邀请参加家族晚宴，家族旁支的孩子也可能受到邀请，只要他足够出色。"

"家长们是要选拔最优秀的博尔吉亚。"西泽尔微微点头。

"没错，那通常是一场多人参加的大型晚宴，表面上看起来是长辈和晚辈之间的寒暄，其实是选拔。最优秀最忠诚的孩子，就会获得家族最大的支持。未来你在这个国家里成为显赫的人物，自然也会反哺家族。这是家族的自我优化和淘汰法则。"

"那我应该觉得荣幸咯？"

"但这可能并不是你跟家长们见面的合适时机。"托雷斯说，"你那枚家徽戒指是圣座给的，并非家族授予的。对你的培养也是圣座自己的决定，和家族无关。过早地暴露在家长面前对你未必有利……"

托雷斯没有说完，可西泽尔知道他省略的部分是什么。

他是个私生子，他这种人，本该入不了"纯正的博尔吉亚"们的眼。但家族也不是一味地陈腐守旧，西泽尔表现出色，家长们就愿意见见，有朝一日西泽尔掌握大权，没准还能成为家族的荣耀。但他是教皇私自培养的武器，何时暴露在家族面前，应该是教皇决定的事。

"不必担心，你只需礼貌地回复一封信件，表示非常荣幸能有这样的机会，但你还未准备好，就可以了。只要你表现优秀，家族还会再度邀请你。"托雷斯以为西泽尔是在犹豫。

"不，何塞哥哥。"西泽尔忽然伸手，打断了托雷斯的话，"我当然要去……我很想见见家长们……我回翡冷翠的目的之一，就是要见见那些人。"

这么说的时候，他的目光越过长长的餐桌，看着餐桌尽头的女人，她的眼睛是那么美，但眼神却又那么呆滞。她望着窗外的长街尽头，期盼着那个永远都不会来看她的男人……

托雷斯清楚地看到，男孩那张很少有表情的脸上，浮现了一丝痛楚和狰狞。

夏夜，巨大的月轮悬挂在空中，松鼠沿着高大的红松盘旋而上，来到树冠的顶部，眺望着沟壑纵横的大峡谷。

这里是翡冷翠的远郊，裂谷和岩石山组成了狰狞的地貌，年代久远的红松林给地面盖上了一层严严实实的浓荫。

黑色的加长礼车沿着悬崖边的道路行驶，托雷斯驾车，西泽尔坐在后排。他从车窗看出去，不知名的河流在裂谷深处咆哮，听上去好像裂谷底部潜伏着一条龙。

这条山间公路只有一来一往两条车道，一路驶来就只有他们一辆车，陪伴他们的只有天空中那轮巨大的月亮，令人有种不真实感。

家族晚宴竟然不是在城里的某处豪华宅邸，而是安排在翡冷翠的远郊，请柬里附有地图，地图指示他们沿着这条无名公路行驶。

"我也没来过这里，这里应该是博尔吉亚家的封邑。"托雷斯低声说，"只有特许的车辆才能驶入这个区域。"

"封邑？"

"家族的专属土地。在这个国家建立之初，某些地块就被分配给顶级的家族，他们在专属土地上享有一切权力，甚至绝大部分法律在这里都不生效，取而代之的是家族法则。"托雷斯说，"可以说这是博尔吉亚家统治下的小型国家。"

"这就是……家族的权力吗？"西泽尔轻声说。

"是的，有人说，脱离了家族的贵族，跟被逐出家门的狗没什么区别。"托雷斯从后视镜里看了西泽尔一眼，"记得我跟你说的吗？你来见家长们，就说明你在家族内部亮了相，'踏上了舞台'，再也不会被当作小孩子来对待了。"

"记得，何塞哥哥的原话是，就像女孩子到了十六岁，穿上新裙子踏进了社交场，从此就得自己应付那些追求者了。"西泽尔无声地笑笑。

托雷斯愣了一下，也笑了："虽然是个不伦不类的比喻，不过也差不多吧。总之表现得好一些，如果没把握在家长们面前留下好印象，至少不要留下坏印象。"

"何塞哥哥你都说了三百遍啦。"西泽尔还是笑。

"好吧好吧，"听他这么说托雷斯也没办法了，只好跟他说些轻松的，"被家长们召唤的也会有你们博尔吉亚家的女孩哦，虽然都姓博尔吉亚，可有些血缘关系并没有那么近，是可以追的。在翡冷翠，有个有地位的妻子对男人来说也是很大的助力。"

"何塞哥哥……我只有十二岁……"

"提前学习一下不好么？这些知识是没有别人会教你的啦，那就由我来教你好了！"托雷斯大笑，"还有你这么说话才像个十二岁的男孩，平时我还以为你二十岁呢！"

"何塞哥哥你为什么对我那么好？"西泽尔忽然不笑了。

"你想听真话？"托雷斯也收敛了笑容。

"想听真话。"

托雷斯耸耸肩："我照顾你，是教皇厅给我的任务。圣座的机要秘书不止一人，机要秘书中的机甲骑士也不止我一个，但圣座把照顾你的机会交给了我，这是我的机会。你虽然是私生子，但你身体里流着博尔吉亚家的血，你背后有人，开始是圣座，现在是家长们，你还有天赋，你还比任何人都努力，你几乎毫无疑问会成为大人物。而我出身于一个普通的家庭，没有靠山的话，我的前途是有限的，除了圣座，你是我认识的最大的贵人，所以我照顾你，并不是没有私心的，你不用对我感激。"

西泽尔沉默了很久："是这样啊……那为了何塞哥哥我也要努力。如果我能当上大人物，我喜欢的人都会幸福吧？何塞哥哥的妹妹也会嫁给好人家。"

托雷斯一怔："你还记得我妹妹呢……"关于他的妹妹，他只跟西泽尔提过一次，还是两人初次见面的时候。

"我在乎的人，他说的每句话我都记得。"西泽尔重又把头转向窗外。

托雷斯忽然踩下刹车，高速行驶的礼车急停在裂谷前方。

西泽尔差点被甩到前座去，等他回过神来再看向窗外的时候，跟托雷斯一样惊呆了。神殿般的恢宏建筑仿佛从山谷中升起那样出现在裂谷对面，前方是一座白色的大理石长桥，从他们停车的路口通向那座建筑物。

在裂谷底部的河流上竖着细长的白色石柱，这座奇迹般的桥梁就建在那些石柱之上，河水溅起的水花形成了浓密的白雾，这座桥像是高筑在云中一样。

这座桥的建造水准已经和教皇宫相当，而它坐落在这荒无人烟的地方，简直令人不敢相信它是人类的建筑物，而觉得自己抵达了神国的边缘。

"就是这里了，博尔吉亚家的家族圣堂。"托雷斯轻声说，"你真正的……家！"

022 精英

礼车行驶在那座白色的长桥上，如同行驶在云中。两人再也不说话了，只听见河水在桥下极深处发出雷鸣般的轰响。

他们越是逼近那座白色建筑，越是被它的宏大、精美震撼，在它身上能找出从古至今几乎所有建筑流派的痕迹，这一切却又近乎完美地融合在一起。

若是在机械技术尚未发展的古代，要修建这样堪称奇迹的建筑可能要用去数百年，即使是在今天，也很难想象博尔吉亚家怎么把建造这座建筑所需的数千吨白色大理石运进山里来的。

红毯一直铺到台阶下方，托雷斯缓慢地转动方向盘，让礼车几乎无声地停在红毯正前方。

一场夏夜盛会已经准备就绪了，月桂树上盛开着白色的细花，空气中弥漫着独特的寒香，水池中的白石狮头吐着清泉，如茵的绿草沿着平缓的山坡蔓延开去。

侍者们托着托盘来来去去，杯中酒液晶莹，折射着烛光。身穿黑色小晚礼服、丝绸公主裙的男孩、女孩和他们的母亲站在一起，轻声交谈。

不少人都是初次见面，男孩手按胸口躬身行礼，将胸前插着的玫瑰花献给女孩，女孩拎着裙摆回礼，笑起来眉毛弯弯。

一切都那么温暖祥和，那么高贵典雅。

人们都注意到了这辆晚来的礼车，侧转头看了过来。

"记住我的话，如果没有把握在家长们面前留下好印象，就不要留下印象。"托雷斯低声说，"你不比任何人差，你只是需要时间证明自己。"

"何塞哥哥，你有时候真是……啰唆啊！"西泽尔轻声说着，推开了车门。

恰在此时一阵晚风吹来，掀起了西泽尔的黑色大氅，大氅的猩红色衬里翻卷如战旗，如红色的海洋。

这个一身黑的男孩惊到了场中所有人，因为他竟然是穿军服来的，银色的肩章领章上飞腾着火焰，军靴让原本并不如何高大的男孩平添了威严的气息。他站在台阶下方，仰起头来，紫色的瞳孔里倒映着明月。

"枢机会中的小黑山羊啊。"有人道出了西泽尔的身份，如今他在这座城市里已经不是无名之辈了。

"虽然长了张女孩子的脸，可那站姿真是隆的血脉。"

"真是个眼神可恶的孩子啊。"

"还佩着佩剑呢……"

窃窃的私语很快就低落下去，毕竟只是个孩子，大人们没必要花太多心思在他身上。人们把注意力转回了自己的交谈，仍是那番典雅祥和的气氛。

托雷斯转动方向盘离去。他并非西泽尔的家人，只是代替司机，也就没有资格参与博尔吉亚家的晚宴，只能在场外等候。

开出很远他才扭头看去，那男孩正托着他的军帽，缓步登上白石台阶，腰挺得笔直。

"去吧,西泽尔。虽然你会有千军万马追随,但男人总有些仗,是要独身去打的。"尽管知道西泽尔听不见了,他还是轻声说。

这时一辆斯泰因重机忽然以高速穿插过来,拦在了他的车前。

"何塞·托雷斯骑士么?"军官从重机上跳了下来,"圣座命令你参加今天的晚宴。"

"我?"托雷斯愣住了,"这是博尔吉亚家的家族晚宴。"

"你以圣座随员的名义参加,不是西泽尔·博尔吉亚的随员!"军官沉声说。

草坪旁的帐篷里,身穿白袍的老人们叼着长长的烟斗,右手小指末端佩戴着黄金的家徽戒指。他们已经很老很老了,仿佛历尽了风霜,却又给人一种老树再度长出新的枝条,风华正茂的感觉。

博尔吉亚家的家长们,他们的名字外人无从得知,但上位者们都得对他们毕恭毕敬,他们隐在重重的幕后掌握着这个国家的权力,看起来就像含饴弄孙的寻常老人。

唯有一个人例外,那人穿着黑色的风衣,默默地抽着烟卷,染色的镜片后偶尔闪过冷厉的目光。他坐在这群老人的中间,就像是一匹闯入天国的恶狼。

这个人就是"神的代行者""铁之教皇"——隆·博尔吉亚,博尔吉亚家族中最年轻的家长。

托雷斯疾步却无声地踏入帐篷,站在了教皇背后。

"托雷斯,今后如果你再犯这样的错误,就不要留在西泽尔身边了。"教皇没有回头,声音低得旁人根本听不清。

"是!"托雷斯低声回答。

他很清楚自己犯的错误是什么,他本该把西泽尔收到了家族请柬的事情告诉教皇,由教皇来判定西泽尔是否需要参加这场晚宴,但他没有这么做,因为西泽尔坚持要来。

"指挥官是不能任性的,他的任性会把他的骑士们也害死在战场上。"教皇凝视着那个穿梭在人群中的黑影。

西泽尔端着高脚玻璃杯,啜饮着其中的液体,目光扫过这安宁幸福的景象,有点恍惚。

男孩们端庄矜持得像小大人，女孩们的面颊那么娇嫩柔软，被烛光染上红晕，贵夫人们穿着裸露肩臂的长裙，肌肤上流淌着匀净的光。她们浅笑着相互交谈，偶尔提醒儿女要乖，不要在亲戚们面前做出失礼的事，小女孩蜷缩在母亲的臂弯里，咻咻地笑。

有人相互拥抱，有人相互亲吻面颊，随处可见牵着不松开的手……真是亲爱的一家人。

这就是家族么？这里每个人都姓博尔吉亚，每个人都是他的亲人。跟想的全然不一样。

翡冷翠的豪门贵族给西泽尔的印象从来都是深邃寒冷的，就像生铁铸就、上面趴着狮子的大门，拒人于千里之外，可这一刻它向着西泽尔温和地展开了怀抱，像是慈祥的长辈。

西泽尔也注意到了那些老人，他们坐在白色的帐篷里舒适的躺椅上，叼着长长的黄铜烟斗，胡须和头发都苍白。偶尔有小女孩穿越草坪跑到帐篷里，他们还会把小姑娘抱起来放在膝盖上，抚摸她们的头顶，给她们粉红色的点心吃。直到歉意的母亲来到他们面前行礼，把不懂规矩的小女孩带走。

那些就是家长么？就像与世无争的爷爷，那种会给你讲故事、偷偷给你零用钱的老人。

西泽尔从没有过这样的感受，从小到大他家里就只有三个人，其中还有一个是安静的大布娃娃。过节的夜里别人家里都热热闹闹的，西泽尔家里就显得格外的冷清，他在屋子的这一头拥抱妹妹说过节好，再穿越长长的走廊去另一头拥抱母亲，然后在午夜钟声敲响之前早早睡去。

他从不曾被宠溺，也从不用守任何人的规矩，他按照自己的方式慢慢地长大。他的生活里没有过惊喜和期待，除了在妹妹长大之后，他会在每个节日收到她摆在枕头上的礼物，有时候是手折的纸鹤，有时候是她不知道从哪儿弄来的麦芽糖。

但在这里他觉得自己像个小孩子，这里有的是大人，跟他一样流着博尔吉亚之血的大人，好像天塌下来都会有大人去顶着，他可以放松下来漫无目的地玩耍。

他又饮了一口杯中的液体，看起来像酒，其实是微酸微甜的葡萄汁，果然是给孩子们准备的饮料。

"西泽尔·博尔吉亚？"居然有人冲他打招呼。

那是着一身火红色紧身衣的女孩，紧身衣上绣着金色的常春藤，外面又套了红色的纱裙，整个人就像是一团热烈的火焰。

她应该比西泽尔大出那么一岁或者两岁，加上女孩发育早于男孩，已经有了些大女孩的风韵，四肢纤长，胸口微微凸出，美好的曲线带着少女特有的青春质感。

托雷斯说得没错，家族晚宴上果然有漂亮女孩。事实上无论男女，博尔吉亚家的人多半都容貌出众，除了那身漆黑的军服，西泽尔在他们中并不多么显眼。

"我们见过吗？"西泽尔有些吃惊。

"不，但我听过你的名字，你很有名，我们都想你总有一天会被邀请参加家族晚宴，你果然来了。"女孩歪着头看他，金色的长发在脸侧垂下，如同瀑布，"贝罗尼卡·博尔吉亚，叫我贝罗尼卡好了。"

月光下她的美令十二岁的男孩也为之动容，她耳垂上挂着荆棘玫瑰的家徽耳环，晃动的时候带着水波般的光。她向西泽尔伸出手来，西泽尔只能像大人那样去握她的手，她的手修长柔软，带着令人心动的温度。

握手的瞬间贝罗尼卡略微使劲一扯西泽尔，凑近他的耳边："其实好多人都想跟你打招呼，枢机会的小黑山羊嘛，大家都对你很好奇，其中还有好几个漂亮女孩哦。现在她们都在偷看我们呢！"

她的气息芬芳而温暖，让人仿佛坠入云中。

这一刻巨大的礼花在空中爆开，照亮了山峰和裂谷，也照亮了男孩女孩的侧影。白色的家族圣殿被礼花染成童话般的色彩，不知藏在何处的教堂敲起了钟。

"晚宴开始了！"贝罗尼卡一扯西泽尔，纱裙飞动，鞋跟嗒嗒，男孩和女孩飞跑着踏上白色的台阶。

023 家长

"这座建筑叫作夏宫，"贝罗尼卡说，"本来是夏天家里老人们避暑的地方，但现在是家族聚会的场地了。"

夏宫内部装饰极其精美，雕刻精美的立柱像是白色大理石的森林，所有能绘画的地方都画满了壁画。层层叠叠的白色大门在他们面前打开，每一道门里面都是一种全新的风格。

最后一道门打开的时候，呈现在西泽尔眼前的是异世界般的景象，数以百计的巨大镜子包围了他们，镜子之间相互反射，到处都是贝罗尼卡，也到处都是西泽尔。

"这间大厅叫镜厅。"贝罗尼卡说，"晚餐就在这里进行。"

这个她不说西泽尔也猜得出来，一张极长的桃花心木餐桌摆放在镜厅的正中央，餐桌两侧摆满了东方出产的名贵白瓷和刀叉，印着家徽的蓝色餐巾，看这张桌子的大小，能容纳五十个人同时进餐。

悬挂在餐桌上方的巨型水晶灯亮了起来，周围玻璃的镜子反射灯光，他们仿佛置身于一块巨大的水晶之中。

这时候其他孩子也都到了，在侍者的引导下在属于自己的座位上坐下。西泽尔的座位算是相当不错的，在餐桌中段靠近上首的位置，贝罗尼卡的位置就在他旁边，这个漂亮的女孩一直用眼神示意他该怎么做，也让他不那么形单影只。

在夏宫外的草坪上西泽尔还看到了贵夫人和三四岁的小孩子，但是进入镜厅用餐的都是十几岁的男孩女孩，最小的跟他差不多大，年长些的看起来应该有十八岁。

有些人还特意更换了进餐的礼服，白色蕾丝的领口和袖口，用银线绣的合欢花纹熠熠生辉，女孩们则是鱼尾的礼服裙，颈间戴着家传的项链。

无论男女，他们每个人都像明珠美玉那样无可挑剔，举手投足之间显得胜券在握。托雷斯的话再度浮现在西泽尔的脑海里："能够参加这场晚宴的都是博尔吉亚家族年轻一辈中的佼佼者，他们都很优秀，进攻性十足，不喜欢失败。"

"对面坐着你会感兴趣的人哦。"贝罗尼卡凑到西泽尔耳边，露出一个小狐狸的表情，手指凌空戳戳。

西泽尔一怔。

贝罗尼卡指的那个年轻人坐在桌子对面，十六七岁的年纪，一双略显忧郁的海蓝色眼睛，扭头之间头发荡漾着耀眼的金色。

年轻人身边坐着一个八九岁的男孩，也是金发和海蓝色眼睛，一眼就能看出和那名优雅的年轻人是兄弟，但这男孩强壮得像一头小狮子。

"路易吉·博尔吉亚，胡安·博尔吉亚。"西泽尔轻声说，"很早就想认识他们了。"

他当然会对那对兄弟感兴趣，因为那也是他的兄弟……路易吉·博尔吉亚，胡安·博尔吉亚，那是教皇的两个婚生儿子。

仅以年龄计算的话，路易吉是长子，西泽尔是次子，胡安算是三子，最小的是妹妹阿黛尔。但在路易吉和胡安的概念里，他们那个家根本就只有兄弟二人，西泽尔和阿黛尔都是错误，不该存在的错误。

他们的母亲是地位不凡的美第奇家族的女儿，而西泽尔的母亲只是个身份不明的东方女人，他们生来堂堂正正，享有作为一名博尔吉亚应当享有的一切，西泽尔生来鬼鬼祟祟，所以他必须和父亲交易才能换得回到翡冷翠的机会。

但今天西泽尔跟他们同桌进餐，那对兄弟显然相当不自在，哥哥路易吉还能摆出漠不关心的模样，弟弟胡安却不时地递来仇视的眼神。

西泽尔没有回应胡安的目光，他坐得笔直，低头看着自己面前的一小块区域。他的面孔苍白而军服漆黑，去掉那件血红衬里的大氅后，他身上就只剩黑和白两种颜色，如同墨笔在白纸上勾勒出的人像。

这时家长们也踏入了镜厅，他们从餐桌旁经过的时候跟某些男孩女孩打招呼，神态慈祥，然后在上首落座。

男孩女孩们都端正了坐姿，以最得体的微笑向老人们点头致敬，镜厅里立刻安静下来。

"孩子们，又是家族晚宴的日子，很高兴我们又见面了，你们中的好些人长高了，女孩子变得更漂亮了，我们长辈都很高兴。"坐在长桌尽头的老人淡淡地说，"今天有些新来的孩子，不如用餐前大家都自我介绍一下，相互认识吧。"

孩子们你看看我我看看你，有几个孩子透出了跃跃欲试的表情，显然是想给家长们留下个深刻的印象，却又不知道这时候按照规矩该怎么开始。

"转圈吧，就从佩德罗开始，谁叫你是这些孩子里的大哥哥呢。"为首的老人说，"可要给弟弟妹妹开个好头啊。"

座位最靠前的男孩站起身来，优雅地躬身行礼："我的名字是佩德罗·博尔吉亚，我尊敬的母亲是朱丽叶·格里高利，今年我十七岁，很高兴能看到更多的弟弟妹妹来参加家族晚宴，我为你们骄傲，如果有什么地方我能帮忙的，请一定要告诉我。"

"只说名字只怕不容易留下印象吧，佩德罗你可太谦虚了。"为首的老人笑了，"佩德罗可是教皇国首屈一指的数学家呢，十七岁就考进了恒动天学宫，还是财政总长的首席秘书，很多人说未来的财政总长非佩德罗不可。"

"希望能做好自己的事，将来为家族做贡献。"佩德罗谦虚地说。

新来的孩子们都流露出惊讶的神情，这个谦逊寡言的佩德罗哥哥只有十七岁，就已经被人认为有接替财政总长的潜力，财政总长……那是掌握国家金库的人啊！

果然能被邀请来参加家族晚宴的孩子没有简单的，三万五千人的庞大家族，多少同龄的孩子，却只有这些有资格坐在这张餐桌上。他们既是兄弟姐妹，也是竞争者，他们中最优秀的人，将来或许会成为新的家长，坐在长桌的那一端。

而西泽尔在看那些家长中唯一一个穿黑色衣服的，教皇隆·博尔吉亚，曾经，那个男人是否也以孩子的身份坐在这张餐桌上的某个位置，西泽尔忽然很想知道。

"罗伯托·博尔吉亚，我尊敬的母亲是玛利亚公主，今年我十四岁，正在内务部做管事的实习，跟随一位我暂时还不能透露名字的红衣主教。希望跟佩德罗哥哥学习。"

"波菲里奥·博尔吉亚，我尊敬的母亲是特雷莎女伯爵，今年我十五岁，现在在山中的修道院担任院长，理想是侍奉神成为红衣主教。"

孩子们一个接一个地站起来自我介绍，无非是自己的名字、自己的母亲、自己最得意的事。

贵族之间相互联姻，父亲的门第固然重要，母亲的门第也是越高越好，提及母亲的姓氏和爵位是理所当然的。

真正令人惊讶的是他们正在做的事，这群尚未成年的孩子竟然已经在国家机构中占据了某些重要位置，以他们的发展轨迹来看，确实可能出现枢机卿、内务总长、财政总长那样的大人物。

西泽尔忽然意识到父亲对自己的培养在贵族圈子里并不特别，而是一种常态——通过父辈的权势，把普通人要努力几十年才能获取的东西早早地赋予天赋优秀的孩子，以期打造出新一代掌握这个国家的人。

今天在座的都是未来的权力者，每一个都炙手可热。

"路易吉·博尔吉亚，我尊敬的母亲是苏珊娜·美第奇，我今年十六岁。我刚刚考入恒动天学宫研究神学，希望有机会向佩德罗哥哥请教。"路易吉淡淡地说。

佩德罗脸色微微地变了。他内心里是很为自己以十七岁的年龄进入恒动天学宫这件事自豪的，可路易吉·博尔吉亚只有十六岁……那不曾说出的理想是要代替父亲成为未来的教皇吧？

胡安·博尔吉亚却没什么可说的了，毕竟年纪太小，这个好胜的男孩憋红了脸，最后说："我的理想是未来当上十字禁卫军的元帅！"

大家都笑了起来，孩子们之间互相比拼的紧张气氛一下子淡下去了，其乐融融，像是和睦家庭里长辈和孙辈的聚餐……老人们关心孙辈的成长，孙辈们争相表现自己的优秀，那么的……美满。

"我叫贝罗尼卡·博尔吉亚，母亲是谁大家都知道咯！"贝罗尼卡站起身来，一甩头发，不得不说她是个亮眼的女孩，尤其是那身凸显曲线的衣服，坐下还不觉得什么，起身就让很多男孩眼睛一亮，"现在在学舞蹈，理想是成为舞蹈家。"

原来是个学舞蹈的女孩子，难怪会穿那样的紧身衣和纱裙。

"贝罗尼卡真是淘气，"一位家长呵呵地笑了，"这算什么自我介绍啊？贝罗尼卡的母亲是获得国家功勋的舞蹈家阿德琳娜，贝罗尼卡是公认能够继承阿德琳娜，成为教皇国第一舞者的人啊！"

孩子们中传出啧啧赞叹的声音，第一舞者跟未来的财政总长或者教皇比起来自然是逊一位的，可想到贝罗尼卡有一天会用舞姿倾倒整个世界，这个年纪的男孩子都会怦怦心跳。

可贝罗尼卡却显得跟西泽尔格外要好，那个沉默寡言的、穿着不合时宜的军装来参加晚宴的男孩，他多数时间都低着头，仿佛神游物外。

"该你啦！"贝罗尼卡坐下来的时候用胳膊肘捅捅西泽尔。

西泽尔缓缓地起身，同时抬起了眼帘，这一刻他那对罕见的紫色瞳孔才暴露在所有人面前，并被玻璃镜子反射为千万双，从四面八方注视着长桌尽头的老人们。

"我叫西泽尔·博尔吉亚，我的母亲是个叫琳琅的东方女人，"西泽尔冷厉的声音就像是在古井中投入了石块，"我想，你们还没有忘记她！"

024 断剑

托雷斯站在镜子背后，听到这句话心中一寒。

他隐约知道琳琅夫人"发疯"的往事，但西泽尔从不提起，更没有表达过愤怒，好像这只是件旧事，不值得再提。

但这句话脱口而出的瞬间，愤怒席卷了镜厅，如无声的寒潮。

托雷斯忽然意识到自己跟西泽尔相处的时间虽然长，但对这个男孩的了解还不如他那疏远的教皇父亲。教皇说西泽尔来这里是任性……当然是任性，以西泽尔的性格，他能记住他在意的人说过的每句话，当然也不会忘记任何伤害过他的人。

他来这里根本不是要跪舔家长们的脚面，而是要看看他的仇人！

镜厅里一下子安静了，任谁都能听出那句话里的寒意，即使他们并不了解事情的内情。从来没人敢在家族晚宴上这样对家长们说话，难道这男孩蠢到不知道家长们的分量么？他们是这个国家的最高层啊！他们可以轻易成就一个人，也可以轻易毁掉一个人！

最吃惊的是贝罗尼卡，从她近前和西泽尔打招呼到这一刻，西泽尔一直那么温柔甚至带着点儿女孩气，跟那身铁血的军服完全不搭，但这一刻他抬起眼来，仿佛另一个人从他身体里活了过来！

越过长长的桌面，西泽尔盯着那些老人的眼睛，想从某个人的眼睛里看出不安来。

当年那个雨夜里，那些黑衣人显然是带着某个人的命令来的，他们切除了母亲的脑白质，把她变成现在呆呆傻傻的样子。但命令到底是谁下达的，为什么要切除她的脑白质，西泽尔无从得知。

他来参加这场晚宴，也不像托雷斯想的那样，来了就是要发难。他本想接触一下家族中的核心人物，寻找蛛丝马迹，把当初的事情还原。

可每个孩子都骄傲地说到自己的母亲，而他的母亲却是家族政治的牺牲品，那一刻汹涌的怒气吞没了"要隐忍"的理智，那句话脱口而出。

托雷斯紧张地望向教皇，这时候能够化解僵局的人也许只有他了。但教皇端坐不动，好像这件事跟他全无关系。他从踏入镜厅开始就跟餐桌上温馨甜蜜的气氛格格不入，当着孩子们的面抽烟，眼神被染色的镜片遮蔽了。

"原来是西泽尔啊，枢机会的小黑山羊，有人说你是这几年家里成长最快的孩子，大家都很关注你。"坐在餐桌尽头的家长微笑，"你的话就不用自我介绍了，欢迎来到我们中间。"

他挥挥手，示意下一个男孩起身自我介绍。

西泽尔默默地坐了回去，他没能在任何一位家长眼中看出动摇来。老人们不惊不怒，并没把他的冒犯看在眼里，脸上的笑容都未曾改变半分。他全力挥出的一拳仿佛打在了空气里，这一刻他忽然意识到了自己的弱小和不成熟。

这样的挑衅又有什么用呢？就像一个孩子跟看不见的敌人挥舞拳头，也许餐桌那头坐的老人们真不知道那件事，也许这种命令根本不需要惊动国家的最上层……他的母亲，根本不是什么重要人物，除了对他自己。

孩子们继续自我介绍，西泽尔精神恍惚。

不知什么时候晚餐已经呈上来了，主菜是烤岩羊肉和熏火腿，配菜是鲜嫩的芦笋，并不怎么奢华，但是料理得很到位。一家人其乐融融地吃晚饭，长辈和晚辈之间说些闲话。

有些就真的只是闲话，例如哪个男孩刚刚订婚，未婚妻弹得一手好钢琴，有些闲话却带着某种目的，有的孩子说到自己至今还不会骑马，因为家里的马都老了，某位家长就随手写了一封信交给镜子后面的卫士，把一匹价值不菲的纯血马送给那个孩子。

这还是小礼物，还有更大的礼物，比如推荐信，有男孩说想去政府的某部门实习，家长就表示会为他准备三封"足够分量"的推荐信。他远未成年，但凭着那三封推荐信，他便可以在政府部门畅通无阻，守门人都要对他鞠躬行礼。

甚至还有职位，家长们很随意地许诺将一个大型教区的副主教职位授予某个男孩，那个教区有几十万人口，那个职位是很多人奋斗一生都得不到的。

就在这种家庭闲聊的气氛里，国家的资源被随手分配，难怪托雷斯说这是国家的最顶层，家长们可以轻易地成就一个人，难怪孩子们在他们的面前都表现得那么乖巧努力。

最后几乎所有的孩子都得到了礼物。贝罗尼卡得到的礼物是一身舞裙，看似简单的小礼物，但家长们让侍者捧出了钉在黑色织锦上的整套蓝宝石，每一颗都蓝得像是阳光下的大海，他们让裁缝把这些蓝宝石缝在贝罗尼卡的舞裙上。

贝罗尼卡戳戳西泽尔，示意他也去争取一件礼物。西泽尔没有回应她的暗示，起身离席。

他想出去透透气，或者干脆趁机离开。他既不渴望家长们的礼物，也不留恋这个看起来很像家的地方，时间很晚了，阿黛尔快要睡了，托雷斯开车够快的话，他还来得及回去跟妹妹说晚安。

"西泽尔还没有礼物吧？"背后传来某位家长含笑的声音，"大家都有礼物，西泽尔怎么能没有礼物呢？"

西泽尔微微一怔。家长们仍然觉得他是这个家族的一员么？即使他在自我介绍的时候已经流露出了敌意。

"没什么需要的，留着礼物给那些听话的孩子吧。"他淡淡地说。

镜厅里再度安静下来。从晚宴开始到现在，西泽尔总共就说了这么两句话，每句话听着都不入耳。长者们已经对他够容忍了，他还想怎么样？每个人都这么想。

"骄傲够了么？"有人站起身来，"不过是穿上了炽天使甲胄而已，这里能穿上那种甲胄的人可不止你一个！"

西泽尔扭头看向那个男孩。男孩十四五岁，身形消瘦但是肌肉分明，鹰一般的凌厉眼神比西泽尔更像个军人。他穿着普通礼服，但从口袋里摸出了银色的军徽别在胸前。

原来镜厅里还有另外一位甲胄骑士，但西泽尔那时精神恍惚，没有注意听别人的自我介绍。

"冈扎罗，在你之前，家族中最年轻的甲胄骑士，现任炽天骑士团少校。"某位家长说，"冈扎罗可是把你看作竞争对手呢，西泽尔。"

"竞争对手？不，能当我竞争对手的人只有龙德施泰特，这个无礼的小家伙可没资格！"冈扎罗骄傲地说，"没有礼貌的人，连参加家族晚宴的资格都没有，又怎么配当我冈扎罗的对手？"

"冈扎罗，可不要这么想，西泽尔是天赋骑士，是第一次穿上甲胄就给龙德施泰特重创的孩子。他当然有参加家族晚宴的资格。"另一位家长含笑说，"怎么？不服气么？"

"当然难以服气，"冈扎罗昂起头来，"把自命不凡的小鬼武装到牙齿，他最后也还是会在战场上哭出声来，因为他根本就不是一个真正的博尔吉亚！"

"真正的博尔吉亚么？"西泽尔低声说。

"那何不挑战西泽尔呢？反正到了餐后娱乐的时间，给今天的家族晚宴增加一个娱乐性的环节也不错。"为首的家长看看冈扎罗，又看向西泽尔的背影，"上次家族晚宴的时候，贝罗尼卡不是和那个叫什么的女孩子比了舞蹈么？大家都看得很开心。今晚为什么不让家族中最年轻最精锐的两位甲胄骑士比一比呢？"

"我当然没问题！"冈扎罗踏上一步，浑身骨骼发出噼里啪啦的微响，"可自命不凡的西泽尔·博尔吉亚是否有胆量接受我的挑战呢？"

托雷斯心中震动，忽然想明白了这件事的因果。

家长们并未原谅西泽尔的冒犯，他们只是没必要自降身份跟一个孩子生气，自然有忠于家族的孩子代替他们站起身来，去教训那个不听话的孩子！

冈扎罗就是那个忠诚的孩子，无论他站起身来是出于自愿还是某位家长的授意，家长们都把事情导向他们期待的方向——十五岁的冈扎罗·博尔吉亚和十二岁的西泽尔·博尔吉亚，博尔吉亚家年轻一辈中最有希望的两位机甲骑士，今晚要在夏宫中进行骑士的对决！以此作为这场盛大宴会的收场，就像古代的皇帝们在用餐之后步入角斗场，去看一位角斗士杀死另一位角斗士，在血光中满意地打着饱嗝。

这是博尔吉亚家的封邑，在这片土地上博尔吉亚家拥有自治法权，如果西泽尔答应了冈扎罗的挑战，那么即使他还是个孩子，冈扎罗也有权合法地杀死他，因为这是骑士之间的对决，只要西泽尔答应，他就相当于在一份决斗书上签下了自己的名字！

男孩们相互对视，眼神骤然变得炽烈起来。他们兴奋的原因托雷斯、西泽尔和其他第一次收到邀请的孩子都不清楚，只有亲身经历过"娱乐性环节"的孩子才明白。

这种事情几乎每次晚宴都会发生，家长们随意或者刻意地让两个特长相近的孩子竞技，譬如上一次家族晚宴上，那个也很擅长舞蹈的女孩子不服贝罗尼卡得到的礼物比她的好，家长们就让贝罗尼卡和那个女孩各跳一支舞……那是那个女孩第一次参加家族晚宴，也是最后一次。她输给了贝罗尼卡，也输掉了自己在家族中的未来。她是因为善于跳舞而被家长们选中，可她一辈子都比不上贝罗尼卡，那么她对家族又有什么意义呢？

家长们只需要一个会跳舞的小天使，有贝罗尼卡就够了。

孩子们连那个女孩的名字都忘记了，只隐约记得她介绍自己时的骄傲。可骄傲在实力面前一钱不值，这看起来和睦的家宴，其实也是最铁血的竞技场！每个想出人头地的孩子，都要用尽全力来保住自己的地位。

这就是贵族内部的优胜劣汰机制，为了优化血统，他们不遗余力，几乎完全照搬了动物界的丛林法则。正是因此，博尔吉亚家族才被称为疯子的家族，才会出现铁之教皇隆·博尔吉亚这样的人物。

托雷斯希望西泽尔拒绝。如果拒绝冈扎罗的挑战，他至少能平安地走出夏宫，即使家长们不是要教训他而是试探他，派出的也绝不会是弱者。

冈扎罗在军部的代号是"断剑"，因为他曾以一柄折断的骑士剑刺穿了敌人的心脏！骑士决战，天赋是一方面，经验也是一方面，亲身经历过修罗场的冈扎罗，他在杀人这件事上的经验不是西泽尔能比的。

"你说得对，我不是真正的博尔吉亚……"西泽尔轻声说。

男孩们面面相觑，难道这个森冷的男孩怕了么？宁可低下头也不接受冈扎罗的挑战？

"但这并不妨碍我打倒一个真正的博尔吉亚。"他缓缓地转过身来，摘下手上的白手套，隔着长长的餐桌扔向冈扎罗。

这是明确的挑战，骑士之间，如果一方向另一方投掷自己的白手套，而另一方拾起了，那么决斗就此成立，双方都把生命赌在了剑上。

冈扎罗缓缓地弯下腰，拾起了那对白手套。他盯着西泽尔的眼睛："我知道你的定位是未来的炽天骑士团团长，是要指挥千军万马的人，但如果你因此骄傲那就大错特错了！在决斗场上，你学的那些东西都没用，只看谁的剑更锋利！"

"你是说军事和政务么？我会为那种事情骄傲？"西泽尔低头看着自己的手心，"我以为我回翡冷翠的五年里只学了一件事，那就是攥紧石头！"

025 剑与龙

为首的家长摇晃了一下手指，在细微的齿轮声中，整座镜厅发生着天翻地覆的变化。

那些镶嵌着巨镜的墙壁顺着滑轨滑开，巨大的黑色空间呈现在孩子们面前，幽深的黑暗中传来金属撞击的闷响，偶尔闪过白炽色的电火花。

大部分孩子都惊呆了，显然他们也是第一次看见镜厅出现如此的变化，但西泽尔的嘴角却拉出一丝冷笑。

他早已猜到夏宫并不是表面上那么简单的山中古堡，因为他一踏入夏宫就闻到了淡淡的灼烧气味，跟密涅瓦机关里的空气味道是一模一样的！佛朗哥教授说过，唯有长期大量地燃烧高燃素煤，才会积聚这样的气味，普通人闻不出来，但西泽尔是从密涅瓦机关那种炼狱出来的人，那个炼狱基本相当于他的半个家。

现在真相揭晓，所谓夏宫，其实是一座机械的圣堂，西泽尔毫不怀疑地下也有一座类似维苏威火山的熔炉为它提供动力。而这个黑色的巨大空间，简直就是照搬密涅瓦机关的实验场。

掌握着炽天使秘密的机构不只是密涅瓦机关和军部，顶级家族也一样，它们是国家的最高层，怎么可能不染指究极武器？

巨大的空间中摆着一张桃花心木的长餐桌，餐桌上的银餐具和白瓷盘子还没收走，两具巨神般的机动甲胄拖着电缆站在餐桌两侧不远的地方，这景象说不出是有趣还是恐怖。

西泽尔脸上微微变色，因为其中那具赫红色涂装的甲胄毫无疑问就是密涅瓦机关为他准备的专用甲胄，而另外一具幽蓝色涂装的甲胄更为魁伟，胸口侧面用油漆写有"冈扎罗"的手写体名字，很显然是冈扎罗的专用甲胄。

看来这场决斗是一早就在家长们计划中的，无论西泽尔是否当面冒犯他们。一个混血的男孩，被邀请参加如此高级别的晚宴，总要展示一下自己的才能，否则他连坐在这里吃饭的资格都没有，谈何获得家长们的礼物？

为首的家长把两枚银色的军徽放在了桌上："就用这个作为胜利者的礼物吧。"

那是一对中校肩章，家长们早已准备好的礼物，送给男孩中最强的甲胄骑士。至此家长们已经毫不掩饰他们的计划了，家族的规矩就是这么残酷，胜者拥有一切，败者出局。

看见那对军徽，冈扎罗的瞳孔骤然发亮。他和西泽尔目前都是少校，这已经是极高的军衔，但在甲胄骑士中并不罕见，对于数量很少的、能穿上炽天使甲胄的男孩，军部在军衔的授予方面相当慷慨。

但中校军衔却是非常罕见的，准确地说，同期的男孩中获得中校军衔的仅有一个——代号黑龙的龙德施泰特。获得中校军衔，意味着家族承认你是可以和黑龙比肩的人。

家长们当然也清楚这个道理，所以他们才抛出了这个极有吸引力的礼物。

西泽尔却没看那对军徽，因为他忽然看见了托雷斯。随着镜厅的墙壁移动，托雷斯自然而然地暴露出来。看见托雷斯的瞬间，西泽尔先是惊讶，然后不由自主地笑了一下。

对于西泽尔冲动地接受这个挑战，轻易地踏入了家长们布的局，托雷斯原本很忧虑，紧锁着眉头。可没想到西泽尔见他的下意识反应竟然是笑，于是他也笑了起来，尽管有一点点无奈。

托雷斯看了一眼冈扎罗的甲胄，摸了摸鼻子。

西泽尔也摸了摸鼻子，两人同时点头。

家长们和孩子们都远远地撤到了实验场的边缘，那里早已设好了简单的看台，类似的较量在夏宫中绝不是第一次，家长们就坐在这样的看台上俯瞰着男孩们为了未来的权力你死我活地厮杀，神色恬淡，优雅从容。

他们不在意任何一个后代，这个国家里有三万五千个姓博尔吉亚的人，任何一个个体都不值得特别珍惜，重要的只有家族。

令人惊讶的是那些孩子，他们也不在乎同龄人的死活，他们眼里满是兴奋的神情，用刚刚到手的礼物相互打赌。他们在内心深处接受了家族弱肉强食的生存法则，这些人会是家族精神的最好继承者。

最淡定的竟然是教皇，他神色自若地抽着烟，托雷斯背着双手站在他身后。

西泽尔和冈扎罗都坐在了"海格力斯之架"上，这是标准的武装骑士的机械，巴别塔通常只有第一次武装需要用到，骑士在战场上临时武装，不可能随身携带巴别塔那样的大型设备。

两具炽天使甲胄分别站在西泽尔和冈扎罗的背后，因为骑士还没有装载进去，它们都低头含胸，仿佛沉睡。

冈扎罗的专用甲胄看起来要比西泽尔的强大，尽管甲胄本身使用的机械骨骼是类似的，但因为可以用外附设备延长四肢长度，冈扎罗的机身比西泽尔的要高出将近半米，装甲也带着更强的肌肉感。

尽管还处在休眠状态中，幽蓝色甲胄喷吐的白色蒸汽量几乎是西泽尔那具赭红色甲胄的两倍，把两个男孩笼罩在其中。

"圣座事先知道这件事么？"托雷斯低声问。

"不知道，我连冈扎罗是谁都不知道。关于那个孩子，你有情报么？"

"知道一些，冈扎罗·博尔吉亚，十五岁，是某位家长着力培养的甲胄骑士，骑士代号'断剑'。您想必是知道的，军部的骑士代号，最高等级的代号会用到颜色，比如西泽尔的'红龙'和龙德施泰特的'黑龙'。次一级的代号会使用武器，比如冈扎罗的'断剑'。"托雷斯说，"但尽管在代号上差了一个等级，冈扎罗仍然是个可怕的对手，西泽尔是七岁穿上甲胄的，冈扎罗是九岁。也就是说冈扎罗操纵机动甲胄有六年的经验，其间他还参加过小规模的秘密作战。"

"也就是说那个冈扎罗是个杀人者？"教皇吐出一口青烟。

"是的，圣座。"托雷斯恭恭敬敬地回答。

不愧是史上军事能力最出色的教皇，问的问题一针见血。冈扎罗上过战场，曾经把剑刺进敌人的心脏，西泽尔目前最接近死亡的一次，是跟黑龙的对比实验。

正常人在第一次剥夺生命的时候都会惊恐和犹豫，仿佛经历一场鲜血的洗礼，而有过杀人经验的老兵则不同，他们麻木了，因而更有效率。

"杀人者"和"非杀人者"在战斗中的行为方式是完全不同的，前者的优势不言而喻。

"冈扎罗的甲胄是怎么回事？"教皇又问。

"冈扎罗的甲胄做过深度强化，出力至少提升了30%，装甲厚度也不是西泽尔所用的甲胄能比的。西泽尔因为还在发育阶段，甲胄难以定形，所以没有做强化。"托雷斯回答，"单从甲胄判断，冈扎罗的战斗力要强一倍。

"这可以理解为作弊么？"

"如果要求事先检查甲胄，声称甲胄本身的机能不匹配，当然是可以中止的。但扔出白手套的是西泽尔，接受挑战的是冈扎罗，所以无法认定这是作弊。"

"西泽尔的格斗是你教的，你在炽天骑士团中的单兵作战能力排第三。在这种局面下，你觉得你的学生会有多少胜算？"教皇挑了挑眉。

"圣座可以允许我直接说出心里的判断么？"

"托雷斯，你从来不是一个会绕弯子和讲礼貌的人，说吧。"

"冈扎罗强或者弱，作弊或者不作弊，想在机动甲胄上挑战西泽尔殿下，都选错了战场。"托雷斯冷冷地说，"冈扎罗要战胜西泽尔，唯一的机会就是不给西泽尔拿到石头的机会。"

026 赌博

电流涌入海格力斯支架，骑士舱带着铿锵的金属撞击声完成了折叠，金针刺入背脊的瞬间，两个男孩都只是眼角微微抽搐。他们远远地对视，目光似乎也在黑暗的空间里擦出了火花。

机动甲胄的上半身，胸肩背全部打开，骑士舱沿着滑轨进入并锁定，像是婴儿返回了母体。紧接着八条机械臂带着其余的配件从天而降，刺眼的电火花中，机械组件和人体拼接成功。

在意识的世界里，骑士们的眼前都快速地闪动着仿佛来自异世界的画面，但很快他们就从噩梦般的状态中苏醒，神经和甲胄接驳完毕，他们找到了机械手机械腿的"感觉"。

炽天使甲胄如同获得了灵魂般，缓缓地抬起头来，身体的缝隙中喷出浓郁的白色蒸汽，蒸汽掩蔽了眼孔中闪烁的寒光。

"红龙，欢迎进入战斗序列。"耳机里响起机械的女声。

机动甲胄"红龙"的利爪缓缓地收紧，那是……握紧石头的感觉！

旁观的男孩们尖声叫好，振臂高呼，女孩子们也不例外，手掌拍痛了也全然不顾，脖颈处的肌肤因为充血而泛着婴儿般的嫣红。

男孩们当然也为自己的成就感到自豪，他们相信自己并不逊于这两个可以驾驭炽天使的男孩，但炽天使武装的这一幕实在是太令人震撼了，残酷刚强，混合着机械与神学之美，就像是天使临凡，又像是从地狱中召唤出了挥舞着火焰的魔鬼。

老人们则很淡定，他们抚摸着身边孩子的脑袋，唇边带着淡淡的微笑。孩子们享受着长辈给予的温暖，却没有细想那份淡然的心态是怎么来的。

那是因为他们太多次地看到这片地面被鲜血浸润！他们的淡定，恰似那些对流血死亡都看腻了的古代君王！

武器架从天而降，各种制式刀剑被铁链捆在武器架上。骑士间的决斗，冷兵器仍是最受青睐的武器，子弹很难穿透坚韧的铍青铜装甲板，但在机械巨力的驱动下，带细微锯齿的剑刃却能切开大块的钢锭！

冈扎罗和西泽尔同时奔向武器架，蒸汽云被他们搅得粉碎。

这对双方而言都不是第一次骑士决斗了，即使没上过战场的西泽尔，也跟托雷斯对战演习了无数遍。

规则很简单，背后源源不断输送红水银蒸汽的管道在他们发动的那一瞬间就脱落了，小型的蒸汽包只够支持他们五分钟的格斗。三种情况下决斗终止：一方再不能起，一方宣布认输，动力耗尽。

冈扎罗从武器架上拔出了"龙牙剑"，那是炽天骑士团的制式武器，仅供少数精英骑士选用，因为它太沉重了，连机动甲胄都很难单手持握，否则会造成重心偏移。但牺牲了平衡性换来的，是惊人的破坏力。

冈扎罗选用这件武器，既是他作为精英骑士的自信，也是选择了自己最擅长的武器，当年他就是用龙牙断剑刺穿装甲板，把对手的心脏彻底摧毁！

西泽尔同样擅长龙牙剑，因为托雷斯擅长龙牙剑，而他是托雷斯的学生。但他比冈扎罗慢了几秒钟，武器架上已经没有龙牙剑可供选择了。

龙牙剑在冈扎罗的铁手中旋转，锯齿刃上流淌着蓝黑色的光。冈扎罗并不急于进攻，而是等待西泽尔选择武器，这是骑士间的礼仪。

西泽尔毫不迟疑，拔出了角落里的双短刀"闪虎"，自下而上划出了明亮的弧光，目标是冈扎罗的咽喉。

冈扎罗有些惊讶。

"闪虎"甚至不能算是武器，只能说是机动甲胄的防身小刀，就像步兵佩戴的格斗短剑那样，基本上一辈子都用不到，只是在武器掉落的时候用来防身。

是因为没有称手的武器，所以选择了轻便的短刀么？想借助速度优势近身取胜么？或者是他在短刀上确实有着相当的自信？这些念头在冈扎罗的脑海里闪过的同时，龙牙剑已经自上而下地砸向了西泽尔的头顶。

刀刃在黑暗中相撞，闪出大片的火花，溅在两具机动甲胄的外壳上。

西泽尔被龙牙剑上巨大的动能震退，机械足部在大理石地面上刻画出了两道深沟才勉强刹住，但冈扎罗也未能趁机进攻，因为龙牙剑太过沉重，他发出全力的一击后，必须重新恢复平衡才能发出下一击。

刚才还大声叫好的孩子们都屏住了呼吸，只有亲眼见过甲胄战斗的人才会明白这种战斗是何等的残酷，借助机械，他们将自身强化了几十倍，但他们的肉身却还是脆弱的孩子，细微的失误都可能导致重伤甚至丢掉性命。

第一轮的攻防看似简单，其实并不简单，两个男孩都显示出对机动甲胄的深刻理解。

西泽尔的钢铁利爪略微松开复又抓紧了闪虎，冈扎罗敏锐地观察到了这个细节。第一轮的攻防中他应该是占了优势，那个动作说明龙牙剑的巨大冲击力令西泽尔手部的神经接驳出现了一些问题，刚才西泽尔是重新拿回了对钢铁利爪的控制权。

兴奋之情难以抑制，这个细节进一步坚定了冈扎罗胜利的信心。

这场较量是早有预谋的，某位家长曾温言鼓励冈扎罗："在所有人面前证明自己才是未来的第一骑士。"冈扎罗自然为此做了充分的准备，他对自己有自信，但西泽尔的所有训练数据都是保密的，这男孩是个黑洞，深不见底。

虽然时至今日军部对西泽尔的评价仍旧低于那位堪称绝顶的黑龙，但第一次武装的时候，据说这男孩几乎杀了黑龙……直到现在为止，所有亲眼见过那场对比实验的人都保持了沉默，这些都令冈扎罗惴惴不安。

但经过第一轮攻防，冈扎罗终于放下心来。西泽尔也许能算是一位严格受训的骑士，但相比黑龙的绝世无双，他还差得太远。冈扎罗敬畏的只有黑龙，黑龙以下的任何人在他看来都可以践踏！

"来吧！红龙！"冈扎罗嘶吼着。

动力核心加速旋转，冈扎罗带着白色的蒸汽流扑击出去，高速的运动中，龙牙剑带出十几米长的凄厉剑光。它在半途遭遇了闪虎，密集的刀光仿佛金属的狂风暴雨，巨大的轰鸣声震动着整个空间。

孩子们都看傻了，他们不敢想象置身于那金属风暴核心的人该是什么感受，要对抗那份恐惧并准确地挥舞刀剑，那真的是孩子能做到的事么？

大人们却仍旧平静，因为这就是他们期待看到的。只有超越自我、超越极限的孩子，才配成为代表这个家族的骑士！

他们要培养的怎么会是区区一个骑士呢？他们要培养的是灭国的战争机器，那种人当然得能对抗自己心中的恐惧，还得把恐惧嚼碎了……吞下去！

托雷斯的军服口袋里有一块怀表，此刻这块怀表正掐在他手中，时间一秒一秒地流逝，冈扎罗的进攻越来越猛烈，西泽尔至今仍然未能做出任何有效的进攻。

闪虎太短，他必须极度接近冈扎罗才能攻击得手，但冈扎罗用龙牙剑的轨迹构建了几乎完美的剑圈，轻易冲击那个剑圈，等于把命送到死神的镰刀上。

一分钟过去了，骑士们仍旧在重复那暴雨般的攻防，过度溢出的蒸汽已经快要弥漫到看台这边来了。

"隆，你的培养计划似乎没有收获满意的成果啊，花费了那么多资源在这个孩子身上，可他甚至比不过冈扎罗。"为首的家长忽然说话了，"冈扎罗可是个……便宜的孩子啊。"

托雷斯心中一震，听懂了老人的话。冈扎罗就只是一个骑士，家族并未希望用他来挑战"无与伦比"的黑龙。培养一个骑士所需的资源当然少于培养一个骑士王所需的，骑士王的真正特长是指挥千军万马，但杀死一个骑士王，也许只需要一个足够凶狠残暴的骑士。

冈扎罗就是那个凶狠残暴的骑士，他还以为战胜了西泽尔就会得到家长的恩宠，接替西泽尔成为和黑龙竞争的人……但在家长们心里，他终究只是一个"便宜的孩子"。

"一个狂热的刺客也能砍下君王的头颅，但那并不意味着他比一个君王有价值。"教皇冷冷地说。

"你那么看重这个孩子，以君王来要求他么？有这份闲情逸致为什么不培养培养你那两个婚生的儿子呢？他们也很优秀，同时流着博尔吉亚家和美第奇家的血，那样的血才能成就君王。成就君王的不是力量而是血统，世上90%的君王，之所以是君王，都是因为他们的父亲是君王啊。"家长慢悠悠地吐着烟圈。

"但我也听人说过，任何一个新开创的时代，只有第一位君王才是真正的君王，其他的人都只能称为君王的儿子。"有人在教皇背后轻声说。

家长挑了挑眉，看了一眼站在那里的何塞·托雷斯，这个年轻人英眉朗目，身形挺拔，视线越过看台上方，锁定了战斗中的男孩们。

"隆，你的机要秘书不太懂事啊，他首先应该学会不插嘴。"家长的语气还是很温柔。

"我也很不懂事，我身边的人怎么会懂事呢？"教皇低头抽烟，"托雷斯，有什么话就说出来好了，反正你已经让我们尊敬的赫克托耳家长不高兴了。"

"我赌西泽尔殿下会在三十秒钟内取胜。"托雷斯翻过手来亮出手中的怀表。

"三十秒钟？"家长愣了一下，"你想赌什么呢？"

"能跟博尔吉亚家的家长对赌，是我这名骑士的荣幸，赌注自然要对得起您的身份，那就用……我的生命怎么样？"

027 赌注

"你的生命？"赫克托耳家长眼中流露出惊讶的神情，"这对你个人而言是很重的赌注，那么你希望博尔吉亚家赌上点什么呢？"

"一份请柬，一份永久有效的请柬，说明西泽尔永远有参加家族晚宴的权利。"托雷斯微微躬身，"我听说过这样的东西，是家族给予成就最出色的孩子的奖励。"

赫克托耳家长沉吟了片刻："在家族的历史上，确实曾经颁发过这样的永久请柬，给予那些必然会成为家族栋梁的孩子。你的意思是，想要家族的一个保证，必须栽培这个孩子，绝不放弃他，是吗？"

"是的，赫克托耳家长，我为我所侍奉的殿下西泽尔·博尔吉亚恳请这样的一份文件，"托雷斯仍旧保持鞠躬的姿势，却抬起眼睛，和那位尊贵的大人物四目相对，"确保他不会因血统而受到家族的歧视，确保他会被当作一个堂堂正正的博尔吉亚对待。"

"还要扶持他成为未来的东方总督么？用你的命赌这么大的东西，托雷斯骑士，你很贪婪啊。"赫克托耳家长收起笑容，松弛的眼皮下闪现着刀剑般的光芒，这个究极的权力者终于撕下伪装，以真实的面目和托雷斯相对，"不过，我可以跟你赌，只要你回答我一个问题。是什么理由驱使你为了这个跟你毫无关系的孩子，赌上你唯一的一条命呢？"

"并没有什么特殊的理由，"托雷斯的语气很平静，"有些人，他如果能够踩着我的肩膀腾飞，是我的荣幸。"

赫克托耳家长沉吟良久："真是一个让人无法拒绝的理由啊。委实说，家族并不喜欢叛逆的孩子，但若是一个十二岁的男孩能让何塞·托雷斯这样出色的骑士心甘情愿成为他的垫脚石，也许家族应该给他更多的机会。"

"何塞·托雷斯，虽然以你的身份根本没有资格跟我们对赌，但，勇气可嘉。"赫克托耳家长平静地起身，从白袍中抽出艺术品般精美的黄铜火铳，指着托雷斯的额角，"我代表博尔吉亚家族，接受你的赌注！"

惊悚如同冰冷的蛇游过托雷斯的身体，他的心脏似乎停跳了一拍。

这样就把生命押在了顶尖权力者的赌桌上，虽说并非冲动的决定，但赌约真的达成，即使是曾经多次面对死亡的他也还是体会到了那种名叫"恐惧"的情绪。

这是博尔吉亚家的封邑，在这里连法律都是被博尔吉亚家操控的，家长们有权剥夺生命。所以如果三十秒钟内西泽尔不能制胜，赫克托耳家长就会开枪，一人血溅当场的结局对于这个疯子家族来说不算什么，没准还能起到教育孩子的作用。

那座用铁链悬挂在半空中用于计时的钟忽然开始倒转，所有指针回归零位，重新开始计时。根本没有见赫克托耳家长下令，可那座钟却自动做了赫克托耳家长希望它做的事。

"西泽尔，你的朋友何塞·托雷斯骑士刚刚在你身上下了一个对他而言很重的赌注。他用自己的生命赌你会在三十秒内战胜冈扎罗。"赫克托耳家长的声音回荡在实验场中，"现在开始计时！"

西泽尔的全部心神都集中在那柄高速闪动的龙牙剑上，骤然听到这样的声音不由得大惊，神经接驳出现了一瞬间的中断，龙牙剑狠狠地砸在闪虎的双刃上，西泽尔失去平衡，翻身后仰。

这是绝对的良机！冈扎罗踏前一步，龙牙剑高速纵劈的声音尖厉得像是鬼啸。这一剑要是砍实了绝对能破开西泽尔甲胄的装甲板，甚至对里面的骑士造成重创。

冈扎罗已经提前感受到胜利的喜悦了，对手失去了平衡，手中又是一对简直连武器都算不上的闪虎，这样的机会他怎么可能不把握住？

但巨大的赤红色光弧隔断了冈扎罗的视线，那一刻仿佛有柄赤红色的巨剑破土而出，对着天空发出肆意淋漓的斩切！

冈扎罗根本来不及防备，便被那赤红色的光斩中了手腕，腕部护甲碎裂！合金骨骼崩毁！腕部神经接驳中断，龙牙剑旋转着脱手！所有这一切都发生在零点几秒之内。

冈扎罗拖着受损的机械手后退，还没想明白那是怎么一回事，但观众们却看得很清楚，那道赤红色的斩切是西泽尔用腿发出的，那具赭红色的甲胄腿部正背面都有棱状的凸起，用它踢击就像挥舞一柄比龙牙剑更长的巨斧！

这种格斗姿势超出了所有人的想象，炽天使甲胄确实是所有机动甲胄中最灵活的，但毕竟是部沉重的机械，怎么能在失去平衡的状态下，发出那记威力和角度都无可挑剔的踢击呢？

"难怪有这样的信心啊，何塞·托雷斯，"赫克托耳家长赞叹，"那个小家伙一直都在保留实力吧？隆和你真的培养出了……变态的东西！"

西泽尔右腿踢到最高处，忽然转为回旋，借助旋转的力量重新站稳，扭头看向看台。何塞·托雷斯神色平静，被赫克托耳家长用铳指着额角。

这画面就像很多次他在密涅瓦机关的实验场中挥汗如雨，托雷斯站在控制中心的栏杆边，只是没有那恐怖的倒计时，没有那柄随时能剥夺托雷斯生命的短铳。

托雷斯看他回望，无声地笑笑，摸了摸鼻子。西泽尔也下意识地摸自己的鼻子，但他现在控制的是钢铁的利爪……

他抓下自己的面甲，瞳孔深处的紫色忽然爆炸！

冈扎罗刚刚拾起龙牙剑，他的右腕被毁了，但左手还能勉强控制这柄重剑，有这柄强有力的武器在手他相信自己仍然占据优势。至于刚才那记不可思议的踢击……大概是西泽尔在危急关头无意中用出来的吧？

那绝对不是能经常重复的动作，从理论上说神经接驳技术能让人和机械融为一体，但机械终究还是机械，怎么能像人那样做出如此复杂的动作呢？要是机械可以像赤手空拳的格斗家那样战斗，岂不是连跳舞也没问题了？

冈扎罗这样想着，坚定着自己的信心，强忍右腕传来的剧痛，踏上一步，抬起头来……这一抬头，他看见了地狱！

赭红色的身影从天而降，腿部像是长刀巨斧那样斩出赤红色的弧光，斩裂了冈扎罗半边身体的装甲板。巨大的创伤从冈扎罗肩部往下延伸。

冈扎罗仍旧紧握着那柄龙牙剑，但他连抬起剑锋的机会都没有，西泽尔从落地的那个瞬间开始，攻击就一刻不断。他手中仍是那对不起眼的闪虎，但持刀的方式已经变了，西泽尔握着双拳，刀刃从钢铁利爪的指缝中透出。

他每轰出一拳，闪虎的刀刃就在冈扎罗的甲胄表面造成一道深深的伤口，同时还伴有肘击和膝击。

冈扎罗的甲胄比西泽尔的动力更强、装甲更厚、武器也更好，但在这种近身战的情况下他根本无从使用这些优势，西泽尔几乎是黏在了他身上，把凶狠的下勾拳灌进他的小腹。

有那么两次冈扎罗拼着受创终于从西泽尔的攻击中脱离出来，西泽尔那大斧劈砍般的腿击立刻发动，给冈扎罗的甲胄增添一道新伤口之后，再用末端的钩子把他钩了回去。

看台上所有人都沉默着，微微战栗。冈扎罗放手进攻了足足一分半钟，西泽尔却在十秒钟里逆转了胜负。无怪乎在这个机械能够量产的时代，究极的骑士还是受到极大的尊重，甲胄本身的强大并不足以确保胜利，得看机械里装着什么样的灵魂。

骑士才是甲胄的灵魂。

托雷斯轻轻地呼出一口气，那蛇一样纠缠着他的恐惧感这才消失，狂跳的心似乎也回到了原位。虽然这套战术是他研究出来训练西泽尔的，但这还是第一次用在实战中，托雷斯确实是赌上了命在验证。

正统的骑士团里，骑士绝不会练习这种格斗式的战斗方式，他们习惯的就是远距离使用火器，近距离使用特为机动甲胄制造的刀剑。

托雷斯是从西泽尔第一次武装时的狂化状态想到这种战术的，当时炽天使在西泽尔的操纵下做出了像人类那样的动作，跑跳、膝击肘击、扭打。黑龙也是一时间被这种疯狂的打法震骇了，所以才会被西泽尔完全压制。

之后那种狂化的状态再也没有出现过，但托雷斯意识到如果参照西泽尔当时的攻击方式，会创造出一套全新的甲胄格斗术。没有任何骑士学习过如何应对另一名机甲骑士的近身殴打，因此这套战术用出来几乎就是必胜。

它原本是为挑战黑龙而准备的，用在冈扎罗身上有些浪费了，但西泽尔听见托雷斯赌他三十秒钟内必胜的时候，立刻意识到托雷斯是让他使用这套战术。

托雷斯也不是什么亡命之徒，三十秒钟他还是留了余地的，事实上从倒数第27秒开始西泽尔狂殴冈扎罗，到了倒数第十五秒冈扎罗身上连一块完好的装甲板都没有了……

倒数第十秒，西泽尔猛踩在冈扎罗的肩膀上强迫他跪倒在地，闪虎横挥切开他的面甲，暴露出冈扎罗那张毫无血色的脸。这位骄傲的博尔吉亚从没有输得那么彻底那么绝望，从三十秒倒计时开始，西泽尔就为他打开了一扇地狱之门。

那恐怖的倒计时，根本就是冈扎罗的死亡倒计时。

闪虎的刀锋停在冈扎罗的咽喉处，两个男孩都没有面甲，西泽尔居高临下地看着冈扎罗，紫色的瞳孔里全无温度，仿佛握着死亡权杖的鬼神。

不知什么时候冈扎罗脸上已经全是泪水，像只跪在那里待宰的羔羊。

倒数第八秒，西泽尔扭头看向看台。每个孩子在触到他的目光时都想要躲闪，家长们多数沉默，只有赫克托耳家长轻轻地叹了口气。

倒数第六秒，西泽尔把冈扎罗踹翻在一旁，转过身笔直地走向看台，钢铁的脚步声从容不迫。

倒数第五秒，孩子们纷纷离开座席往后排跑。

倒数第四秒，扭曲的吼叫声响彻实验场，冈扎罗委顿在地上的身影暴起。西泽尔眼中的紫色再度浓郁起来，他猛地转身，准备发出那大斧般的踢击……

倒数第三秒，西泽尔踢中了冈扎罗，冈扎罗也抱住了西泽尔。冈扎罗·博尔吉亚，这位精英的少校骑士抛开了一切尊严和体面，从后面死死地抱住了西泽尔。他歇斯底里地喊着："我赢不了！我也要拖个人陪葬！"

西泽尔惊呆了。

该死！他犯了错误！冈扎罗并没有认输，倒计时还没完！赫克托耳家长的火铳还指着托雷斯的额角！赌局仍在继续！他无法挣脱，他的甲胄原本就在动力上弱于冈扎罗的，纯拼力量的话他处于下风！

"滚开！"他厉声吼叫，"否则杀了你！"

冈扎罗不回答，冈扎罗只是狂笑。

这名十五岁的年轻骑士远比西泽尔更了解这个家族，也更加渴望家族的扶持。他是个要强的男孩，他分明是个贵族子弟，却像马车夫的儿子那样能吃苦。因为贵族也有高下之分，他立志要爬进家族的核心，成为人上人。

所以当家长们把测试西泽尔的工作交给他的时候，他简直欢喜得疯了。打倒西泽尔，打倒这个卑贱又狂妄的混血儿，冈扎罗就能获得红龙的一切，挡在他面前的就只剩下黑龙。

可从那记大斧般的踢击开始，西泽尔把他光辉的未来全都捶碎了。他在家长们眼里看到的是"废物"两个字，他绝望了、心死了，他在家长们面前一败涂地，他再也不会有机会在那张餐桌上用餐，没法跟那些优秀的兄弟姐妹比肩。

他爱慕着一个漂亮的女孩子呢，虽然不及贝罗尼卡那样耀眼，却也是家族中的佼佼者，而且跟冈扎罗并无多少血缘关系，没准能达成婚约。可他再也没有机会了，从今晚开始，在那个女孩眼里他就是毫无价值的废物。

他把所有的怒火都释放在西泽尔身上，他赢不了西泽尔，但他可以让西泽尔付出代价！他只需要撑到三十秒钟过去！

赫克托耳家长扳动枪机，托雷斯脸色惨白。这是西泽尔的错误也是托雷斯的错误，托雷斯教会了这个孩子制胜之道，却没有教会他残忍。换了托雷斯，虽然不会杀冈扎罗，却会给予足够的重击并确认他昏死过去。

　　可他终究是不愿把战场上的血腥法则教给西泽尔，这男孩心中已经藏着一个小小的悲伤的魔鬼了，就别再学那些残酷的东西了。

　　"再见。"他用唇形对西泽尔说。

　　"不！"西泽尔凄厉地吼叫。

　　倒计时结束，钟声响彻实验场，赌局终了，火铳轰鸣。托雷斯栽倒在看台上，赫克托耳家长神色淡然地吹散火铳枪口的硝烟。

028 地狱敲钟

　　"是西泽尔·博尔吉亚吧？我名为何塞·托雷斯，少校骑士，奉您父亲的命令来接您！"

　　"如今的孩子已经不吃巧克力糖了么？"

　　"我父母很早就过世了，但我有个妹妹。以我的家境，我妹妹只能在社会的底层过一辈子。但如果她哥哥是一位骑士，她就能嫁给真正爱她的人。"

　　"去接站之前我本来想会是多么难缠多么难伺候的少爷，却没想到接到的是你这种孩子……如果可能，真不想是由我的手把你送到这个鬼地方来。"

　　"不，我想西泽尔要做的一切事，都有西泽尔的理由。"

　　"跑不动了？跑不动了就别跑了。留在这里等人来救你吧。"

　　"除了圣座，你是我认识的最大的贵人，所以我照顾你，并不是没有私心的，你不用对我感激。"

　　那个男人的话回荡在西泽尔的脑海深处，仿佛轰雷仿佛闪电，同时他那张坚毅的脸在西泽尔的记忆中破碎斑驳。

　　西泽尔说："我在乎的人，他说的每句话我都记得。"这话并没有夸张，他真的记得托雷斯跟他说的所有重要的话，唯独没有听从托雷斯在来之前对他的千叮咛万嘱咐，托雷斯让他无论如何都要忍，说家长们绝不是他眼下可以对抗的人……

　　可他任性了，他没忍，他还非要在家长们面前显露他小野兽的爪牙。

　　他害死了自己最重要的人，他是个蠢货，他总是做错事，他以为自己握住了权力，他在心底藏着个狠狠攥拳的死小孩……可他从来没能真正救下自己想救的人。

他的眼前再度浮现那些诡异的画面，长满了苍白人脸的参天大树，血池中浮起的白色恶魔，时钟的指针飞速旋转，世界坍塌……初次武装时的异常现象在他身上重演。

冈扎罗忽然觉得自己抱着的并非一具机动甲胄而是一块炽热的钢铁，如此惊人的热度，隔着骑士舱他都无法忍受。可机动甲胄再怎么过热也不至于这样啊，难道是自己的错觉？

而那些远在看台上的观众能够看清这一幕，西泽尔所驾驭的那具赭红色甲胄在冈扎罗的锁定中仰天咆哮，所有甲片张开，一次性释放出数量惊人的高温蒸汽。

那咆哮是无声的，便如古老的画面被画在了岩壁上，但是人们竟然产生一种奇异的幻觉，那钢铁的巨人肌肉凸起，仿佛下一刻就要化身为真正的龙！

西泽尔调转手中的闪虎，狠狠地刺向自己甲胄的小腹部位。冈扎罗的手臂正是从那个位置环抱着他的身躯，此刻西泽尔的甲胄爆发出骇人听闻的力量，生生地将冈扎罗的机械臂和自己腹部装甲一起切断。

西泽尔终于获得了自由，他转过身，锁住冈扎罗的脖子，将他连带那具沉重的甲胄一起投掷出去，砸在钢铁的墙壁上。

血红色的光席卷实验场，蒸汽笛吹出刺耳的警报，仿佛虚空之门洞开，无数枭鸟哀鸣着飞了出来。

"神圣灾难……原来是……神圣灾难！"赫克托耳家长以低得谁都听不见的声音说，他望着红龙的背影，瞳孔深处仿佛流淌着熔岩，"原来所谓的狂化……是这样一回事！"

所有人都恐惧得想要逃走，但最恐惧的还是冈扎罗，他连站起身来都做不到了，强撑着在地上爬动。但他已经无路可逃，背后回荡着死神般的脚步声，那赭红色的巨大身影正破开蒸汽云而来，男孩从沉重的机械中露出脸来，那双原本瑰丽的紫色瞳孔此刻只剩下了夜一般的黑。

"不……不要……不要！"冈扎罗哭泣着，吼叫着。

西泽尔没有回答，他似乎什么都听不到。他抓住了冈扎罗后颈处的装甲板，将这名年轻的骑士锁死在墙壁上……

男孩们看见了他们有生以来最恐怖的一幕，虽然是发生在两具机动甲胄之间，可看起来更像是两个有血有肉的巨人，一方对另一方执行着狂暴的虐杀。

在红龙那暴风雨般的铁拳下，冈扎罗的甲胄纸一般脆弱，机械肢体被生生地撕裂，墨绿色的油质液体如鲜血那样喷射。

手臂神经接驳强制中断……失去左腿……失去右腿……髋部摧毁……脊椎反射中断……随着甲胄被西泽尔以无与伦比的狂暴拆解，冈扎罗感受到的是身体被撕裂般的剧痛，眼前闪动着西泽尔那张被油污覆盖的、面无表情的脸。

西泽尔反击的那一刻，冈扎罗曾以为自己看见了地狱之门的洞开，而此刻在他的眼里，整个世界正变成地狱，他是这间地狱里唯一受苦的灵魂。

这个曾经勇敢强大、曾经坚忍卓绝、曾经把断剑刺入敌人心脏的少年疯狂地大哭起来，他再也不想要家族的扶持了，如果跪下来恳求有用的话他一定会做的，可一切都已经来不及了。

沉重的钢铁墙壁从天而降，把整个看台保护起来。家长们起身离席，孩子们也被人从后门带走。

最后只剩下教皇端坐在空荡荡的看台上，默默地抽着烟，听着铁墙外那沉重的、蹒跚的脚步声越来越近。铁墙轰鸣，那是赭红色的魔神在猛砸它，那可怕的声音，就像是死神敲响了地狱的钟。

恢复意识的时候，西泽尔正蹒跚地行走在红松林中，那轮巨大的白色月亮透过树梢织成的网，把寒冷的月光洒在他的肩上。

他也不知道自己怎么到了这里，他最后的记忆是赫克托耳家长的火铳中射出了火光，托雷斯栽倒在看台上。之后的一切都是混乱的，好像很多个噩梦叠加在一起。

他穿着破损的骑士服，遍体鳞伤，赤着脚，手中抓着一块石头。他望向身后，身后没有路，只有他自己留下的两行足迹。

受惊的松鼠盘旋而上，从红松的顶端俯瞰这个精疲力尽的男孩，猫头鹰呼啦啦地从树梢飞起，没入密林深处。

也许是一个梦吧，走出树林就醒来了，还睡在那间屋顶湛蓝的卧室里，外面银勺子碰着瓷盘叮当作响，那是托雷斯在监督着仆人们准备早餐……所以得走出去，走出去就好了……他机械地挪动着双腿。

就算不是梦也没关系吧，何塞哥哥死了，现在他要回家去找妈妈和妹妹，怎么都得走出这个密林。

其实何塞·托雷斯也不算什么很重要的人吧？只是父亲派来照顾他的人，跟侍从也没多大差别呢，没准还肩负着监视他的任务呢。何塞哥哥自己都说不用对他感恩的，因为我是天赋骑士他才对我好的啊，他想得到我这个靠山……

在这个华丽而罪恶的城市里，谁不是独自活着？谁不是为了自己的利益而努力着？没有了何塞哥哥，我还能找到别人来帮自己，因为我是个会撒谎的小孩啊。

从第一次见面他就意识到这个年轻的骑士是会帮他的人，所以他装得很乖很乖，叫托雷斯骑士何塞哥哥。他多会玩这种游戏啊，就像当初他骗莉诺雅那样，别看他是个小孩子，可是心机很深很深的……他从来到这个世界就没人可以依靠，不骗人怎么活得下去？

他不在乎自己是个坏小孩，他是他们家唯一的男人，如果骗人才能保护妈妈和妹妹，那他就骗人，如果抓紧石头才能保护妈妈和妹妹，那他就抓紧石头。

他才不在乎把谁砸得头破血流，这个世界，只要他们娘儿仨活下来就好了，管别人去死呢。

说起来何塞哥哥真是个笨蛋啊，为什么要跟赫克托耳家长打赌呢？要是没有那场赌局，他也能战胜冈扎罗，然后坐着何塞哥哥开的车凯旋。他还能欺骗何塞哥哥很久，装得好像自己真的把何塞哥哥看作哥哥那样。

"都是何塞哥哥太笨了……都是何塞哥哥太笨了……"他喃喃地说着，想尽一切办法让自己的心坚硬如铁，可为什么就是忘不掉那一刻呢……那个男人用唇语说再见，那道贯穿他脑颅的火光闪灭，那一刻世界寂寥，血都冷了。

分明是被自己骗了的笨蛋死了，可为什么心脏会那么疼痛呢？医学课本上不是说心脏是块没有神经的肌肉么？原来人家说心痛还真有这回事啊，痛得简直要裂开。

苍白的影子匍匐着尾随西泽尔，那是一条白狼，翡冷翠郊外的山中这种狼为数不少。它的眼睛在夜色中是宝石般的莹绿色，嘴角流着涎水。它尾随了西泽尔一路，终于确定这个猎物已经疲倦得没有反击之力，这才猛地扑了出去。

西泽尔转过身来，面对着白森森的狼牙。他的手里就有一块石头，他抓着这块石头走了一路，可也许是太累了，他不想反抗了。他松开手任那块石头坠落，双手蒙住了眼睛。

何塞哥哥，就这样好了，这是我该有的下场。我没有听你的话好好跑步，所以我走不出这片树林了……这样我会觉得……我欠你的少一点。

炽烈的灯光忽然刺破了林中的黑暗，一辆高速行驶的重型机车吼叫着冲了过来，骑手一把抓住白狼的脖子，把这畜生狠狠地砸在车轮前方，笔直地轧了过去。时机把握得很完美，恰如五年前他准确地切入两个男孩之间，一剑斩断暗金色的链条。

骑手一把把西泽尔抱了起来，在他眼前摇晃一只手观察他的瞳孔变化，以确认他是否恢复了神智。

西泽尔呆呆地看着那张年轻而坚毅的面孔，他跟这个人相处五年了，应该不会认错才对……那是何塞·托雷斯，西泽尔回到翡冷翠认识的第一个人，他应该已经死在了赫克托耳家长的火铳下才对。

"何塞……哥哥？"他轻声询问着，伸出手去触摸托雷斯的脸，想知道那是不是一个幻影。

"我还活着，"托雷斯摘下皮手套，握住西泽尔的手，手心里的温度透了过去，"赫克托耳家长那支火铳里填充的是空包弹，没有弹头，当时看台下藏着两名卫士，把我摁倒了，不准我发出声音。我想，家长们是想看看你的极限在哪里。"

"何塞……哥哥？"西泽尔的眼神呆滞，再度询问。

"别怕，别怕，你现在很安全。"托雷斯抓过后座上的医药箱，用里面的碘酒棉球给西泽尔擦拭伤口，"你当时失去了控制，冈扎罗的甲胄被你拆成了一堆废铁，那孩子断了十几根骨头，受了巨大的惊吓，没准这一辈子都会有后遗症。然后你就冲出了夏宫，没有人能阻挡你，你把沿路的一切都破坏掉了。我们在距离夏宫大约一公里的地方找到了你的甲胄，但你不在里面。很多人都在附近的山里找你，最后还是我找到了你。我刚才一直悄悄地跟在你后面，怕你还没有解除失控的状态，如果我忽然出现，你会受惊吓。"

托雷斯并不知道这孩子一路上想着什么，只是觉得他浑身带伤眼神呆滞，于是一直低着头一边跟他解释事情的经过，一边帮他清洁伤口。

月光下，两行泪水滑过男孩满是泥土的面庞。

"何塞哥哥，我以后都会听话的，我再也不任性了。"西泽尔坐在重机的后座上，号啕大哭起来。这男孩一路上没有流过一滴眼泪，直到此刻，他那坚硬的外壳才全部坍塌，被打回了十二岁男孩的原形。

托雷斯沉默了许久，俯下身去轻轻地拥抱他，苦笑："怎么跟个女孩子似的？"

029 通行证

夏宫，博尔吉亚家的老人们站在白色长桥的中段，夜风吹起他们的白袍，他们环顾这座被破坏得难以修复的桥，神色淡然。

看地面上深深的痕迹和那些被砸碎的浮雕，不知道的人会以为是一个发疯的司机开着一辆装甲战车刚从这座桥上碾过，长桥末端的铁门像是麻花那样扭曲变形。

"看起来是得重建了。"赫克托耳家长淡淡地说。

"夏宫本身也有损毁，好在只是外部，内部的系统没什么问题。"另一位家长说。

"小家伙的潜力超出了我们的预料，也许他真的能和那个黑龙竞争？他如果真能成为骑士王，对家族还是很有意义的。对东方的战争迟早都要开启，每个家族都在培养能成为'东方征服者'的后代。"

"但他的不可控性也超出了我们的预料，如果他在发狂的状态下穿着甲胄冲入夏宫，谁能阻挡他？"

"隆真是养出了怪兽啊……有点头痛，手中有这样一头怪兽，是用它的爪牙还是防备它的反扑呢？"

"那种既忠诚又卖力、围着你的马蹄转圈的东西叫猎犬，"最终是赫克托耳家长结束了短暂的争论，"但猎犬永远只是猎犬，只能用来打兔子。你要用狮子，就得有跟狮子共舞的觉悟。隆自己不也是一头不好控制的狮子么？我们还不是扶他上了教皇之位？"

"既然赫克托耳家长那么说了，就多观望一段时间吧。"

赫克托耳家长点了点头："狮子也是有弱点的，找到他的弱点就能收服他。以他如今的程度，依然只是个有潜力会发疯的孩子而已，我们不需要忌惮他。我们想的话，随时都能解除他的武装……没有了甲胄，他可什么都不是。"

家长们都微微点头表示赞同。确实，他们都是掌握国家命运的人，有什么必要对一个狂化的孩子忧心忡忡呢？他们想用他就用他，不想用他就废掉他，归根结底是一念之间的事。

"贝罗尼卡。"赫克托耳家长望着桥下的激流说。

"赫克托耳大人。"家长们的白袍后闪出了身穿红色舞裙的女孩。

她屈膝行礼，有些战战兢兢，纤长的胳膊腿儿看上去有些可怜，火红的纱裙在激烈的山风中像随时都会熄灭的火焰。

赫克托耳家长面无表情地挥手，把贝罗尼卡打得转了个圈儿，跌倒在地，姣好的面颊高高肿起。看赫克托耳家长的慈祥和年迈，根本无法想象他能打出如此强有力的耳光。

"没用！他还只是只小狮子呢，你都不能让他多看你一眼！"赫克托耳家长冷冷地说完，转身离去，长桥上只留下捂着面颊的贝罗尼卡，像只折了翅膀的红色蝴蝶。

她苦涩地笑笑，低下头去，长发及地。

对于家族晚宴，西泽尔不知道的事情还很多很多，比如被邀请的女孩虽然也姓博尔吉亚，但其实跟家族的核心成员都没多少血缘关系，她们长到十六岁就会被家长们像赠送礼物那样赠送给优秀的男孩，订立婚约，而男孩们拥有选择权。

贝罗尼卡是其中最漂亮的女孩之一，还是有前途的舞蹈家，家长们让她盯住西泽尔，既说明他们对西泽尔的看重，也是给贝罗尼卡机会。

可贝罗尼卡没有把握住，虽然她真的努力展示了魅力，还像姐姐那么亲切……

"等你长大了会有很多女孩喜欢你吧？西泽尔·博尔吉亚，"她爬起来，扶着栏杆，望着桥下的水雾，"可你真的会懂得喜欢人么？"

西泽尔披着军服坐在栏杆上，眺望着那座巨大的熔炉，火红的光影投射在他裹着绷带的胸前，灼热的风带着衣袖翻飞。

维苏威火山，这真是个适合它的名字，日夜不息地喷吐着火焰，每次开闸的时候都流出各种颜色的钢水，既危险又温暖。没事的时候他总是坐在这个人迹罕至的地方，俯瞰那座熔炉和包围着它的钢铁都市，一坐就是好几个小时。

那场神秘的家宴就这么结束了，密涅瓦机关闷声不响地做了善后。医疗组三下五除二把西泽尔包扎得跟粽子似的，丢在病床上，说养养就没事了，作为骑士而言这不过是小伤；维修组带着工程车去了山里，把冈扎罗和西泽尔的甲胄拉了回来，直接丢进"骸骨场"。

那是一处专门用来遗弃炽天使甲胄的深槽，深不见底，看上去像是堆积着无数钢铁骨骸的坟墓，所以大家都管它叫骸骨场。

佛朗哥教授说没法修复了，不过也没什么大不了的，该是为西泽尔定造甲胄的时候了，就像女孩子长大了就得有自己的礼服裙和高跟鞋，不能再穿妈妈姐姐的。

所谓定造倒不是全新制造，而是把百年前的炽天使甲胄做翻新和强化，按照西泽尔的身材和神经接驳特点制造新的骑士舱。

这无疑要耗费巨额的资金，不过博尔吉亚家慷慨地支付了一大笔资金给密涅瓦机关，作为两具甲胄的赔偿金，佛朗哥非常高兴地把这笔钱全砸在西泽尔的新甲胄上了。

这件事就这么平平淡淡地过去了，一切都按部就班地继续着，再有几星期枢机会又要密集地开会了，教皇厅的史宾赛厅长已经派人把各种资料送了过来，叮嘱西泽尔仔细研读。

另一个人也在栏杆上坐下，和西泽尔肩并肩，治疗的几个星期里西泽尔好像又长高了一点，和那个人坐在一起确实有点像兄弟了……

托雷斯把一个深蓝色的描金信封递了过来，西泽尔默默地接过。

信封入手颇为沉重，打开来竟然是一张薄薄的金板，上面以精细的雕工刻出了一份请柬，样式跟那位家族邮差送来的请柬完全一样，除了它是黄金的。

"永久有效的家族晚宴请柬。这是家族给孩子的最贵重的礼物，持有这张黄金请柬，你随时都可以出席家族晚宴，夏宫里永远保存着你的餐具。"托雷斯说，"这也意味着家族会给你全力的支持，家族相信你会成为博尔吉亚家族的栋梁。"

"我们不是赌输了么？"

"跟赌局没关系，这是家族给你的礼物。"托雷斯又递来一件东西，"这才是你赢的。"

是那对中校领章，冈扎罗梦寐以求的东西，纯银打造，但远处的火光给它镀上了一层红色。

"果然听话的孩子就会有糖吃……"西泽尔把玩着那对领章。

"你可一点都不听话，家族给你糖吃，是因为你有利用价值。"托雷斯耸耸肩，"将来你会明白的，这个世界上真心容忍你缺点的人，就只有那么区区几个，其他人容忍你，都是因为你有利用价值。"

"我以后会听话啦……"西泽尔撇撇嘴。

托雷斯伸过手，抓抓他的头发："我说这些不是要你听话，而是让你隐忍。隐忍懂么？”

“懂。”西泽尔点点头。

“听话是对小孩子的要求，隐忍才是大人应该懂的事。随着你越长越大，这个世界上比你聪明比你有经验的人就会越来越少，总有一天，你谁的话都不用听，所有的事情都要由你来做判断。”托雷斯轻声说，“有些时候愤怒可以帮你解决眼下的敌人，但更多的敌人藏在你看不到的地方。我知道因为你妈妈的事你无法原谅博尔吉亚家族，可你并不知道当年是谁下达的命令对么？甚至那个下达命令的人是不是博尔吉亚家的家长你都不确定，对么？”

西泽尔怔了好几秒钟，才点了点头。确实，他不能肯定切除母亲脑白质的命令来自博尔吉亚家族内部，他只是凭直觉，觉得家族不喜欢父亲跟东方女人有关系，所以干脆把她变成了个傻子。

“那件事我想了很久，委实说我觉得不可理解。在翡冷翠，大人物有情人，这很正常，高级官员们有，红衣主教们也有，只要别让你的政敌抓到把柄就行。博尔吉亚家族想推你的父亲上位，不希望他的私生活有污点，这也可以理解，把你们送出翡冷翠，切断你们和圣座之间的联系，这也可以理解。可为什么要切除你母亲的脑白质，这无法理解，根本犯不着，家长们从来不会在不必要的情况下动用暴力。”托雷斯说，“所以应该有些内情，你还不知道。”

“那谁能知道？”西泽尔下意识地问。

“你妈妈知道，但她已经不可能告诉我们了。”托雷斯说，“还有人知道，但他藏在这座城市里的某处，我们得找到他才能知道。这座城市里满是秘密，有些秘密永远都查不出来，比如教皇厅到现在也查不出到底是谁想让黑龙在一开始就干掉你。”

“那我该怎么办？”西泽尔有点着急了。

“隐忍。”托雷斯扭过头，看着他的眼睛，“无论那个人是谁，他一定藏在上流社会中。你越深入上流社会，就越接近他，我有种感觉……他就在你身边，像幽灵那样，可你偏偏看不到他。”

“何塞哥哥你的意思是……找到幽灵最好的办法就是……自己变成幽灵！”西泽尔忽然明白了。

“是的，所以你要学会隐忍。我相信给你足够的时间，幕后的人会自己出现在你面前，那一天，你想怎么做都行，最好还不要让人知道是你做的。”托雷斯微笑着说，"而在当下，你最大的敌人其实是黑龙，某些人迫切地希望黑龙胜过你，成为新一代的骑士王。你如果失败，就可能从这场游戏中出局，也就离伤害你母亲的人远了。所以，别想太多，集中精神，第一件事是胜过黑龙！"

"我记住了！"西泽尔使劲点头。

"说心里话，圣座的很多话我是不赞同的。"托雷斯说，"但那句话也许真是对的，权力对男人来说可能真的是最好的东西。握住了权力，你才能保护好你爱的人，伤害你的人，你可以狠狠地回击！"

托雷斯跳下铁栏杆，头也不回地离去："那套近身格斗战术已经暴露在外人眼前了，对黑龙也就不会奏效了，得想点新的点子。伤也好得差不多了吧？有力气就一会儿来实验场找我。"

这时候维苏威火山的火眼洞开，耀眼的火柱冲天而起，银红色的铁水从里面涌出，沿着凹槽奔流。西泽尔忽然跳下栏杆，跑着把手中的军徽和黄金请柬丢了出去，这两件珍贵的礼物掉进了铁水里，冒出一道青烟消融了，连同它们象征的权势。

"喂！"托雷斯一听他的脚步声就猜到了这小家伙要做什么，转身想要阻止他，但已经晚了。

"你知道你刚把什么烧掉了么？"托雷斯被这任性的小家伙气得直皱眉，"那是你进入权贵世界的通行证！刚跟你说了要隐忍！"

"我会隐忍，也会听话，但我不想要他们的东西。"西泽尔遥望着奔腾的铁水，"大不了我再努力些，我想要的东西总会是我的。"

托雷斯沉默良久，无声地笑了笑。

"我说，你要真是我弟弟，我非给你气得吐血不可。"托雷斯把手搭在西泽尔的肩膀上，两个人一路往实验场去。

"我是你弟弟倒没关系，要能顺便换个老爹，也不算是坏事。"

"不错，居然学会说笑话了。说笑话可是贵公子的一门学问，不会说笑话的贵公子就算再优秀也泡不到最上等的女孩子啊。说起来你觉得那个贝罗尼卡怎么样？"

"一看就是家族派来试探我的，我又不傻。"

"人家投来鱼饵，你也可以吃掉饵把钩吐回去嘛……"托雷斯也难得那么不正经，维苏威火山的火光里，男孩和男人的背影被拉得很长很长。

天之炽.2
FLAMING HEAVEN

第四章
—— 繁樱怒放之冬 ——

在那被所有人刻意忽略的角落里，那繁樱般的女人依然向着他伸出手来，远远的，却又像是触手可及。

那是在问：要跳舞么？多年之后重逢，没有诘责，只问你要不要请我跳支舞。

030 新年庆典

星历1884年，翡冷翠，新年。

台伯河两岸重炮轰鸣，礼花弹在河面上方爆开，有的像紫色的大丽花，有的是白色的矢车菊，短暂地照亮夜空之后，化为星雨零落。

教廷区的青铜大门敞开了，装甲礼车组成的车队从中驶出，每辆车都在车头上插有两面旗帜，一面旗帜上是弥赛亚圣教的圣徽，而另一面上则是这些大人物的家徽。身着白色甲胄的骑士奔跑在礼车的两侧充当护卫，带出的蒸汽浓密如帘。

道路两侧的民众挥舞着鲜花或者礼花棒致敬，同时小声猜测着坐在那些礼车中的大人物是什么人。

为首的白色装甲礼车上插着博尔吉亚家的荆棘玫瑰旗帜，毫无疑问是现任教皇隆·博尔吉亚，第二辆礼车就是黑色的了，上面插着格里高利家的十字旗，想必是红衣主教西塞罗大人……教皇国的头面人物几乎都在这个车队里了，他们摇下车窗，微笑着冲民众挥手，与民同乐。

按照教皇国的传统，每年新年都要举办盛大的新年弥撒。为了让更多的民众能够参与，弥撒在教廷区前的圆形大广场上露天进行，由教皇亲自主持，各位红衣主教和政府各大机构的首脑也都会出席。

开始大家还是很虔诚地对待新年弥撒的，但渐渐的这个仪式就演变为一个庆典，一个大人物和民众们联欢的盛会，宗教感降低了，气氛却轻松起来，有礼花、奏乐、豪华车队，会发棒棒糖给小孩子，甚至还会借机展示全新的军事装备。

每个人脸上都带着笑容，只有少数人例外。穿着军装的大男孩站在教堂侧翼的高墙上，裹着猩红色里子的黑大氅，如同黑枭收拢自己的羽翼。他俯瞰那些大人物举手跟民众示意，嘴角隐隐有一丝嘲讽。

炽天骑士团，少校骑士，西泽尔·博尔吉亚，十五岁。

他自己就是国家机器中的一员，以他今时今日的身份，自然不会为跟大人物面对面而欣喜。其实那些人还不算真正的大人物，真正的大人物们隐藏在幕后，根本不会出现在公众面前，比如夏宫中的老家长们。

他们中有些人没准就藏在民众之中，冷眼看着这场与民同乐的大戏。

那场家族晚宴之后三年过去了，因为拒绝了家族的礼物，他的军衔仍是少校，但已经不是当初那个心里藏着狮子却管不住自己的冲动男孩了。

在军部内部，红龙这个代号出现在越来越多的机密文件中，他被看作炙手可热的新人，军部高层对他和黑龙满怀希望。

在枢机会中，这只小黑山羊越来越让枢机卿们头疼，在他的协助下，铁之教皇的作风越来越铁腕，完全不在意政敌的感受。

在战争的棋盘上，借助机械计算机的帮助，父子两人反复模拟真实战场，厮杀了上千遍，儿子偶尔能赢过父亲了。

唯一的缺憾是阿黛尔越来越闹腾了，穿着公主裙爬高下低，跟她养的猫猫狗狗们扭打在一起，或是穿着西泽尔的军服满屋子飞跑，把那象征权力的军徽绑在自己的发梢上荡来荡去……是个魔星般的存在。

今晚西泽尔来看新年庆典，也是拗不过阿黛尔。不过回翡冷翠那么多年，阿黛尔一次都没来看过新年庆典，也难怪她会那么渴望。

作为家长，西泽尔的作风非常的呆板，本能地抗拒让母亲和妹妹暴露在外人眼里，因为他觉得这座城市里隐藏着太多能伤害她们的人。但妹妹总会长大，想去看外面的世界理所当然，将来她还会踏入社交场，寻找自己的如意郎君。

为了这次出门，西泽尔做了充分的准备，观礼的地点被安排在教堂侧翼，因为这里视野很好而且非特许者不得进入，即便这样他还是调用了六名卫士，其中三名在高墙附近巡逻，西泽尔在军服下佩了一支短枪，亲自保护阿黛尔。

另外三名卫士则守在西泽尔的礼车里，负责保护琳琅夫人。新年的晚上，看似欢乐祥和，其实也是这座城市最疏于防备的时候，西泽尔不愿把母亲单独留在家中。好在她非常配合，从不会给人添麻烦，有三名卫士看护，西泽尔也比较放心。

"哥哥，哥哥！那就是你穿的机动甲胄么？"阿黛尔又蹦又跳，叽叽喳喳个没完。

"不是同一种款式，不过算是一类东西吧。"西泽尔淡淡地说。

炽天使是从来不会暴露在公众面前的，护卫那支车队的只是普通的机动甲胄，没有神经接驳，而是手动电控，其实跟炽天使之间没有可比性。

"哥哥，哥哥！他们为什么要点那么多蜡烛啊？"

"因为弥撒马上就要开始了。"

"哥哥，哥哥！什么是弥撒啊？"

"一种让人以为神会帮助你的仪式，其实神不可能帮人。"

"哥哥，哥哥！那个妖精一样的女人是谁？"

"不准说什么妖精一样的女人！女孩子说话不要那么刻薄！那是蒂塔夫人，翡冷翠最有名的沙龙女王之一，她待会儿要代表市民给教皇献花。"

兄妹俩就这么说着话，阿黛尔像只不断喵喵叫唤的小猫，西泽尔像只低声应答的狗。

"哥哥，哥哥，把我抱高一点！"阿黛尔忽然一蹦一蹦地要往西泽尔身上蹿。

西泽尔没有办法，只得俯身把妹妹抱了起来。入手他才发现阿黛尔又重了好些，真是在飞快地长大。他自己的体能总是弱项，不用机动甲胄武装起来，委实不能算是个合格的军人。他让妹妹站在石砌的栏杆上，一手扶着她的腰，免得她掉下去，

这一刻风从背后吹来，吹起了阿黛尔轻纱的裙裾和西泽尔的黑色大氅，礼花在他们头顶绽放。观礼的人群中，好些人都把目光投向这处高墙，那么好的观礼位置竟然被两个孩子独占，任谁都会有点好奇，更令人惊叹的是那个宛如珠玉的小女孩。

她那张明艳的小脸就像精美绝世的名瓷，跟抱着她的黑铁一样的男孩形成鲜明的对比，越发显得珍贵而易碎。

是兄妹么？看相貌还真有些像……有人私下里猜测是哪个贵族家的孩子，真是珍宝般的孩子们啊。

西泽尔微微皱眉，正想避开外人视线的时候，忽然听见阿黛尔说："那是……我们的爸爸么？"

这时候，身着白衣的教皇带领着红衣主教们踏入圆形广场，铁之教皇只有在这种场合才会换下那身标志性的黑色风衣，使他看起来更符合"教皇"的身份，而不是一

位冷酷的执行官。

原来阿黛尔是为了这个才吵着要来看新年庆典的，那是她唯一可以直面自己父亲的机会。

西泽尔心里忽然一软，就没把她从石栏杆上抱下来："是啊，他叫隆·博尔吉亚，是现任的教皇。"

教皇出场，所有人的视线都追着教皇移动，其中最兴奋的是那位蒂塔夫人。

代表市民献花的机会是她花了重金买来的，想在众目睽睽之下自我展示。今晚她戴着用名钻"婆罗多之星"镶嵌的项链，穿着孔雀羽装饰的拖地长裙，裙摆由十二个仆人托着。

翡冷翠的沙龙女王们都互相较劲，蒂塔夫人这是要出一个大大的风头。弥撒结束后，她走向教皇的几分钟里，在场的所有人都只能看着她一个人扭动。她的钻石项链、孔雀羽裙子想必都会给大家留下深刻的印象。

此时此刻看见教皇出场她就按捺不住了，双手举过头顶翩翩起舞，想要吸引教皇偏头看她。教皇还真的扭头看了她一眼，尽管那目光的含义更像是"谁把这个女疯子放进来的"，但还是令蒂塔夫人心潮澎湃。

她刚刚可是凭自己的魅力牵动了教皇的视线，那个男人可是代表神的呢。

蒂塔夫人确实有足够的魅力可炫耀，观礼的人们都把双手举过头顶欢呼起来，一时间千万条手臂在下方挥舞，像是涨落的海潮。

"她有什么好看的？妈妈比她好看多了……"阿黛尔轻声说，这个猫一样的女孩说这句话的时候满满的都是委屈。

031 女儿

弥撒开始了，在庄严肃穆的管风琴声中，教皇念出神圣的祈祷词，但西泽尔知道那男人根本就不记得宗教仪式的程序，是教皇厅的史宾赛厅长临时培训了他，还把祈祷词帮他写成了卡片藏在袖子里。

西泽尔居高临下，带着冷冷的笑意看着那些神色虔诚的信众。这个城市就是这么虚伪，太多的骗局，连信仰都不例外。

"我下去一会儿，留在这里等我。"弥撒快要结束的时候，西泽尔摸了摸阿黛尔的头发，转身离去。

今年的新年庆典他也有角色，和黑龙一起作为年轻军官的代表，领受教皇赠予的指挥剑。西泽尔本想拒绝这场"表演"，但托雷斯说没有理由在这种事情上让黑龙出风头，这么安排的本意就是要告诉外界，军部对黑龙和红龙一样看重。

当这两个男孩身穿军礼服并肩出现在红毯上的时候，人群中小小地欢呼了一阵子。

军官年轻化是教皇国军队的特点，贵族家庭为了给孩子赚取资历都早早地把孩子送入政府部门和军队，担当秘书或者副官。

但今年出场领受指挥剑的两个孩子却真的透着一股子军人的气息，他们从两侧入场，在红毯上相逢，冷冷地对视一眼，并肩走向教皇。

那简直就是两座相对的深渊，深不见底，该是何等严酷的训练才能让这两个男孩在这么小的年龄就洗脱了稚气？他们的大氅在夜风中翻动，里子猩红似血。红毯两边的人群都略微退后让出空间来，好让这两位军官通过。

黑龙比西泽尔大两岁，算来今年是十七岁了，发育完成，身高和成年人差不多了，但还是像当年那样消瘦，甚至有些瘦骨嶙峋的感觉。

西泽尔瞥了一眼这个曾想置自己于死地的对手，惊讶于对方的气质在这些年里变得更加的孤寒了。苍白色的头发披散下来遮住了黑龙半边面孔，露出的那只眼睛里神色黯淡。

那无疑是个非常可怕的对手，他像一株枯萎的树，却蕴藏着惊人的力量。骑士训练中也会用到一些东方的哲学，东方人说一个武士，他静止的时候越安静，动起来就越暴烈。

西泽尔无形之中提高了警惕。他如今很少能见到黑龙，但他始终牢记着托雷斯的话，在他和黑龙之中，只有一个人能真正踏入军队高层。

西泽尔的背后是教皇厅，黑龙的背后是某位藏在幕后的权力者，双方之间不可能妥协，只能是你死我活。

授剑的仪式中，黑龙还是排在了西泽尔之前，迄今为止，不考虑西泽尔那无法解释的狂化状态，他的表现仍然逊于黑龙。他们依次在教皇面前单膝跪下，接受教皇的祝福，再接过特别制作的指挥剑，指挥剑跟普通的指挥剑不同，这两柄剑的剑鞘外有深红色的烤漆。

教皇以一贯的冷淡对待黑龙和西泽尔，基本上就是把佩剑丢过去，走一下形式。表面上完全看不出这两名骑士有一名是他着力培养的，还是他的私生子。

托雷斯站在教皇背后，他虽然是西泽尔的监护人，但身份上还是教皇的机要秘书。他用眼神暗示西泽尔在这个场面要表现得恭顺一些，西泽尔默默地照办了，家宴之后他答应过托雷斯会听话，答应的事情就得做到。

走过场的事情就这么结束了，西泽尔和黑龙并肩退场。之后的环节就是市民代表向教皇献花，那位妩媚多姿的蒂塔夫人穿着孔雀羽的裙子，那些孔雀羽缀在轻薄的黑纱上，透过去可见她那身晶莹的皮肉。

蒂塔夫人确实是个尤物，虽然不复少女的窈窕身姿，但那款款扭动的丰润腰臀仍然带着巨大的魅惑力。她身后带着十二个拖裙摆的仆人，边走边向着市民们献飞吻。

西泽尔和黑龙各走一边，从那件巨大的孔雀羽裙子两侧经过，蒂塔夫人身上的裙子没有征兆地脱落，一时间全场肃静。

两名年轻的骑士昂首向前，都没有片刻停顿，西泽尔嘴角带着不易觉察的笑。蒂塔夫人的裙子脱落，其实是被他的军靴踩住了裙摆。那么一件极致轻薄的裙子，裁缝们用了最细的丝线把织物连缀起来，力求贴合蒂塔夫人的每寸身体，当然也就很容易撕裂。

蒂塔夫人正在风头的制高点，梦想着成为万千人的偶像，遭遇这种事情完全愣住了，白白地被所有人看了足足十秒钟，这才抱紧了自己丰腴的身体，躲进仆役们围成的圈子里。

广场上仍然是一片沉默，男人们回味着蒂塔夫人的风情万种，女人们愤怒地狠掐自己的丈夫，只有旁边高墙上的某个女孩子忽然间乐得疯了，又蹦又跳，指着蒂塔夫人咯咯大笑。

那是阿黛尔，她当然清楚哥哥的秉性，她的哥哥是个看起来很正经甚至很冷酷的男孩，早熟得一塌糊涂，但其实满肚子都是小男孩才有的坏主意。

西泽尔是在高墙上有了这个念头的，当时阿黛尔看着群星捧月般的蒂塔夫人说：

"她有什么好看的？妈妈比她好看多了……"

他当然理解阿黛尔的委屈，在妹妹心里，父亲和母亲是真爱吧，所以父亲才会从遥远的克里特岛把这家子接回来，父亲之所以不能跟他们生活在一起，只是迫于外界的压力。

因此配跟父亲在一起的当然只有他们的母亲，阿黛尔不喜欢蒂塔夫人去骚扰他们的父亲。

这当然是种误会，教皇对权势的热爱远远超过他对任何女人，蒂塔夫人就算是赤身裸体给他献花他也只会漠然接过，心潮澎湃这种事似乎不可能发生在那个男人身上。

但不知道为什么，西泽尔立刻就对蒂塔夫人生出了敌意，好像在某种意义上蒂塔夫人侵占了本该属于琳琅夫人的位置……所以他就用力踩了那么一脚，他很清楚阿黛尔会为此而高兴。

托雷斯忧心忡忡地看向高墙那边，心说阿黛尔殿下你们两个小孩子玩够了没有？却忽然觉察到教皇也在看那个方向。

教皇总是戴着那副染色的眼镜，因此别人很少看到他的眼神，但这一刻托雷斯的目光恰好从眼镜后侧看了进去。

教皇的眼神有些空虚，这个鹰视狼顾的男人只会在一种情况下长久地注视某人，那就是他锁定你为敌人的时候，所以被他注视过的人多半没有什么好下场，但在那一刻，他确实是平静而空虚地望着高墙上蹦蹦跳跳扮鬼脸的小女孩。

这个男人对于儿子和女儿的态度有着巨大的差异，他严格训练西泽尔，简直像是鞭笞烈马，却在私下里为女儿争取到了"凡尔登公主"的贵族头衔，还有一笔丰厚的年金。只不过阿黛尔从不知道这些东西是来自父亲。

也许是因为跟儿子相比，女儿更像那个女人吧？托雷斯心想。

新年庆典到此也就结束了，在教堂的钟声中，教皇、红衣主教和高官们退场。他们来时乘坐礼车，返回教廷区的时候却是步行，两边是民众夹道，甲胄骑士们手持巨大的圣徽旗帜在左右护卫，大批的贵族跟随在后。

礼花再度照亮了天空，大人物们挥手，民众欢呼，权力者和普通人之间似乎无比亲密。

其实庆典之后还会在教皇宫中举办盛大的酒会，但那就不是一般人能够参与的了，对于上等贵族来说那才是真正的新年庆典，大家都摘下面具以真面目示人，偶尔还会有某些"家长"出席。

跟随在后的那些贵族都是经过筛选的，是有资格参与那场新年酒会的人。

作为教皇亲自授剑的骑士，西泽尔也有资格参加今年的酒会，但他没有兴趣跟那些上位者周旋，他拉着阿黛尔的手去找自己的礼车。琳琅夫人已经在车里等了两个小时，虽然她坐上一整天也不会有任何怨言，但西泽尔还是不愿她久等。

他的礼车就停在道边，因为挂着军部的牌子，骑警不敢阻拦。

那条石砌的道路上，兴奋的民众们追逐着教皇和其他大人物们奔跑，楼顶偶尔闪过一道强光，那是相机拍下了这一刻的盛况。

西泽尔被人群挡住了，他有点烦躁，一边护着怀中的阿黛尔，一边扭头寻找那三名卫士。

他有种不祥的预感，好像他犯了什么错误，好像某个错误就要发生，他得赶快回到车上去和母亲会合。这时，从人群的缝隙里，他看见那辆黑色礼车的门开了，那繁樱般美丽的女人跳下车来，高跟鞋嗒嗒地响着，她追着人群往前跑，裙裾飞扬。

西泽尔从未见过她这样奔跑，就像怀春少女看见了自己的情郎……西泽尔忽然意识到自己所犯的错误了，该死！他怎么能把车停在那里？那个男人的身影刚刚从母亲的车窗前闪过！

032 重逢

魁梧的白色甲胄骑士半跪在教皇宫正门的两侧，手持黄金装饰的长柄战斧，如果不是他们身上源源不断地腾起白色蒸汽，很容易被误以为是大理石雕塑。

教皇宫中传来悠扬的舞曲声，今夜翡冷翠的头面人物们会聚于此，品尝甘美的葡萄酒，顺带交换对新一年时局的看法，因此警戒级别是全年最高，就算是一支军队都冲不进来，必要的情况下，隐藏在附近的重炮群可以把教皇宫前的广场轰成废墟。

开始下雨了，远远望过去，整座城市都笼罩在茫茫的雨幕中。

骑士们缓缓地扭头对视，左侧的那名骑士伸出铁手，锋利的指尖上夹着几枚闪亮的金币递了过去："新年礼物，兄弟。"

右侧的骑士显然是愣住了，虽然戴着面甲看不到他的神情："这是什么意思？大家都拿一样的军饷……"

"听说你今年要订婚，就当是提前送你的订婚礼物好了。"左侧骑士把金币拍入右侧骑士的手里，然后转过头去，恢复了石雕般的跪姿："新年快乐。"

右侧骑士默默地看着手中的金币，知道自己的困窘早已落在了这位前辈的眼里，亏得他还想装出没什么事的样子。

骑士虽然享有比普通军人更高的地位，却跟贵族子弟差得很远，靠有限的军饷活着，有时入不敷出，想娶个体面人家的女孩，聘礼是笔很大的开支，别提还有订婚戒指、来往应酬之类的开销。

他们保护着大贵族们，确保他们的生命财产安全，但在那群人的眼里，他们只是仆役而已。

"新年快乐。"右侧骑士将金币倾入甲胄侧面隐藏的凹槽里，也恢复成了石雕。

雪亮的灯光忽然刺透了雨幕，跟着是引擎轰鸣声，一台重型机车正高速逼近教皇宫。什么人敢在教皇宫前这么放肆？骑士们霍然起身，战斧交叉，身体前倾，做出了扑击的姿势。

那两柄古意十足的战斧虽然是仪式用的武器，但劈断一台机车还是没问题的，至于重炮群，还不必为了一个贸然的闯入者发动。

机车在雨中高速转圈，激起大片的雨水，骑手一跃而下，面无表情地从那两柄交叉的战斧下经过。在雨水中骑行了那么久，他身上那件军用大氅早已湿透了。走过那扇大斧构成的"门"时他头也不回地一扬手，大氅挂在了一名骑士的战斧上。

大氅下他一身漆黑的军服，领口是闪亮的火焰十字军徽，红色绣金的绶带在雨中翻飞。

"西泽尔少校！"骑士们收回了战斧。

他们当然认识这位年轻的少校，今夜新年庆典，教皇亲手将深红色剑鞘的指挥剑交到他和另一位名为龙德施泰特的年轻军人手中，这象征着他们俩已经算是半步踏入了教皇国的上层权力圈。而且，西泽尔本就是今晚受邀的客人，只是来晚了。

西泽尔大步穿越重重大门和精美的长廊，舞曲声越来越清晰，各种香水混合起来的味道也越来越浓郁，今夜的教皇宫中衣香鬓影，白色大理石雕刻的圣像上都披挂了鲜红的绶带。

中央大厅的穹顶大概有三十米高，无数盏水晶灯照得人们几乎没有影子，白衣侍者们捧着托盘呈上玫瑰色的葡萄酒和琥珀色的陈年香槟，乐团时而演奏欢快的舞曲，时而演奏圣咏风格的乐曲。

西泽尔快速地穿过人群，惹恼了好些端庄的夫人，教皇宫的新年酒会，能参加是荣幸，当然应该在宾客面前表现得端庄优雅、风度翩翩，这个穿军服的男孩却满脸焦急，行动起来像一股疾风。

西泽尔当然焦急，直到现在他和他的卫士们还没能找到琳琅夫人。

按理说找回琳琅夫人并不难，她的衣饰跟普通市民区别太大了。她穿着一身湖水蓝色的丝绸长裙，那种丝绸产自遥远的东方，蓝得非常特殊，即使在夜幕下也很亮眼，而且极其昂贵，绝不是普通人买得起的。

但太多的贵族尾随教皇和红衣主教步行，他们的家眷也都穿着东方丝绸缝制的礼服裙，那个湖水蓝色的背影一旦融入了贵夫人的队列，就再也分辨不出了。

西泽尔的卫士们询问了沿途站岗的军人，没有人见过一位落单的贵族夫人。军人们看漏的可能性极小，因为那女人的绝代风华是很难被忽略的，她出现在哪里，那里就像被月光照亮。

那么只能继续扩大搜索范围，卫士们沿着河岸搜寻，军部调动了军犬协助，西泽尔则抢过一台斯泰因重机，直冲进教皇宫里来。

虽然只有极少数的可能性是琳琅夫人混过了重重的警戒进了教皇宫，但她确实是会追着那个男人跑的。她向着窗外望了十多年啊！她的心智和容颜都像是被封冻在了十一年前，就等着那个男人再来看她……

无论如何不能让父母再见面，他们见面不会给任何一方带来好处！父亲也不想见你啊，妈妈！他要想来他早就来了！他也许喜欢过你，因为你的美貌和傻……可跟那些相比他更爱权势，他是个能为了权势而自我献祭的疯子啊！

西泽尔焦急地扫视大厅，扫过每一张精心雕琢的面容。

那个代号黑龙、真名龙德施泰特的男孩也在大厅里，他觉得西泽尔似乎是这场酒会上的一个不安定因素，于是他谦恭地跟正在聊天的某位贵族告辞，冷眼看着西泽尔的背影，无声地尾随。

西泽尔急得都要燃烧起来了，如果不是在这种场合他会对黑龙说要不要去实验场决斗一次？别跟在我屁股后面了！

他没有发现母亲，好在教皇也没有出席，那个男人本就不会出席这种场合吧？现在应该正在某间封闭的办公室里冷着脸抽烟，隆·博尔吉亚什么时候会陪别人把酒言欢？

"怎么了？"托雷斯出现在他面前，作为教皇的机要秘书他也受邀出席了这场酒会。

"妈妈，"西泽尔很难快速地说明事情的全部经过，"何塞哥哥你看见我妈妈了么？"

"琳琅夫人不见了？"托雷斯吃了一惊，回头把手中的酒杯丢进侍者的托盘里，"她没有受邀根本不可能来这里，我也没有见过她。我跟你去找！看看还有什么遗漏的地方。"

"嗯！"西泽尔略略放下心来。总之父母没有见面就好，何况还有托雷斯帮他，从小到大只要托雷斯在旁边，他好像就会安心一些。

他们转身向外走去，西泽尔迎面撞上了红色裙装的女孩，女孩的肌肤温软，带着一股子若有若无的兰麝香气。西泽尔正心急火燎，不愿意花费任何时间在道歉上，闪身就想绕过女孩离开。

"这不是西泽尔·博尔吉亚么？几年不见，我们的私生子成就更大了，也更加目中无人了啊。"女孩的男伴在背后冷冷地说。

"私生子"这个词瞬间就激发了西泽尔的怒意，他猛地转过身来，瞳孔中的紫色浓郁起来，这是他发作的前兆。但他愣住了，倒不是因为那个意欲挑衅他的男孩，而是因为那个女孩……那是贝罗尼卡·博尔吉亚。

贝罗尼卡原本就比他大两岁，三年过去了，已经是十七岁的大女孩了。在翡冷翠的社交圈，贵族女孩往往在十六岁登场，可以看作半成年了，年龄相仿的贵公子可以对其表示爱慕之情。

贝罗尼卡今晚的装束也确实说明她长大了，红色的礼服裙，蕾丝镶边的及膝裙摆，象牙白色的高跟羊皮靴子，束得极细的腰，胸口裸露出的大片雪白肌肤……那张精雕细琢的小脸看不出三年前的稚气了，她的美丽中透着疲倦，不似三年前她第一次和西泽尔见面时那样元气十足。

而她的男伴就没有那么让人赏心悦目了。他比贝罗尼卡大出很多，眼睛细小面颊深陷，面色憔悴，贵公子当然不会营养不良，这种面色只能说明他那不太规矩的私生活。

某些蛛丝马迹也说明他对于女色的钟爱，西泽尔撞上贝罗尼卡之前，他正如同鉴赏一件玉器那样抚摸着贝罗尼卡长手套上方的肌肤。

西泽尔隐约记得这个男孩是当时那场家宴上年纪最长的一个，但不记得名字，似乎也并不多么出众。他见过的大多数人他都不记得对方的名字，因为他没觉得那些人存在过。

他只是有点不解为什么那么优秀备受家长们宠爱的贝罗尼卡会和这种普普通通的男孩在一起，很明显他们是情侣，带着相似的小饰物。

这是他第二次见贝罗尼卡，他的世界跟贝罗尼卡原本就没有交集。三年来他偶尔还听人提起过贝罗尼卡，那个原本被认为有望成为舞蹈大师的女孩子，忽然间就从人们的视野里消失了，剧场中再也见不到她的身影。

"道歉，道歉你懂么？"贝罗尼卡的男伴死死地盯着西泽尔。

西泽尔不记得他，可他却记得西泽尔，参加过那场晚宴的孩子都无法忘记西泽尔。委实说直到今天他跟西泽尔说话还是有点惊悚的，不过好在这个怪物男孩现在没有穿着甲胄。

他只是不愿意在贝罗尼卡面前示弱，在那场晚宴上，他也看得出贝罗尼卡是家族故意派出去招呼西泽尔的。如果西泽尔接受了家族的礼物，流露出愿为家族名誉而战的忠诚，那么这个千娇百媚的贝罗尼卡就是给西泽尔准备的，只要西泽尔没有彻底拒绝她，那谁都不准动她。

这是让任何男人都会郁闷的事，眼前这个穿军服的小子根本还是个孩子呢！可各种好东西他都可以得到，各方大人物都向他招手，凭什么？就凭他够疯够狠么？

西泽尔凝视着贝罗尼卡那双美丽的眼睛，贝罗尼卡像是在看他又像是没在看他，那双眼睛里的神采黯淡了，像是蒙了一层纱。

西泽尔犹豫了两秒钟："对不起……"

话没说完，贝罗尼卡忽然推开自己的男伴，挥手把杯中的红酒洒在西泽尔的前襟上，鲜红的酒液顺着鲜红的绶带往下流淌。

"现在我们两清了，你不用道歉了。"贝罗尼卡把酒杯递给旁边的侍者，拉着自己的男伴头也不回地离去。

男伴可能是第一次在贝罗尼卡这里得到如此的待遇，扭头冲西泽尔流露出高傲的表情。

"擦擦吧。"托雷斯抽出胸口的饰巾递给西泽尔，"你的位置越高，你的身份越重要，就越不能任性，否则无意之中会伤害很多人，懂么？"

西泽尔默默地擦着胸口的酒渍，隐隐约约地明白了些什么，原来三年前的那场酒会改变的不仅是冈扎罗的人生，还有贝罗尼卡的人生。那个学跳舞的女孩虽然姓博尔吉亚，但大概出身并不怎么高贵，只是家长们的漂亮礼物。

他转过身，刚要离开，忽然听见角落里传来的哭声。他浑身一震，下意识地就要去抓剑柄，那是琳琅夫人的哭声，他绝对不可能听错。那个女人虽然绝大多数时候像大布娃娃那样安静，有时候却会没来由地大哭。

角落里一名醉醺醺的中年贵族正一手撑在墙上，一手端着酒杯，这就形成了一个半封闭的空间，把一位女士拢在其中。

按理说在教皇宫的酒会上，大家都会格外地克制，展现彬彬有礼的一面，骚扰女宾的事情绝不可能发生。但这名贵族已经半醉了，而那位女士又美得太过惊心动魄，她那件湖水蓝色的长裙上用金线绣满了玫瑰花，站在角落里怯生生地顾盼，似乎没有男伴同来。

在那位发现她的贵族眼里，她便如一大束蓝色的玫瑰，静静地盛开着。

他鬼使神差地上前献殷勤，高兴地发现她并未佩戴结婚戒指，这说明她是未婚的，可以追求。中年贵族跟她说些调笑的话，她低着头，也没有义正词严地反驳。中年贵族想这简直就是上天赐予他的礼物啊，不由得伸手去摸她娇嫩如少女的脸蛋。

这时候女士忽然大哭起来，仿佛受了天大的委屈。

"西泽尔，冷静！"托雷斯低声说。

他可以想象这种情况下西泽尔的暴怒，别说碰他母亲的脸，就算拉一下她的手，这男孩也会生出杀人的心来。

西泽尔强忍住了，拨开人群去帮母亲解围。

那名中年贵族忽然意识到情况不对，这女人一直都呆呆的，目无神采，他说了那么多话，这女人一句都没答，似乎是含羞，也可能是她根本就不知道自己在说什么。

"她是个傻子，"中年贵族扭头看向周围的人，想为自己解围，"谁把这个傻子放进来的？"

这时他那只撑在墙上拦住琳琅夫人的手忽然被人从后面握住了，极其冷漠的声音在他耳背后响起："这里没您什么事情，交给我处理吧。"

中年贵族战战兢兢地回过头来，对上了那对藏在染色镜片之下的眼睛。

"圣……圣座？"中年贵族傻了。

033 舞

站在中年贵族背后的人是隆·博尔吉亚，准确地说，是教皇隆·博尔吉亚，这个国家名义上的最高领袖。

宾客们误以为他没有出席这场酒会是因为他既没有穿标志着教皇身份的白袍，也没有穿那身很有他个人风格的黑色风衣，他罕见地穿了一身考究的黑色礼服，打着白色的领结，英挺得像个年轻人。

但藏在染色镜片后的那双眼睛还是那般的森冷，被他盯着，就好像被毒蛇盯着，任何人都会后背发冷。

中年贵族识趣地闪开了，这一刻男人和女人的目光终于相对，中年贵族惊讶地发现那本已明艳不可方物的女人这才真正地"睁开了眼睛"，她那双美丽却空洞的眼里第一次有了"神采"这种东西……

不，那何止是神采，那双眼睛简直明亮如映照大千世界的镜子，映出冰河解冻，映出池上繁樱，映出大海落日……这哪里还是那个漂亮的大布娃娃，她美得生机盎然，却又哀怨得让人心碎……

这一刻的琳琅夫人是那种谁都会想要保护的女人，要不是教皇就站在旁边，中年贵族简直想要拥抱一下这个女人再走。

但那绝世的风情落在教皇眼里，却令他退后一步，如临大敌。

"先生们女士们，请跳舞和饮酒，新年快乐。"教皇转过身来，他说新年快乐都是冷冷的，更像在说"滚开"。

宾客们都心领神会地转过身去不再看这个方向，他们既不认识这位明艳照人的夫人，也没有理由去管主人的事。教皇宫的酒会，教皇自然就是主人，主人出面解决一些小麻烦，别人还有什么可说的？

只不过按照这位主人的秉性，就算是宾客们在自家摔杯子砸酒瓶为抢女人打起来，他都不会露面才对。

琳琅夫人慢慢地伸出手来，像是要去拉教皇的手，又像是要去抚摸教皇的面颊。她戴着长过手肘的白手套，她的手指纤细而手腕伶仃，便如一朵正在开放的花。

但教皇转身离去："卫兵！送这位夫人出去！"

这个时候因骚乱而停顿了片刻的乐队整理好了他们的乐器，演奏起新的舞曲。

那是一首名为《春之祭》的舞曲，描绘严冬过去春天的神重新回来，她走过的每寸土地都生出新草，她踏过的每条冰河都奔流起来。精灵们赞叹着歌颂她，在碧蓝的天空下舞蹈。

宾客中有人跳起舞来，其他人自动避让到大厅的边缘，女士们的裙摆旋转着打开，就像大理石地面上忽然开出了大朵大朵的花。

教皇手伸进口袋里，这是他的习惯性动作，那是要摸烟，可在这种场合他显然不该抽烟。他没有摸到，口袋里空空如也。

他忽然站住，慢慢地转过身来。在那被所有人刻意忽略的角落里，那繁樱般的女人依然向着他伸出手来，远远的，却又像是触手可及。

那是在问：要跳舞么？多年之后重逢，没有诘责，只问你要不要请我跳支舞。

教皇推了推眼镜，这是他又一个习惯性的动作，在场的人里只有托雷斯跟随他日久，明白他这些小动作的含义。那个铁石般的男人也不是全无情绪波动的，烦躁的时候他会想抽烟，想要掩饰眼神的时候他会推眼镜……

"带你妈妈走！快！"托雷斯低声说。

错误的人是不该重逢的，错误的事是不该继续的。那个全然不把女人放在心上、任何挡住他权力之路的绊脚石都要被碾碎的隆·博尔吉亚，当年到底为什么会对一个东方女人钟情呢？难道跟现在的西泽尔一样，是因为一时的任性么？

那偶发的任性对所有人来说都是坏事，绝不能重演！尤其是他如今身为翡冷翠的教皇！

但已经来不及了，教皇忽然笔直地走上前去，接住了琳琅夫人的手！

琳琅夫人拔掉了束发的簪子，瀑布般的黑发披散下来！

她如一树繁樱，美得让人哀伤，好像随时都会坠落，可这一刻不可思议的生命力从她的身体里迸发出来。她上前踏步，旋转，湖水蓝色裙裾打开，那些金线绣上去的玫瑰花骤然绽放。

从没有人见过铁之教皇跳舞，更没有人会想到他跳得那么好，似乎曾在舞场中混迹多年。他带着琳琅夫人旋转，动作刚劲有力，节奏准确得像是踏着军鼓的鼓点。

这一任的教皇从来都那么的让人敬畏，甚至是让人讨厌的，但此刻他身上凭空多出一份让人心仪的魅力，简直就是那种军服笔挺风华正茂的少年，愿意为他心爱的女人拔出剑来。

宾客们都自觉地退让开去，最后就只有教皇和琳琅夫人在穹顶下舞蹈，这时候任谁都能看出他们是多年的旧情人，因为那像是经过千百次演练的舞蹈，你得多少次搂住一个女人的腰、拉过她的手、带着她旋转如飞，才能那么默契？

"你应该阻止他们的。"隔着重重的人群，托雷斯幽幽地说。

"算了，"西泽尔遥望着跳舞的父母，"这样子的妈妈……才是真正地活着啊。"

他们都看得太过认真，以至于没有注意到人群的另一端，另一个宫装绝艳的贵夫人那狂怒的眼神，即使穿着拖地长裙，也能看出她的身体不住地颤抖着。

路易吉·博尔吉亚和胡安·博尔吉亚一左一右紧紧地拉着母亲的手，眼中的怒火全都向着西泽尔喷射。

舞曲结束，琳琅夫人以一个强有力的旋转收尾，那件湖水蓝的长裙带着惯性紧贴在她的大腿上，仿佛一朵绽放的花骤然凋谢。她鞋跟轻轻一踏，万籁俱寂。

片刻之后，宾客们都情不自禁地鼓起掌来。真的是太精彩了，也真是太完美的女人了，即使她不再年轻了，可那宛如少女的身姿和面容，让人不敢想象她少女时的风采。

可教皇根本没想领受这份赞美，舞蹈结束的那一刻，他就松开琳琅夫人的手，转身离去，留那个女人独自站在原地。人群中走出了面无表情的军装男孩，和教皇擦肩而过，目不斜视。

西泽尔轻轻地拥抱母亲，遮挡了她看向父亲的目光，也挡住了她骤然呆滞好像要哭出来的表情："我们回家，妈妈……我们回家。"

"那个女人竟然还能记得隆，脑白质切除手术之后，她不是应该将一切事都忘掉了么？"

"根据之前的观察，她应该是把一切都忘掉了，她连自己的儿女都认不出来。至于为什么记得隆，只能归结为爱情了吧？"

"爱情？我看是脑白质切除手术失败吧？"

"有可能，如果手术没做干净的话，她也许仍能记起一些事。"

"问题是她能记起哪些事？那她是不是仍然会想起那些事？"

"也许从一开始我们就该处理得更干净一些……"

无人知晓的角落里，某些人窃窃私语，仿佛毒蛇在吐信。

西泽尔挽着母亲的手走出教皇宫，卫士们紧紧地簇拥着他们，琳琅夫人忽然间惊恐起来，使劲地挣扎，要去找她心爱的那个人，可教皇的身影早已消失在某个侧门里了。

门外已经是瓢泼大雨了，仿佛天国的水库开闸，托雷斯驾驶黑色礼车停在门前，打着伞冲上台阶，教皇宫中奏响了新的舞曲，宾客们私下里议论着教皇和那个神秘的女人……

这时候突如其来的警报声响彻了翡冷翠，仿佛群龙从台伯河里探出头来嘶吼。

托雷斯和西泽尔对视一眼，下意识地绷紧了浑身肌肉。他们都是军人，都明白那警报声的含义，那是……战争的警报！

一辆斯泰因重机飞驰到教皇宫前停下，军部特使夹着文件夹大步走着，就要闯入教皇宫，被托雷斯抓着胳膊拦下了。

"出什么事了？"托雷斯低声问。

　　"刚刚得到的情报，大夏联邦的成员国锡兰国和我们的盟国新罗马帝国宣战了，也就是说从这一刻开始国家进入了战争状态。"特使低声说，"我们，和东方人的战争，开启了！"

天之炽.2
FLAMING HEAVEN

第五章
———— 龙与莲花 ————

　　火与血，不是你在寒冷的圣堂中深思熟虑之后投下棋子，而是跟死神共跳的世间最恐怖的舞蹈！

034 锡兰

　　星历1884年，东西方之间蓄谋已久的战争终于爆发，开战的双方是教皇国的盟国新罗马帝国和大夏联邦的臣属国锡兰国。

　　说战争蓄谋已久，是因为长久以来大家都说东西方之间必有一战。为了土地，为了资源，为了不同的信仰，东西方都有理由一战。只是谁也没有想到，战火会从锡兰开始燃烧。

　　那是个依山傍海的国家，可那里既不是战略要地也说不上物产丰富，素来被视为蛮夷之地。

　　锡兰男子好勇斗狠，总在胸前插着传家的蛇形利刃，女子则在发间簪着巨大的红花，穿五色丝裙，坦然露出淡褐色的肌肤。

　　新罗马帝国则是教皇国最忠诚的盟友，皇帝查士丁尼七世英明果敢，还是闻名西方的美男子。

　　星历1883年冬，锡兰王女苏伽罗率领使团抵达新罗马帝国的首都君士坦丁堡。

　　苏伽罗号称"天上莲花"，意思是说她即使在天国中都是无与伦比的佳人。有人说每个锡兰少女都有资格成为皇后，而苏伽罗是皇后中的皇后。

　　查士丁尼皇帝和苏伽罗之间发生的故事，有两个版本：一个版本说苏伽罗色诱查士丁尼皇帝，意图窃取高级机械技术，但阴谋败露；另一个版本说查士丁尼皇帝借机扣押了苏伽罗，要求锡兰国出让矿产的开采权。

　　无论哪个版本为真，最后的结果就是苏伽罗及其使团被新罗马帝国扣押，两国宣战。

　　原本以新罗马帝国的军力，轻易便可以压制锡兰，新罗马帝国国力强盛，技术先进，皇帝座下的"狮心骑士团"号称能和教皇国的炽天骑士团相比。

但那些在西方人看来"骑着牲口、还未开化"的锡兰人却展现出极强的斗志，他们凭借地理优势，疯狂反击，在山地作战中重创了"狮心骑士团"。

整个西方世界为之震动，新罗马帝国如果败于小国锡兰，这会被看作教皇国对大夏联邦的失败甚至是西方对东方的失败。在这种情况下，枢机会通过了一项秘密决议……

星历1884年4月某日，锡兰王都附近的山原上，锡兰少年牵着猎犬提着镰刀穿越树林，想要挖掘几枚松露菌，那种名贵的食物很值钱，几枚便已足够补贴这个贫困的家庭。

虽说是战争时期，但王都附近还不曾出现过西方人的军队，因为锡兰王都的地理位置很特殊，山路崎岖，西方人的机械战车很难出入，走海路又必须穿越危险的风暴峡。

太阳还未升起，东方隐隐有些发白，浓重的雾气覆盖了山原。大海也被雾气笼罩，潮声在天地间回荡。

世界寂静如斯，树林中弥漫着醒脑的草木香气，猎犬东嗅嗅西嗅嗅，刚睡醒的鸟儿在树梢上轻啼。可就在锡兰少年挖到第一枚松露菌的那一刻，笑容还未绽放，猎犬却忽然扭头向着西方，凶狠地露出满嘴白牙。

少年以为有熊出没，急忙抓紧镰刀，这时太阳跃出海面，阳光如潮水般洗过整个世界。

雾气翻滚起来，巨大的鸿沟出现在雾海的中央，董青色的野首蓿一浪浪起伏，骑着机械两轮车的男孩将车停在山原中央，风掀动他的黑色披风，而他的披风后……

无数重型机车列队，远看像是黑铁的墙壁，军人们肩扛枪械，背着十字形交叉的两柄格斗剑。他们更后面的位置，带钢铁护甲的重型机帆船正卸下黑沉沉的巨炮。

那男孩眺望着山的那一边，神色那么平静，那是锡兰王都的方向。

锡兰少年的镰刀掉在了地上，他吓得说不出话来，先是步步后退，然后忽然掉头飞奔，边跑边吹响牛骨做的哨子……那是在向他的同胞们报信，西方人来了！西方人的铁轮船来了！战争……来了！

骑重型机车的男孩早已注意到了山顶上的锡兰少年，但他完全没有想要阻止少年前去报信，因为这都不重要了，他们来了，战争也就结束了，留给锡兰人的唯一选择就是投降。

世界上还是有少数船能够穿越风暴峡的，比如教皇国的重型战列舰"桂冠女神"号。枢机会的秘密决议是派出桂冠女神号和最精英的部队十字禁卫军，奇袭锡兰王都。

另一项更秘密的决议是初步成型的炽天使部队也投放在锡兰的战场上，负责这场战役的人是奥奎因将军，而两位极其年轻的军官也受命首次出战。

"这个时候，黑龙应该也抵达了他的登陆点。"已升为中校的托雷斯驱动机车，和西泽尔并排。

"我们会给锡兰人多少时间？"西泽尔问。

他说这话的时候，声音低沉得不似他这个年纪的人。他本也不适合被当作少年人来看待，他接受的是最精英的军事教育，战场对他而言就像是棋盘，他是优秀的棋手，经过各种分析，锡兰绝对没有实力打这样一场仗，西泽尔只是来接受投降书的。

"按照惯例是二十四个小时。"托雷斯说，"如果二十四个小时内我们没有收到锡兰王签字的投降书，我们和黑龙就将从两个不同的方向发起进攻，行动代号——莲花！"

"莲花？军事行动，却起那么好听的名字。"

"因为锡兰号称莲花之国。"

"这个国家盛产莲花么？"

"不，好像莲花在这里是很稀有的植物。"托雷斯耸耸肩，"不知道为何会有这个说法。"

"莲花作战……总之就是看谁先抓住锡兰王咯，如果他不肯投降的话。"

"是，我方远距离突袭，补给线很脆弱，不能打持久战，所以才会出动炽天使。枢机会这么做也是想考察你和黑龙，上面对你和黑龙的评价接近，谁取得莲花作战的胜利，大概谁就是炽天骑士团的下任团长了。"

"父亲对我没信心么？还让何塞哥哥跟来。"

"我看他是想让我从教皇的机要秘书改为炽天骑士团团长的机要秘书吧！"托雷斯微笑，"真那样的话以后还请多多关照啊长官。"

"喂喂，后面那些人都是我的兵，不要当着他们的面取笑我啊！"西泽尔满脸窘相。

"是！西泽尔殿下！"托雷斯忽然下车立正，行了个极其标准的军礼，"命令已经收到！立刻建立前哨阵地，机械师和枪炮师即刻整顿武器，其他人原地扎营休息！"

望着托雷斯小跑着离去的背影，西泽尔不由苦笑。这些日子里托雷斯在人前对他越来越尊重，好像真的把他看作未来的上司而不是自己看护着长大的小男孩了，大概是想帮自己树立起威严。

可在西泽尔心里，自己还是那个气喘吁吁跟着托雷斯的机车跑的男孩。

西泽尔把前哨阵地设在了锡兰王都的视野边缘，锡兰王都被群山掩映，有着古老的黑色城墙，数吨重的火山岩块相互交错，看起来相当结实。

这对一般的机械化部队来说是很大的麻烦，不是在平原和铺装路面上，战车推进艰难。而且锡兰王都地势较高，东方人擅长的弓弩可以发挥更大的优势。

不过对于这支教皇国的精英部队来说，这些都不是障碍。机动甲胄恰恰就是为了攻克崎岖地形而诞生的奇袭武器，此外他们还携带了超级射程的龙吼火炮。

"让我们最精锐的炮手，对着城门射一炮，最好能把那个石像炸碎。"西泽尔下令。

"向锡兰人展示龙吼炮的超级射程么？"托雷斯点点头，"明白了，不必流血而结束当然是最好的。"

"让他知道我们能在他们的射程之外攻击他们就好，"西泽尔说，"无谓的抵抗不会有结果，他们没有任何武器对炽天使有效！"

"他们手中的武器能对炽天使起效的确实不多，"托雷斯仍然拿着望远镜眺望锡兰王都，"根据军部的情报，锡兰曾从夏国得到过武器支援，士兵除了刀剑外还配有三联装的火铳，此外还有为数不少的臼炮，我们只需担心臼炮和他们从高处释放滚石。"

"臼炮？"西泽尔不屑地说。

那是一种老式的重炮，口径极大，炮身很短，往往用作固定炮台来使用。虽说破坏力极大，但射程却很短，射速也很慢，准确度更不用说了，以炽天使的突击速度，臼炮能打中纯属运气。

两人跨上斯泰因重机离开前哨阵地，片刻之后听见后方传来火炮的怒吼，连续几次后，锡兰王都方向传来了什么东西崩塌的巨声，然后是前哨阵地上的炮兵们的欢呼声。

他们应该是成功地轰碎了王都城门前那座古老的图腾石像，十字禁卫军的精英炮手从不让人失望。西泽尔胸有成竹地微笑，现在那些锡兰人该明白了吧？侥幸心理是没用的，明天早晨前不投降，他们就会用血肉之躯承受那些从天而降的炮弹。

两架重机在山间穿梭，西泽尔在前，托雷斯在后。这还是西泽尔第一次来东方，虽然从准确的地理学定义上说，锡兰位于东西方之间，但毕竟它也算是大夏联邦的成员国。

东方并不像绝大多数西方人理解的那样神奇妖异，四月间山花盛开，机车的尾气中花瓣盘旋飞舞。山中天气多变，时而阳光明晃晃的刺眼，时而满天阴霾小雨急降。

"指挥官，巡视战场也要有个限度啊，这可不是出来旅行！"托雷斯无奈地高呼。

西泽尔笑着踩下油门，越跑越快。

就当是旅行好了，远离了翡冷翠那座精美却压抑的城市，他觉得自己像是鸟儿那样轻快。

但这种轻快随着时间的过去渐渐转为沉重，日落的时候整片山原都是金黄的，长草在风中摇曳，他们驾驶机车回到了前哨阵地。

"锡兰人没送投降书来么？"西泽尔低声问。

"直到现在仍然没有。"负责前哨阵地的少校回答。

这一刻太阳落下，阴寒之气铺天盖地地涌来，西泽尔没来由地打了个寒战。此时此刻这个男孩才意识到这次出来确实不是旅行，锡兰人可能真的不会送投降书来……在棋盘操作的战争，终究是虚拟的。

035 空城

入夜的时候下起了暴雨，西泽尔从军用帐篷里看出去，黑色的山谷中不时腾起白色的雾气。

那其实不是雾气，而是载重战车载着他的甲胄骑士们在接近王都，沿路留下白色的尾气。这肯定会暴露行迹，不过没什么关系，就算锡兰人知道他们如何部署也无法撼动龙吼炮和炽天使的组合。

没等到锡兰王的使节，根据奥奎因将军通过无线电发来的命令，全军向着王都推进。

最后的期限是明天早晨，如果锡兰王室还在犹豫不决，那么最晚他们得在明天早晨送来投降书。战争一触即发。

"不要想太多，记得我跟你说过的么？战场上不容你像下棋那样思考，更多是靠本能。"托雷斯来到他身边，"如果真的开战，犹豫会要了你和你手下的命。你是指挥官，锡兰人是你的敌人，对敌人留情就是对自己残忍。"

"何塞哥哥你说什么呢？我可是发起疯来把冈扎罗的骨头打断了十几根的人啊，我也许是……世界上最凶狠的小孩子吧？"西泽尔看着自己的手，"我从小就学会了抓紧石头。"

"有些人的凶狠是对强者，有些人的凶狠是对弱者，那不一样。"

"权力者要对强者弱者都凶狠么？"

"权力者不管对手是强是弱，都会碾压过去，权力者只为自己的目标而活，为了达到目的不惜把手弄脏。"

"像父亲那样就算是合格的权力者了么？可我一点都不喜欢他。"

"权力者不需要别人喜欢，他们都很孤独。"托雷斯转身离去。

午夜，雨仍在下，西泽尔仍然望着王都的方向，那座古老的城市被风雨笼罩着，像座死城。

他想，那座城市里的人现在在做什么呢？母子抱头痛哭？父亲拿出家传的铠甲给未成年的儿子穿上？或者母亲把短小的利刃交给女儿让她贴身藏好，必要时自我了断以免遭受敌人的侮辱？

又或者是一帮表情凶狠的男人磨着利刃，给枪械的每个零件上油，准备冒险一搏？

托雷斯盯着机械师们调试炽天使，那些魔神般的铁家伙虽然没有装入骑士，却在电流控制下反复地活动关节，看起来有些可怖。

他偶尔回头去看西泽尔的背影，觉得这男孩好像在一夜之间长大了几岁，又好像是回复到自己真实的年龄，展示出这个年纪的孩子应有的迷惘。

凌晨五点四十五，西泽尔看了一眼手腕上那块古铜色的表，一块指挥官腕表，是他手下一名机械师赠送的礼物，名叫蜘蛛巢，复杂的功能可提供战场指挥所需的一切。

根据蜘蛛巢的计算，今天的日出时间是五点四十六，锡兰人还有最后一分钟献出降书。但事实上进攻的命令已经下达，全体炽天使都抵达了前哨阵地。

"最要小心的是那些臼炮，他们有大量的臼炮，被臼炮打中的话甲胄也扛不住。但臼炮转动很慢，不可能覆盖城墙外的所有区域，不要误入臼炮的射击区就好。"托雷斯站在西泽尔身边。

他们的下半身都被沉重的机械包裹了，只有骑士舱的上半部还暴露在外。他们的身后，是十二名炽天使骑士，在浓密的蒸汽中若隐若现。

黑龙那边的阵地也配置了十二名炽天使骑士，竞争双方都有同样的机会，剩下的就交给运气……和命运了！

"明白，避开臼炮，冲击工宫，速战速决。"西泽尔一字一顿地重复。

托雷斯不再说话了，机甲部件在他的身体上堆积起来。武装完成，托雷斯从背后拔出了龙牙剑，带锯齿的剑锋上挂着露水。

凌晨五点四十六，东方蒙蒙亮。西泽尔的眸子空白了一瞬间，而后他自己也沉入了甲胄内部。黑暗从天而降，那是面甲遮蔽了男孩的面容。

骑士们一个接一个地从电缆和蒸汽管道上脱离，在太阳彻底照亮周围环境之前没入密林。他们携带了沉重的副蒸汽包，其中浓缩的红水银蒸汽可以支撑他们跋涉过山原直抵王都。

炽天使的行动极其轻灵，简直不像是钢铁制造的东西，他们所到之处树梢轻轻摇晃，像是猛虎出没。

雾气很浓，这恰好为炽天使的突击提供了便利，在这种情况下臼炮无法瞄准。

西泽尔试着对这精锐部队下达命令，这还是他第一次担任真正的战场指挥官，开始略有些生涩，不过很快就自然起来。他受训来做这件事，他的将来可不是指挥一支突击队，而是千军万马。

他们逼近密林边缘了，再往前就会进入开阔地，西泽尔下令突击队暂停和观察。

没有什么异样，整个世界都沉睡在这片大雾中，密林中的小道上却有很多脚印。

"脚步很混乱，不像是行军，倒像是大量的平民经过。"托雷斯沉吟，"他们走得很急。"

西泽尔思索了片刻："城中的人正在逃离？锡兰王会不会混在平民中逃离？"

就在这时，周围响起了窸窸窣窣的脚步声，骑士们无声地拔出闪虎，动力核心降低功率以减少排出的蒸汽。

几十个锡兰人正在接近，有男有女，还夹杂着老人。男子用细麻布缠身，女人裹着沾满泥点的丝绸，赤着脚奔跑如飞。他们神色惊惶，气喘吁吁，随身带的东西极少，更别说武器。他们所走的道路就是之前发现脚印的林中小路。

难民？西泽尔一怔。

锡兰王都的人正在逃散，难道说从教皇国战舰抵达的那一刻起，锡兰人的斗志早已崩溃？他们没有送来降书，是因为锡兰王和贵族已经率先逃走，根本就没剩下有资格签字投降的人么？

从密林中大量的脚印看，也许有几千个人已经从这条路上离开了锡兰王都，散入了茫茫的大山。离开锡兰王都的路当然不止一条，这条也不是最大的，那么也许趁着这场浓雾，几万人甚至十几万人已经逃跑了。

一座城市已经逃走了十几万人，那它根本就是一座等待占领的空城！他们或者黑龙那边在大雾中潜行，只是浪费时间而已。

但假如这是锡兰人在故意示弱呢？西泽尔开始思考另外一种可能。

这时一个锡兰青年忽然从队伍中脱离出来，来到潜伏着炽天使的区域附近，急匆匆地解着腰带——他这是忽然内急了。

魔神般的巨大身影在他面前缓缓地升起，披着浓密的蒸汽，超大口径的枪械顶在锡兰青年的脑门上，机械中不知什么齿轮或者轴承高速运转着发出呜呜声。

锡兰青年完全傻了，他应该从未亲眼见过西方人的"铁傀儡"——东方人把机动甲胄称为"铁傀儡"，他们说这是某种邪恶的机器——平生第一次见，铁傀儡就在他的面前，只要轻轻扣下扳机，他的头就会不见。

但西泽尔并不想开枪，他只是审视锡兰青年满含恐惧的眼睛，想从中看出些什么。

锡兰青年和赭红色的骑士对峙了十几秒钟，他同行的锡兰人也都呆呆地看着这仿佛从神话中走出来的怪物。

他们没有流露出任何反抗的意思，甚至不想逃跑，就像犯人等待斩首。在这压倒性的力量前他们怎么挣扎都没用，男人把女人抱在怀里，老人双手合十祈祷……

西泽尔缓缓地收回了枪，转身离去，他的骑士们跟在他的身后，继续去向锡兰王都的方向。那些逃难的锡兰人在原地呆呆地站了很久，才一哄而散逃入丛林。

他们在大雾中行进，一路上遇见了更多的锡兰人，双方隔着浓雾对视，然后去向完全不同的方向。这是一种很奇怪的感觉，就像旅人们在山路上相逢，非敌非友。

王都的黑色城墙就在前方了，那座九头蛇石雕被龙吼炮轰成碎片后，散落了一地，黑铁的城门洞开着，周围满是逃难者丢弃的物品，一件金红色的轻纱裙子看起来相当贵重，应该是某位锡兰贵族女性的爱物，却被风吹着从城里飘了出来。

托雷斯的龙牙剑无声无息地斩落，将纱裙斩为两段。

"突击手在前，侧翼展开，火力手在后距离我们三十米，托雷斯骑士，我们进去！"西泽尔拔出了自己的龙牙剑，跟托雷斯一样，他也很擅长这种武器。

036 突变

西泽尔觉得自己跋涉在一场梦境中，或者说整个锡兰王都沉睡着，做着一场大梦，而西泽尔误入了这个梦境。

浓郁的雾气在街道上流动，仿佛一层厚重的纱把城市遮蔽了，偶尔晨风吹来才掀起纱幕的一角。

建筑风格介乎东西方之间，既能看到西方式的大型石头广场，也能看到东方式的牌楼，街道两侧的民居都是用黑色的石头砌成大约半人高的墙基，再在墙基上方用略微烤焦的木头搭建房子。

没有全部用石头搭建是因为附近常有小型地震，石头塌下来容易砸伤人，木头就好很多，而烤焦木头是为了避免虫蛀。这些细节西泽尔在登陆之前就有所了解，军部准备了厚厚的一堆资料，关于锡兰的历史地理，西泽尔在船舱里读完了。

但亲眼看到的时候还是觉得非常新鲜，让他觉得世界之大，原来不止克里特和翡冷翠。

"这座城市里的人都逃走了么？在什么时候？"耳边传来托雷斯的声音。

"锡兰王都的人口大约是70万人，一夜之间逃空的话应该是分了很多拨，从不同的道路走。"西泽尔一边思索一边寻路。

"发现大量遗弃的武器，以蛇形刀剑和夏国造三联装'零玖'式火铳为主。"耳边又传来某名骑士的声音。

那位骑士的甲胄的机动性被强化到极致，负担的是战场侦察的工作，他的位置稍微突前，隔着浓雾西泽尔根本看不到他的背影，但无线电通信还是很清楚的。

"零玖"在夏国文字中就是"09"的意思，零玖式火铳是夏国大约十年前的军品，虽然跟机动甲胄的连射铳相比这简直就是弹弓，但算是东方阵营中相当先进的武器了，锡兰人竟然会丢弃那么宝贵的武器，看来真是失去斗志了。

"发现集市。"

"发现少量财物，可能是难民路上丢弃的。"

"找到地图上的重要标记物，黑色石拱门，这是星历1824年锡兰'千年国诞'时建造的，以该标记物推断，我们的道路正确，正向着锡兰王宫前进。"

"仍未收到黑龙的信号，他们那边的推进似乎滞后了。"

……

各种各样的信息在西泽尔的耳边交汇，多半都是好消息，他们在正确的道路上去往最重要的战略目的地，而黑龙被他们甩在了后面。

他们正穿越那片集市，集市极具东方风格，它建在一处山泉旁。这眼泉出水量极大，沿着山岩上深深的人工沟渠四散流淌，在这座山城中形成了一个小规模的水乡。

最初大概是全城的人都来这里取水，自然而然地形成了集市，轻木搭建的作坊和店铺相互掩映，很多店铺外竟然还摆着等待售卖的货物，应该是忽然之间战争的警报传来，所有不能随身带走的东西都被丢弃了。

好像是片刻之后这座城市就会如常醒来，商人大声地叫卖货品，发间簪着大朵鲜花的柔美少女腰臀款摆，来此地取水，浓郁的花香味和女孩们的体香融合起来，在阳光下蒸腾出世俗的欢闹。

穿越那道黑色的石拱门，前方忽然出现了巨大的广场。这跟军事地图是吻合的，"莲花广场"是这座广场的名字，每年国庆的时候这里会举行泼水庆祝的仪式。

在西方人看来这是个很不可思议的传统，男男女女穿着节日盛装，端着铜盆往对方身上淋水，用这个来庆祝国庆，简直好比把奶酪砸在教皇脸上来庆祝圣诞。

但亲临这里西泽尔又觉得泼水庆祝发生在这里是多么自然的一件事，女孩子的裙子湿了，自然显露出姣好的曲线，男孩的身上湿了，水珠在结实的肌肉上滚动，他们相互爱慕，他们白头偕老……

锡兰人还会在这种盛会上选出最美的女孩，她登上高台接受所有人的祝福，由锡兰王给她戴上银质的莲花头冠，就像公主加冕。

但据说现任锡兰王的女儿苏伽罗长大后，每年的莲花头冠就都属于她了，人们叫她"天上莲花"。那位公主殿下如今被扣留在新罗马帝国的首都，西泽尔不由得想在一切结束后去看她一眼，好像欣赏这个国家最后的荣光。

各种各样的思绪在他脑子里此消彼长，他也不知道自己怎么会这样，他本该是个绝对冷静的战争机器，战场上的一切都被数据化之后进入他的脑海，他分析判断给出最优的战略，可他今天浮想联翩。

就像托雷斯说的吧，在棋盘上吃掉一个棋子、战胜一个对手，跟亲自上战场战斗终究还是不同的。你会直视对手的眼睛，分辨他的美丑老少，把他作为一个真真正正的人来对待。他正在感受这座即将被他毁灭的城市。

雾里出现了影影绰绰的人影，火力手微微转身，瞄准了那个方向。不过甲胄骑士们并不怎么紧张，沿路上一直能看见人，但都是手无寸铁的平民，他们仓皇地跑着，像群无头苍蝇。

甲胄骑士们远远地跟他们相对，他们开始吓得瞠目结舌，手中的东西全都落地，但渐渐地他们意识到甲胄骑士无意攻击他们——骄傲的炽天使骑士们不愿意把弹药花在攻击平民上，战术上也没这种必要——于是他们就按照自己既定的路线跑走了。

战争的双方在这种情形下达成了微妙的和谐，就像是早上出来逛集市的两拨人似的，偶遇之后各自分散。

西泽尔在广场中央停下了脚步，摘下面甲眺望前方高台上的王宫，巨大的九头蛇雕塑在浓雾中隐现，仿佛吞云吐雾。

至此较量结束，他一路长驱直入，先于黑龙抵达了终点，未遇任何抵抗。即使黑龙背后有什么要人撑腰，军部也不得不把勋章戴在西泽尔的胸前，他一举超越了黑龙，成为炽天骑士团团长最热门的人选。

渴望的东西来得太容易，他轻轻地叹了口气，觉得一切都那么的不真实。

一个布偶熊滚到他的脚边，撞了一下金属的脚后跟。他低头看了一眼，那显然是某个小女孩的玩具，原来东西方的女孩都喜欢抱小熊。

阿黛尔也喜欢小熊，她的小熊抱了都快有十年了，外面是一层毛茸茸的面料，里面填充着蚕丝、海绵和干的薰衣草。这个小熊就简陋多了，只是布缝制的，里面的填充物可能是干草之类的，看着很不平整。

但无论什么样的小熊，都是女孩的爱物吧，西泽尔扭头四顾，果然有个女孩子站在雾气中，眼神怯生生的。她大概也是难民吧，逃难都不忘带着自己心爱的小熊，但失手让它掉到了魔神的脚下，她犹豫着不敢过来捡。

西泽尔心里微微一动，弯下腰来捡起了小熊，遥遥地递给女孩。那么柔软的小玩具挂在钢铁的利爪上，看起来有点怪，但多少还是流露出了一丝善意。

女孩小心地靠近西泽尔，她只穿了一件鹅黄色的丝绸薄裙，风吹裙摆露出树枝那么纤细的小腿，看起来有点可怜。

"别让她接近。"托雷斯低声提醒。

"小女孩而已。"西泽尔不以为然。

确实没必要在意，那女孩的裙下顶多能藏一柄匕首，就算这是锡兰人的陷阱，一柄匕首对炽天使又有什么用？

女孩站住了，小心翼翼地伸出手去够挂在西泽尔指尖的小熊，她甚至不敢走到一个自己够起来很舒服的位置。在西泽尔的驱动之下，炽天使把手微微探出，将小熊送到了女孩的面前。

这个动作搅破了雾气，让西泽尔看清了那个女孩的面容。他微微愣了一下，女孩并不像他想的那么小，十八九岁的模样，只是格外瘦小，看身形容易误认成小女孩。

一个那么大的女孩子还把小熊当宝贝么？好像有什么不对……其实一路上西泽尔都觉得有什么不对，某个细节错了……是的！某个细节错了！所以一切全都错了！

大女孩……一路上……错误的细节……什么东西在西泽尔的脑海中爆炸开来，他终于想明白那个错误的细节是什么了！这一路上他见到了男人女人和老人，但偏偏就是没有小孩子！

一个真正的小孩子都没有！一个逃难的国家，逃难的队伍里怎么会没有一个小孩子？

已经晚了，大女孩一把抓住小熊，并不退后，而是扑向了西泽尔！她把手中的玩具熊砸向西泽尔的脸，而西泽尔刚刚摘下了面甲！她的速度那么快，西泽尔根本来不及闪避！

但有人一直在警惕着，托雷斯抢步上前，挥臂砸开了女孩，同时挥动龙牙剑，把玩具熊挑向半空中。

玩具熊在半空中爆炸，火流倾泻，仿佛太阳升起，半个广场的雾气都被那威力惊人的爆炸驱散。

那恐怖的威力毫无疑问是……高浓度的红水银！那种燃烧起来热量极大的红色液体，弥赛亚圣教在冰海小岛上找到的神秘物质。正是这种东西的浓缩蒸汽被储存在骑士们的燃料舱中，为他们提供惊人的动力。

锡兰人竟然通过某种渠道得到了红水银，并把它灌进了玩具熊，只要少许红水银就能制造出超级炸弹，而这个女孩就是要以牺牲自己为代价，将炸弹丢进西泽尔的甲胄里引爆。

"准备战斗！"托雷斯怒吼，龙牙剑斩出巨大的弧光。

他的话音未落，沉闷的爆炸声扫过广场，地面微微震动起来。托雷斯仰头看天，天空中掠过流星般的光，下一刻巨大的焰柱和尘柱在广场上腾起，一根接一根。

"臼炮齐射！"托雷斯不由分说地帮西泽尔装好面甲，拖着他狂奔起来。

那些锡兰人竟然把王都——他们最后的家园当作了决战的战场！他们一路上释放的各种错误情报都是为了把炽天使部队引入他们的炮击范围，而他们最有力的武器，那些威力无比但准头奇差的臼炮，竟然全部都对准了莲花广场！

西泽尔还没有回过神来，因为他被那女孩最后的笑容惊呆了。她被托雷斯击飞之后，就站在炸弹的下方，红水银的烈火像水那样从天空中往下流，瞬间把她烧成骷髅，可生命的最后一刻，她竟然站着不动，冲西泽尔露出高傲的笑容。

037 修罗场

多少门炮在吼叫？一百门还是一千门？西泽尔分辨不出，他只觉得一切都在那巨大的声响中粉碎着，没有亲身待在炮击区的人是不会有这种体会的。

全体骑士都卸下了沉重的副蒸汽包，以便提升敏捷性，在焰柱和尘柱之间高速地闪躲。炽天使甲胄的优势在此刻显露无遗，它们的装甲未必有多厚，但足以抵御纷飞的炮弹碎片，而那惊人的高速和敏捷度帮他们避开了炮弹的直接轰击。

只有一名骑士例外，西泽尔眼睁睁地看着他被炮弹正面命中，往后飞出的同时彻底粉碎，紧接着甲胄中剩余的红水银被引燃，爆成一片耀眼的光明。

那种死法，大概连骨头都不会剩下。

"西泽尔少校！等待命令！西泽尔少校！等待命令！"耳边是骑士们此起彼伏的呼叫。

西泽尔无法下达命令，他甚至无法思考。那个锡兰女孩的笑容和那名骑士分崩离析的画面在他眼前反复闪动……这才是真正的战争么？火与血，不是你在寒冷的圣堂中深思熟虑之后投下棋子，而是跟死神共跳的世间最恐怖的舞蹈！

他强迫自己思考，严格的战术训练还是有用的，他迅速转过了几个主意，但还是无法下达命令。他不能确定结果，如果他下错一道命令，还会有骑士在他面前死去。

"向集市方向撤离！"托雷斯的声音炸雷般响起，"暴露在开阔地带容易受炮击！"

但骑士们没有立刻执行，因为西泽尔才是战场指挥官，托雷斯只是教皇厅的特使。

"西泽尔！我知道你在想什么！"托雷斯靠近西泽尔，低吼，"你下令的话可能出错，但你不下令的话肯定会有更多人死！这就是战场，战场上每个人都得赌上自己的命，而你握着他们的生命做成的筹码，就得下注！如果真的死了，那也只能怪运气不好！"

西泽尔骤然醒悟。无怪乎教皇总是那么强调冷酷的原则，战场上永远没有万全之策，明知道任何决定都会制造更大的伤亡，你还是得下。只要最后取得胜利，那决定就是对的。

战争，本就是以生命为筹码的豪赌。

但集市方向腾起了烟尘，王都里好像平地起了一场沙尘暴。

"那是……"托雷斯的声音中透出极大的警惕。

"停下！回撤！"他忽然大吼。

巨大的圆形石块从烟尘中滚了出来，加速去向炽天使们，它们一边滚动一边带起石屑飞溅，地面都为之震动。臼炮和滚石，只有这种最暴力的武器才能对炽天使构成威胁，托雷斯猜得没错，锡兰军也看得很清楚。

"看准滚石之间的空隙躲避！"托雷斯又一次吼叫。

这次骑士们都遵从了命令，因为实在无法等待了，回撤是来不及了，不闪避他们都会被碾压。臼炮群还持续地轰击着，双重压力之下，炽天使们竭尽所能地躲避。

一名炽天使被压断了腿，又一名炽天使被炮弹炸去了整条胳膊。

滚石阻断了他们的退路，埋伏在广场周围的锡兰军人吼叫着入场。他们的武器装备相对于炽天使而言简直可以说是玩具，但他们悍不畏死地冲上来，用人海战术拖住了西泽尔和他的部下。

"他们这是要拖住我们，不让我们跟黑龙碰面！"托雷斯大吼。

骑士们刀剑旋舞，肩头的连射铳扫出巨大的扇面，把那些仅穿着皮质甲胄的人体轰飞，血光四射，莲花广场顷刻间化为地狱。

西泽尔跟托雷斯的判断相同，此时此刻对于锡兰军来说，最有利的战术就是先行歼灭自己这支突击队，付出再多的生命都是值得的。如果让两支突击队合并，那战斗力增加可不止一倍。

但黑龙在哪里？黑龙真的会来救援么？黑龙也希望红龙全军覆没吧？

西泽尔第一次杀了人，血沿着龙牙剑流淌。他甚至不确定自己是杀了人还是伤了人，在机动甲胄里面他的视野受限，只觉得那些锡兰人无休无止地扑上来，自己无休无止地挥剑。

臼炮已经不再吼叫了，滚石这东西准备起来困难，也是用一波就用完了，炽天使的战斗力开始展现，锡兰人终究是没有更有力的武器能够贯穿他们的装甲。

"何塞哥哥！我们去哪里？"西泽尔大喊。

他本不该在无线电里叫托雷斯为何塞哥哥，这显然会降低他在部下们心中的威信，但他已经无暇顾及这些了。

"王宫！"托雷斯的声音冷静沉着，"锡兰王是你的战利品！我来这里就是要确保由你的手抓住锡兰王！"

"是！"西泽尔下意识地说，好像他是托雷斯手下的小兵。没办法，他这么回答托雷斯已经回答了七八年了。

这时候密集涌上的锡兰军人忽然调转头，奔跑着撤离，他们周围空出了一大片空地。骑士们怔住了，不解地对视。难道说锡兰军放弃进攻了？这些不要命的锡兰人会这么容易放弃？

臼炮的吼声再度响起，骑士们仰望天空，炮弹仿佛流星雨覆盖了天空。

"他们……一直在校准弹道！"托雷斯也呆住了。

连他也忽略了某件事，锡兰军对付他们最有力的武器是臼炮，为什么臼炮齐射之后就沉默了？他们并未找到臼炮阵地，也无从谈起破坏它，那臼炮为什么沉默？又是什么使锡兰军明知道人海战术对炽天使收效甚微还不顾一切地冲上来送命?

那是因为他们在校准臼炮的弹道!臼炮那种老式炮的问题是准头很差,必须连续发射,根据前一次的落点来校准弹道。

原来前面那轮密集的炮火,遍地开花,却根本就不是锡兰军的撒手锏。真正的撒手锏这才登场,他们被锡兰军的人海战术推到了这个位置,所有臼炮的着弹点都被校准在这个位置,然后万炮齐发!

西泽尔望向托雷斯,他知道自己只剩下几秒钟了,当你看到炮弹的弧线,几秒钟后炮弹必然落在你头上。他想跟托雷斯说声对不起,说你教我的我还是没学好,我是个笨学生……

托雷斯忽然从后方抱住了他,大吼:"所有人保护指挥官!"

骑士们一层叠一层地围绕着西泽尔,背向外侧,弯下腰来形成钢铁的壁垒,在西泽尔头顶上方,那些钢铁的人形相互支撑。

"不!不!怎么会有这种战术?你们疯了?你们会死的!"西泽尔号叫起来。

他确实不知道这种战术,炽天骑士团的战术他差不多学全了,可没有人教他这个战术。被臼炮直接命中或者被碎片近距离崩到,对炽天使来说也是致命的,可如果你有十名炽天使的甲胄作为你一个人的护甲呢?

十个人的命换你一个的,可西泽尔并不觉得安心反而觉得羞愧和愤怒,好像被人看扁了那样。

"你没必要知道这种战术,"托雷斯的声音异常清晰,"你的手要去折断敌人的战旗。"

炮弹密集地落下,爆炸声里好像全世界都在崩坏,西泽尔感觉到自己身边的人在爆炸的冲击波中震动,血流在他的头顶。

他嘶哑地吼叫着,听着骑士们相互报告生存情况:"二号生存。""四号生存。""九号生……"

九号的声音就此断绝,他没来得及说完就有一发炮弹在他正背后几米的地方爆开。有些人再也没有发出声音,西泽尔甚至都不记得他们的相貌和名字,他们却为自己而死。

这还不是恐怖的极限,接下来传来了蒸汽爆破的巨响。西泽尔看不见,却能从声音意识到那是什么武器在发射……马其顿阵,蒸汽弩机马其顿阵!

东方人并非全然没有机械技术，只是落后于西方较多，他们得到了马其顿阵，把它变成自己的武器，这样他们除了滚石和臼炮，就有了第三件能够杀伤炽天使的武器。

那种武器本是由教皇国研发的，用蒸汽炮来发射成束的长矛，密集的矛射出，就像金属的荆棘丛。

爆炸的威力是四散的，而马其顿阵的威力都聚集在矛尖，它们的威力足以贯穿机动甲胄的装甲板。教皇国很快就意识到这种结构简单但威力巨大的武器对于自己并无很大的用处，但要是落到东方人手里就麻烦了，于是这种武器的图纸被封存起来。

但最后锡兰人不知道通过什么途径得到了它，将它复制了出来。

西泽尔看不见，但从外部可见，雾气中射出了蜂群般的长矛，让人产生了短暂的幻觉，以为一片乌云飞来遮蔽了天空，下一刻，密集的矛枪抵达，它们才是"乌云"的本体。钢铁暴雨中，骑士们再也没有报告生存状况，但他们最终撑住了。

齐射结束，锡兰军小心翼翼地逼近，在他们的眼里，那些恐怖的铁傀儡终于化成了箭垛子，每个人的背后都背着无数的矛枪。可他们为什么用那种奇怪的站姿呢？背向外抱团站在一起。

"西泽尔，握紧你的剑，准备轮舞。"电磁干扰的沙沙声中，托雷斯轻声说。

西泽尔惊喜得简直要哭出来，原来托雷斯还活着，对他最重要的那个人还活着。有那个人在，他就还有勇气战斗下去。他仰头看去，上方就是托雷斯那张狰狞的铁面，可在西泽尔眼里那是世界上最温暖的面容。

"何塞哥哥你没事！"西泽尔握住了龙牙剑的剑柄。

"差点就死了，但当然得没事，我还得带你去抓锡兰王。"托雷斯的声音冷了下来，"你的龙牙剑呢？抓紧你的龙牙剑，我数到三。"

"一、二、三！"

西泽尔和托雷斯同时动作，推开了周围血迹斑斑的骑士们，两柄龙牙剑在雾气中竟然闪动着烈日般的光芒。

他们风车般轮舞起来，形成巨大的剑圈。

这时远处响起了雄浑的号声，像是几十头巨龙聚集在一起引颈长啸。所有人都不约而同地望向那个方向，莲花广场上骤然安静了。

雾气中传来了沉重的脚步声，伟岸的黑影们奔跑着逼近，肩扛绣着黄金十字的战旗。那面旗帜如此之大，简直遮天蔽日。

这一幕让人有种幻觉，仿佛那些根本就不是人类，而是太古时代的众神，他们在浩瀚的荒原上跋涉了千年，重返这个世界。

"青铜牧者""银色风暴""剑齿虎""拂晓之枪"……十三名甲胄骑士以一字阵形逼近，像是一道移动的铁壁。

黑龙所部，全军降临！

038 谎言

以黑龙为首的骑士们试图快速推进来救援西泽尔和托雷斯，但锡兰军的人海战术减缓了他们的速度。

锡兰军人抓着红水银炸弹、迎着炽天使们的弹幕往前冲，绝大多数在半途就随着一声轰然巨响化作耀眼的光亮，但也有极少数成功地抱住了某位骑士，若是骑士没有来得及摆脱他，就跟他一起化作白炽色的火焰。

锡兰军的意图很明显，不惜一切代价阻止黑龙和红龙会合，优先吃掉其中的弱者。

震耳的枪声从远处传来，射速极慢但是很有节奏，那支枪每次发射，便有一道燃烧的火流贯穿整个广场，把沿途所有的生命化为灰烬，无可阻挡，亦无从逃避。

锡兰军把沉重的铁盾捆在小车上来抵挡炽天使的炮火，但那支枪把这些防具摧毁殆尽，它的弹道上，高温把人体和钢铁一起熔化，甚至黏结在一起。

"圣枪装具·朗基努斯！"托雷斯划出一道带血的铁光，"黑龙竟然能够操纵那种危险的武器了！"

开枪的人毫无疑问是黑龙，他的身形还隐藏在渐渐消散的雾气中，但枪声宣告着他无处不在。

锡兰军想吃掉西泽尔这支部队，这战术没错，但并不容易成功，因为西泽尔身边有托雷斯。时至今日西泽尔才意识到何塞·托雷斯何以号称炽天骑士团排位第三的骑士，虽然他是那么的温和，给人一种文官的错觉。

但这名"文官"进入杀戮状态的时候却是那么的恐怖，战技和战场经验结合起来，给锡兰军带来的压力远比单兵能力出众的西泽尔大，他挥舞着龙牙剑在人群中旋转，所到之处人体飞空，鲜血如幕。

在他的保护之下西泽尔渐渐靠近黑龙所部，两柄龙牙剑，配合左手火铳的高速点射，不给锡兰军任何空隙。

炮声震耳，臼炮再一次齐射，虽然广场上绝大多数人都是锡兰军，但锡兰人的炮火还是轰了下来。如果舍不得伤亡的话他们是无法对炽天使造成致命威胁的，即使赔上一百个锡兰勇士的命，换一具炽天使，也是值得的。

但炽天使骑士的反应能力还是远远地超出了锡兰军的猜想，他们明知道臼炮群在附近，怎么会没有准备？当炮弹的火光在天空中出现的时候，炽天使们立刻判断出可能的落点，抽出背后的巨盾护身，同时高速移动，避开了绝大多数的炮弹碎片，至于那些细小的碎片，只是打在装甲板上叮当作响。

倒是因为臼炮的轰击，前方的锡兰军被荡空了一片，隐约出现一条跟黑龙会合的通道。

"西泽尔！突击！"托雷斯低吼。

西泽尔本已有些疲惫，但在杀出重围的希望之下猛然振奋，龙牙剑和火铳交替攻击，大踏步地冲开人流。

再有差不多一百米双方就能碰面了，黑龙所部已经收起了远程武器只用刀剑战斗。骑士们形成箭矢队形，摆明了是要强行突破锡兰军来救援西泽尔和托雷斯。

可西泽尔忽然听不见自己身边的剑风了，那些由何塞·托雷斯挥舞出来的、地狱般的剑风。

他分明就要突出重围了，这个当口不容他有任何松懈，可他还是不安地回头，任凭两名锡兰军对着他的后背射击。

托雷斯并没有跟上来，他早已淹没在锡兰军人的海洋里了。那钢铁的人形缓缓跪下，汩汩的鲜血从背后的创口中涌出，染红了所有的装甲，像是一件鲜红披风裹着他的身体。

锡兰士兵如蜂群那样扑在他背后，用火铳顶着他的后背射击，想要在甲胄上打出一个孔来，用匕首去刺他的瞳孔，想要弄瞎他。

原来他并没能避开马其顿阵的攒射，那唯一但致命的长矛从背后贯入，刺穿了他的身体，只差一点点就会从身体前部透出来。但他砍断了矛柄，燃烧着最后的生命力战斗到了这一刻。

他撒谎说他没事，他要西泽尔鼓起勇气跟他冲出重围，他说即使只有他们两个人也能赢得这场战争，他们合在一起所向披靡，他们能打败黑龙，世上再没人能做到……其实他都是骗人的。

西泽尔其实跟着一个早已注定死去的人战斗到了这一刻，是的，杀出重围，但只有西泽尔能杀出重围……只有他一个人。

"不！不！不——"西泽尔尖厉地吼叫。

他的眼睛直了，他的血冷了，他眼里再没有旁人，他狂奔向托雷斯，冲回包围圈，龙牙剑斩出疯狂的剑弧，把任何想要阻挡他的人都斩断！

他从未那么纯熟地运用他学会的杀人技巧，现在这些技巧自然而然地被他运用在剑上，他什么都不管什么都不顾，他只想去托雷斯身边。

在托雷斯倒地的那一刻，西泽尔抱住了他。

数以百计的锡兰士兵围绕着他们，却不敢逼近。在锡兰军看来，他们几乎胜利了，他们成功地杀死了敌军中最勇猛的那名骑士，却被一个男孩震惊了……那个看起来柔弱、一直是累赘的男孩，在回首看见勇猛骑士跪倒、锡兰军扑上的一幕时，忽然间变了一个人，他的剑光之凶暴、杀戮之无情，完全凌驾于勇猛骑士之上。

没有人敢靠近他，人们看着这最后的两名骑士，浑身染血的骑士，他们钢铁的身躯彼此拥抱。

西泽尔颤巍巍地摘下自己和托雷斯的面甲。这一次他没有哭，因为已经哭不出来了。

"这一次可不是空包弹了，"托雷斯虚弱地微笑，"这样的死法我可是赚了呢，没有死在博尔吉亚家的圣堂里……而是作为骑士堂堂正正地死在战场上。"

"不要啊，何塞哥哥！不要啊！你要是不在了……我会很孤独……"西泽尔试着把他扶起来。

眼泪终于涌了出来，却感觉不到自己在哭，他大吼说："军医官！军医官！军医官！"他的声音在偌大的莲花广场上回荡，他想找一个军医官来给何塞哥哥止血，可围绕他的只有无穷无尽的锡兰人。

别死……你要是不在了，我会很孤独。

感觉又回到了三年前那个夏夜，那时我漫步在一望无际的红松林里，想要逃离，想要逃离这个我得依赖着什么人才能活下去的世界。

也许这个世界上真的有神吧？他怜悯我，把哥哥还给了我，今天想起来空包弹什么的就像戏剧情节一样啊！那是神吧？是神的怜悯，但神的怜悯只有三年，三年后神还是把赐给我的拿走了……我不知道啊，我不知道只有三年啊……

哥哥，别死啊！走到今天我们历尽了千辛万苦，我们就要赢了啊！我们就要当人上人了啊！再也没有人能欺负我们，我们称王称霸的时候就要来了！这时候你怎么能走呢？

"西泽尔……西泽尔听我说，你这样我会死得更快的，你在扩大我的伤口……把我放下，我还会多点时间。"托雷斯轻声说，"别任性。"

西泽尔跪在托雷斯身边，呆呆地看着这个满脸血污却微笑的男人。

"孤独么？小孩子总觉得自己很孤独，其实人是越长大越孤独的，因为能让你听话的人越来越少，路要自己走，"托雷斯沉重地喘息着，"但别怕啊西泽尔，勇敢地走下去，就好像……我还在你旁边跟你一起战斗。"

他的眼帘渐渐低垂，目光渐渐暗淡，显然生命已经到了尽头。

"不不！何塞哥哥！不要离开我！你还要回去看你妹妹的！你妹妹要嫁给爱她的人！"西泽尔的铁手和托雷斯紧紧地交握，他做不了任何事，只能给托雷斯找活下去的理由。

内心里有动力的人就能活下去，这也是托雷斯教他的。

托雷斯的眼睛果然微微地亮了起来，他怔怔地看着西泽尔，看了很久很久。

他忽然笑了："笨蛋，我骗你的……我确实有个妹妹，可她很小就夭折了……我那么说，是因为我第一次见你的时候，你好像个小女孩……"

他缓缓地闭上了眼睛，炽天骑士团，何塞·托雷斯中校，阵亡。

星历1884年，在锡兰王都，远征锡兰的战士们见证了红龙的苏醒。

当时他们蜂拥入城，想要救援陷入苦战的西泽尔·博尔吉亚少校，那位少校被传为教皇厅的宠儿，未来炽天骑士团团长的候选人。

战士们并不愿意把命花在拯救这种贵族身上，但是迫不得已只能往前冲。他们遭遇到了近乎疯狂的抵抗，看着莲花广场就在前方，却不能突破锡兰军的人海攻势，眼睁睁地看着伤痕累累的西泽尔少校战至最后一人。

但这时候无法想象的逆转出现了，那具赭红色的甲胄自尘埃中站起，狂怒地咆哮着，手提两柄龙牙剑如飓风般横扫了莲花广场，只有一个词能形容那惨烈的一幕，就是"血流成河"。

等他们反应过来的时候，西泽尔少校已经拖着利剑、踏着层层石阶去向了锡兰王宫，就像一位登基的王……却走得那么疲惫。

039 挽歌

西泽尔终于踏上了锡兰王宫的地面，宫殿在熊熊燃烧，若不是穿着甲胄，地面会灼热得难以落脚。

从前这应该是一座精美的建筑，梁柱上镶嵌着珍珠和砗磲，花园中的泉眼日夜不停地喷吐清泉，但现在它看上去更像地狱，乌木大梁毕毕剥剥地燃烧，高大的拱门在西泽尔头顶轰然倒塌——被他一剑砍成了两段。

放眼望去，整座城市都在燃烧，拖着蒸汽的巨大身影出没在各个角落，搜索最后的锡兰守军。黑龙和他带领的骑士们终于来了，胜负也再无悬念。

穿越层层拱门，西泽尔最终来到正殿，这应该是锡兰王和大臣们议事的所在，它用花岗岩建造，在火中能撑得更久一些。

偌大的殿堂中到处都是沾血的脚印，机动甲胄的脚印，看来友军已经来过这里了，应该是安全区域了。西泽尔觉得疲倦了，想要休息一下。

那张乌木王座还完好无损，被熊熊燃烧的帷幕环绕着，它非常宽大，穿着炽天使甲胄也能坐上去，西泽尔双手扶着狮头扶手，缓慢地呼吸着，背后是扇面般展开的、雕刻得栩栩如生的九头蛇。

何塞哥哥死啦，何塞哥哥真的死啦……虽然一直都很怕很怕他会死，会离开自己，可他还是走了。

何塞哥哥死啦，所以我就烧了这座城市来埋葬他……都是那些愚蠢的锡兰人！他们若不反抗，怎么会有这样的结果呢？我来只是要一份投降书而已！

可他心里也恨不起来，他们用血肉之躯往机甲骑士身上扑，像是一群疯子，打败疯子有什么可解恨的呢?

龙牙剑砍中人体的那种感觉真不是砍在金属上的感觉所能比的,鲜血黏在他的面甲上缓缓地往下流,沿着缝隙渗到甲胄里面去了,腥味之浓重让他觉得自己像个恶鬼。

但他还是深吸了几口气想要起身继续搜寻,他要找到锡兰王,他和黑龙的竞争是谁先擒获锡兰王,托雷斯也要他抓住锡兰王。

这时一个蹒跚而行的身影踏过一道火焰,走进了大殿。那是个须发皆白的锡兰老人,穿着沉重的旧式甲胄,没有机械助力的那种,外面罩着黑色的长袍,袍摆已经烧焦了。

他显然受了很重的伤,拄着剑才能行走,看他那瘦弱的身躯,也根本就不像个战士。

老人骤然发现王座上坐着一具铁傀儡,下意识地举剑想要防御,却被剑的重量带偏了重心,跌跌撞撞地退了几步才稳住了。

他心里清楚面对铁傀儡,自己举不举剑其实根本没区别,也就淡然笑笑,把剑插进地砖的缝隙里,扶着剑柄站好了。

铁傀儡伸手摘下了自己的护面铁甲,露出下面那张苍白的男孩面孔,男孩长得很漂亮,只是眉眼的线条太过锋利了些,像是出鞘的利剑。

男孩凝视着老人,脸上带着血污,深紫色的眼眸中流动着火光。

老人也凝视着男孩,许久他轻轻地叹了口气:"没想到毁灭我们国家的人,竟然是个孩子。"

西泽尔立刻确认了对方的身份,不会错,那就是锡兰军的最高领袖,锡兰王!他在城破之际竟然没有趁乱逃走,而是拖着伤痕累累的身体返回了王宫。

他仔细打量这个老人,他本以为制定这种焚城战略的应该是个很残酷很疯狂的人,可锡兰王给他的感觉根本不是这样,倒像个教人看书认字的老师。

"疯子!"西泽尔低声怒吼,"你原本只需要献出一份降书!可你毁了成千上万的人!你就那么在意你头顶上的王冠么?"

锡兰王哑然失笑:"原来教皇国派了个什么都不懂的小孩子来。为什么锡兰就要献出降书?是因为你们更强大么?"

"当然!"西泽尔寒着声音,"这个世界只允许强者活下去!强大即为理由!"

锡兰王摇头："如果弱小就要灭亡，那这个世界就是野兽横行的森林，该被毁灭的是这个世界自己。"

西泽尔愣了一下，他当然不能同意这个说法，这跟他接受的教育完全不吻合。他关于人生的哲学都来自铁之教皇，而在隆·博尔吉亚的逻辑中，世界就是野兽横行的森林，你若不是强大的野兽，根本不配活着。

可在这个教师般的老人面前，他却一时间找不出犀利的言辞来反驳。

"你很强大，这没错，在那身钢铁的盔甲里，那么你的家人呢？你的每个家人都是强者么？他们能活在这个森林里都是因为你的庇护么？"锡兰王轻声说，"如果有一天你被更强的人打败了，他们就得死么？"

西泽尔的某根神经忽然绷紧，他觉得不能跟这个老人说下去了，再说下去他会陷入困惑之中。

妈妈和妹妹当然不会死，因为他会越来越强！会把每个意图伤害她们的人都挡在外面！

他为什么要听自己的敌人胡言乱语？就是这个老人的战术令他失去了何塞哥哥！现在轮到这个喋喋不休的老人为他的错误支付代价了！

炽天使甲胄轰然解开，他强忍着金针从背脊中脱离的痛苦起身，从甲胄背后的武器架上拔出了笔直的刺剑，那是供骑士在失去甲胄保护的情况下使用的。

"西方人的决斗么？"锡兰王点了点头，"居然会从铁傀儡里出来，真是让人惊奇的男孩啊。"

"你已经衰老了，我还没完全长成，我们之间的决斗是公平的。"西泽尔昂然地抖剑，"早该这样对不对？我们中只需要有一个人流血，就可以结束这一切！"

他不想穿着机动甲胄砍下锡兰王的头，因为那是骑士的耻辱，但即使他脱掉甲胄，仍然胜券在握，刚才的对话间他已经看出这个老人濒临死亡，他的胸腹间有巨大的创口，那绝对是致命的。

这老家伙返回自己的宫殿，是想死在自己的王座上！这个贪恋王位的混蛋！

"好的，孩子，你说得对，该结束了。"锡兰王深吸一口气，浑身铁甲铮然作响。

他缓缓举起那柄沉重的国之利刃，发力冲向王座上的男孩。灼热的空气在耳边高速流过，他的白发在火风中飞舞，他放声咆哮，仿佛狮吼。

西泽尔剑尖一颤，对冲过去。他的体质偏弱，但托雷斯之死的痛苦仍旧从他身体里榨出了惊人的力量，刺剑舞动着、尖啸着。

就在这个时候，一个黑影冲破了侧方的火焰，扑向西泽尔。西泽尔大惊，他根本没想到这间燃烧的宫殿里还会有第三个人，他的剑术只是一般，根本无法同时应付锡兰王和锡兰王伏下的杀手。

原来锡兰王一直在骗他！那个奸诈的老人，他一直等的就是西泽尔自行脱下甲胄！

西泽尔只能偏转刺剑，优先攻击侧面的敌人，锡兰王的伤势应该是真的，那么拼着被锡兰王刺中，优先结果杀手是唯一的选择。

"不！泰伦特！不！"锡兰王痛苦地高呼。

西泽尔剑锋偏转的瞬间，锡兰王丢掉了手中的蛇形重剑，不顾一切地扑向那个黑影。

剑锋贯穿了黑影的心脏，西泽尔被撞得倒退出去栽倒在柱子旁，锡兰王抱住了那个黑影。

"泰伦特！泰伦特！你们不是走了么？你为什么不服从我的命令！你这个傻孩子！"锡兰王抱紧了黑影大哭。

西泽尔呆住了，那个被他刺穿了心脏的黑影，居然只是个十三四岁的男孩。

"老师，我们都想誓死追随您……可我没有别人那么聪明，我逃走对锡兰也是没有用的，我就决定留下来保护您……"奄奄一息的男孩说，"可我真笨，我杀不掉那个侵略者……"

侵略者？这是说我么？西泽尔茫然地看着自己掌心里的血。

"我知道自己很笨，所以一直努力……害怕您会对我失望。"男孩努力抬起头来，看着锡兰王，"但我这次很勇敢，对吧老师？"

"很勇敢，泰伦特很勇敢，你们都是我的好学生，你们肩负这个国家的未来。"锡兰王抱着他的头。

"老师……我觉得很冷……"泰伦特轻声说。

他当然会冷，因为他的血液就要流干了，他的心脏中插着一柄刺剑。

"别怕，别怕，"锡兰王紧紧地抱着这个孩子，"我给你念书中的话……大学之道，在明明德，在亲民，在止于至善。知止而后有定，定而后能静，静而后能安，安而后能虑，虑而后能得……"

泰伦特在他的怀抱里完成了最后的呼吸，也许是误以为自己回到了课堂中，所以他苍白的脸上带着淡淡的笑容。

西泽尔默默地看着这一幕，觉得那么疲惫，血像是冷的，冷到能析出冰碴来，连烈火都无法加热。

因为他终于看清了那个男孩手中的武器，那个男孩扑向他的时候，手中只是攥着一块石头……很多年前，他扑向贝拉蒙少爷的时候，手里也只有一块石头……

他忽然分不清自己和敌人了，他自己是个攥着石头的孩子，敌人也是个攥着石头的孩子。

他觉得累了，不想打了，反正杀了谁都换不回何塞哥哥，他坐下来靠着那根灼热的柱子，看着锡兰王抱着那个已经死去的男孩，念着某本书中的内容："知止而后有定，定而后能静，静而后能安，安而后能虑，虑而后能得……"

"不杀了我么？"锡兰王把男孩放平在地上，给他盖上自己的外袍，"我看你也是失去了什么重要的同伴吧，如果杀了我能让你好受些，就来吧。"

"你刚才有机会一剑杀了我，为什么把剑扔了？"

"你是个孩子。"锡兰王的神情很平静，"就算你套着那层魔鬼的外皮也还是个孩子，我为什么要杀一个孩子？你杀了我才是最好的结果，免得我被审判。"

"在我的国家里，没什么人把我看作孩子。"西泽尔轻声说，"他为什么叫你老师？"

"锡兰是个贫穷的国家，平民中很多人都不识字，不识字的国家是没法富强起来的。所以我选拔了一些聪明的男孩，让他们来宫中的学校，我自己教他们夏国文字。"锡兰王说，"他们都叫我老师。"

"原来你还真是个老师。"西泽尔没来由地想起莉诺雅，嬷嬷大概不会想到他后来做了那么多残酷的事吧？嬷嬷要是知道了会害怕他么？

外面响起了沉重的脚步声，应该是黑龙下属的骑士们也冲进了王宫，所剩的时间不多了，西泽尔想到了最后一个问题。

"这个国家为什么叫莲花之国？它明明不产莲花。"

"因为满池的莲花都是从同一棵植物上长出来的，在水底的淤泥里，它们的根连在一起……所有锡兰人的根都连在一起。"

星历1884年夏，锡兰战争彻底结束，余党被剿灭殆尽。

星历1884年秋，经过宗教审判，锡兰王以发动战争的罪名，被长矛钉死在十字架上。

从此"锡兰"这个名字从世界的版图上消失了。

天之炽.2
FLAMING HEAVEN

第六章
—— 红龙狂舞之夜 ——

这是何等的力量，让人想起上古神话中，恶魔行走在大地上，带着燎原的火焰，阻挡它的人都被摧毁，如同草芥。

040 归来

星历1884年秋，翡冷翠，雨夜。

黑色的礼车停在坎特伯雷堡前，西泽尔走下车来，撑开一柄黑伞，跟司机摆了摆手，示意他送到这里就可以回去休息了。

他独自漫步过花园，阿黛尔喜欢的那些玫瑰花都枯萎了，但很多还待在枝头，像是大片大片黑色的蝴蝶，在风雨中集体零落。

他掏出钥匙开门，客厅里静悄悄的，屋子里没有一丝灯光。时间已经是后半夜了，这个时候妈妈和妹妹应该都睡了。

西泽尔脱下军装大氅挂在衣架上，走到餐桌尽头的位置坐下，默默地听着雨声。

他刚刚从新罗马帝国返回，对锡兰王都的攻占前后只用了两天的时间，但从开拔的准备工作到善后，算起来他离开翡冷翠已经九个月了。教皇厅希望他借机加强对军队的了解，确实没有什么训练能比实战更有效。

九个月前和九个月后的坎特伯雷堡看起来并无什么区别，除了花园里的花，但有很多东西已经彻底改变了，比如那个总喜欢靠在窗边眺望的何塞·托雷斯不会再出现了。

西泽尔强忍着悲痛扭头看向窗边那个熟悉的角落，空荡荡的角落里，白色的窗纱起伏。

开始的几个月里他总是从噩梦中惊醒，梦里是托雷斯那张沾满鲜血但仍带着笑意的脸："笨蛋，我骗你的……我确实有个妹妹，可她很小就夭折了啊……"

然后，他会号啕大哭或者吼叫着："何塞哥哥！何塞哥哥！"好像在向这个世界要人，要世界把他的何塞哥哥还给他。

可现在他已经不想哭了，人好像渐渐地麻木了，梦到托雷斯的次数也越来越少。世界仍在无声地运转，不以任何人的悲伤为转移，他还有母亲和妹妹，还得继续坚强下去。

他起身走向妹妹的卧室，太晚了他不想打搅母亲的睡眠，那就看看阿黛尔好了，反正阿黛尔睡熟了基本吵不醒，跟小猪似的。

阿黛尔卧室的门虚掩着，西泽尔微微一怔。女侍长碧儿虽然年轻，但是非常稳妥，每晚都会四处检查，有她在卧室不可能没关好门……难道是阿黛尔偷跑出去玩了？

西泽尔轻轻拉开阿黛尔床上的丝绸床帐，阿黛尔果然不在被窝里。他迟疑了一下，伸手摸了摸床单，被窝里竟然是冰冷的，而且这床被子……似乎很久都没有洗过了！

他不动声色地站起身来，前往母亲的卧室，不出所料，母亲也不在。坎特伯雷堡的每间卧室都是空的，碧儿、女侍们、厨师、园丁……全都不在！他们的床铺还都有人睡过的痕迹，但地面上一层薄薄的灰尘，看起来很久没有人走进这座建筑了。

好像某个夜晚某个魔法施在了坎特伯雷堡，把里面的人都变没了。

西泽尔最后检查了厨房里的炉灶，炭火是被水浇灭的。

他返回客厅，重又在餐桌尽头的位置上坐下，拔出防身的短枪放在桌子上："出来吧，你们来自哪个机构？"

黑枭般的军人们从帷幕后闪现，他们身形精悍而目光凌厉，军服制式和十字禁卫军明显不同，带有甲胄般的感觉。他们的领口闪烁着寒冷的银光，军徽却是纯黑的，仔细看的话，那是一对被黑色火焰包裹的黑色羽翼。

"来自异端审判局，西泽尔少校。"为首的、挂中校军衔的军人在西泽尔面前微微鞠躬行礼。

西泽尔心中一寒。他当然认识那种罕见的"黑天使"军徽，只有异端审判局的执行官们才会佩戴那种军徽。

异端审判局，这是个非常神秘且高级别的军事机构，虽然人数极少，但跟作为"教皇国中央军"的十字禁卫军平级。

异端审判局隶属枢机会领导，不接受其他人的命令，教皇厅的命令对他们也不起作用。

它是教廷的内部机构，专门打击异端犯罪。所谓异端，是指那些信奉极端宗教的异教徒。他们有的信仰恶魔，有的聚众吸毒淫乱，有的还会举行鲜血祭祀，这类案件通通归异端审判局处理。

异端审判局拥有自己的法庭，经他们审判的人可以直接处死。而且异端审判局的执行官们委实精锐,军队和警察解决不了的事情,到他们手里几天就处理完毕了,等到上面想起来问进度,罪犯没准已经被枪毙了。

如此凌厉并且黑暗的部门,在多数翡冷翠人看来根本就是恐怖机关,但西泽尔倒不至于被黑天使的军徽吓到,炽天骑士团也是特立独行的机构,异端审判局的黑暗在炽天骑士团的烈焰面前不起作用。

觉察坎特伯雷堡是间空屋后,西泽尔就明白了为何自己从进家门以来就觉得芒刺在背,好像有人在黑暗中盯着他,那种军人的直觉是正确的,真的有人,只是没想到是异端审判局的执行官们。

"我母亲和妹妹都好么?"西泽尔冷冷地问。

"截至此时,她们都好,你家里的其他人也都好,他们被妥善地保护起来了。"中校说,"不过有些小麻烦,可能得您出面处理一下。不介意的话,请跟我们去一下异端审判局。"

西泽尔冷冷地看着他,不说话。

"没什么可担心的吧?异端审判局再怎么大胆,也不敢对国家英雄、'锡兰毁灭者'不利。那样的话,炽天骑士团没准会踏平异端审判局呢。"中校笑笑。

西泽尔沉默了几秒钟,面无表情地走向门口,执行官们沉默地跟在后面。

西泽尔在门边停步,一名执行官上前几步,取下衣架上的大氅搭在西泽尔的肩上,一行人步入茫茫的细雨中,黑色的礼车等候在道边。

翡冷翠的夜坚硬如铁,夜幕下尖塔林立,仿佛花岗岩构成的森林。

城中一座巨大的教堂式建筑打开门,礼车缓缓地驶入。西泽尔走下车来,仰头望见那座黑色的圣堂。

它坐落在层层石阶之上,仿佛高悬在半空中,如此雄伟庄严,把半个夜空都遮蔽了。

全副武装的执行官们围绕着它,他们手中提着五联装的重型火铳,队伍中还混杂着甲胄骑士,虽然不是炽天使,但也魁梧威严,多种金属混合锻造的装甲板反射着汽灯的光。

"这不是异端审判局本部。"西泽尔皱眉。

"确实不是,是西斯廷大教堂,枢机会的地盘,但你知道以异端审判局的地位,借用一下这块地方也不是难事。"中校淡淡地说。

"警备那么森严，谁在圣堂里等我？"

"我们只不过是执行者，里面的大人物是谁，我们哪里知道。"中校比了个"请"的手势，"您才是有资格去见大人物的人。"

蒸汽机低鸣，转轴发出轻微的摩擦声，圣堂大门缓缓打开。

西泽尔沿着台阶上行，执行官们却齐刷刷地退后，似乎那真是什么不可侵犯的圣地。

圣堂中点着成百上千的蜡烛，汇成光的海洋，只留下供一人行走的通道。通道尽头是一张桌子，桌子对面的男人戴着铁面具，穿一袭直垂到脚底的黑袍。

看见西泽尔的时候，这个神秘的男人站起身来，拉开椅子示意他坐下。

"你的名字。我没有理由跟一个不敢露面的人说话。"西泽尔冷冷地说。

"很抱歉我不能告诉你我的名字，你可以称我为审判官，异端审判局的审判官都不能露面，我们以神的名义审判罪犯。"男人的声音清越好听，"露面的话，我们可能会遭到报复。"

"那是因为你们并非真的代表神，你们可以自行决定处死你们想处死的人，正是因为这一点你们才被称为恐怖机关！你们这种人当然应该担心报复。"西泽尔冷笑，"你和我都是国家机器中的齿轮，不用遮遮掩掩。"

"不愧是锡兰的毁灭者，说出来的话真不像个十五岁的男孩说的啊。"审判官点了点头，"坦率地沟通也好，节约我们的时间。"

"我妈妈和妹妹在哪里？她们怎么会惹上你们这些脏东西？"西泽尔冷冷地问。

他很恐惧，沾上异端审判局的人就等于沾上了死神。但他不能流露出来，这样才能谈判。

对方也忌惮他，这点很明显。他是国家英雄，未来可能是炽天骑士团团长、东方总督，他的背后还有教皇厅，任谁都得掂量一下他的分量。所以异端审判局才会派那么多人去坎特伯雷堡"恭请"他。

"跟异端审判局有关的事，当然是异端罪行。"审判官将案卷展开在西泽尔面前，"我很遗憾，您的母亲可能惹上了大麻烦。"

西泽尔强忍着心悸，快速地阅览那份案卷。根据这份案卷，在他离开翡冷翠的时间里，琳琅夫人被邪教迷惑，在家中举行邪教祭祀，而祭品竟然是她的亲生女儿阿黛尔，好在异端审判局接到消息及时赶到，这才把阿黛尔救了下来。

案卷中附带了诸多照片，照片中阿黛尔近乎全裸而且昏迷，身上用血写满了奇怪的符咒。坎特伯雷堡的地下室被布置成圣堂的模样，阿黛尔被捆绑在倒立的十字架上，下面接血的铜盆已经准备好了。

琳琅夫人穿着血红色长袍，提着沾血的尖刀，佩戴造型邪恶的项链。她仍然是那么美，但透着仅属于女妖的邪气。

下面还有琳琅夫人的亲笔签名，承认她信仰了异端宗教撒旦教，觉得唯有把自己的一对子女都奉献给地狱之主撒旦才能获得巫术力量。

"她血祭的目标还包括你，不过你恰好不在翡冷翠。"审判官轻声说，"我很理解你此刻的心情，母亲是异端，这是多么可怕的事。但这跟你无关，无损你国家英雄的形象，因为你和你妹妹都是受害者。你的妹妹，凡尔登公主阿黛尔·博尔吉亚已经被严密地保护起来了，我向你保证她很好。"

他观察着西泽尔的神情，想从中看出点什么，但西泽尔只是反复地翻阅案卷，安静得像块石头。

审判官悄悄地咽了口口水，他开始从男孩的沉默里感觉出钢铁般的意志，这种蕴含着暴力的沉默……有点像铁之教皇的风格。

"你们想怎么样？"西泽尔合上案卷，直视审判官的眼睛。

他的眼睛在烛光中呈现出纯粹的黑色，仿佛无星无月的黑夜。

"你应该看到了才对，这样的罪行按照宗教法律，应该处以火刑。只有火焰才能够净化她的罪恶，让她体内的魔鬼无所遁形。"

"你们想烧死她？"西泽尔一字一顿，"在这个文明的时代，你们还想烧死一个女人？多年前你们派人对她动了脑白质切除手术，把她变成了傻子，现在你们还想烧死她？"

"我真的不知道，"审判官摇头，"你也知道我只是某些人的代理人，我跟我的委托人之间差得很远。"

"你的委托人想怎么样？"西泽尔觉得所有的血都集中在了头顶，那股火山般的怒气随时都会冲破颅骨。

终于来了！那些雨夜中的黑衣人终于来了！托雷斯曾经说过，他的仇人如幽灵般存在于翡冷翠的上流社会，找到他们的方式就是成为上流社会的一员。

如今他们终于跳出来了，又一次把手伸向了琳琅夫人。到底是什么原因让他们锲而不舍地想要伤害妈妈？西泽尔高速地思考着。

是新年酒会吧？新年酒会上妈妈跟教皇共舞，暴露在了所有人面前……该死！该死！该死！他疏忽大意了！保护妈妈最好的方式是把她深深地藏在坎特伯雷堡里！

琳琅夫人怎么可能会有异端信仰？她是个傻子啊！她唯一的信仰是那个男人！她怎么可能想要献祭自己的子女？她根本连西泽尔是她的儿子、阿黛尔是她的女儿都搞不明白！她的心理年龄还是个少女！

他竭力控制自己，这时候显露爪牙没有用处，他的仇人给母亲定罪，再派代理人来跟他见面，那就是有交易要谈。

今时今日的他已经学会了隐忍，托雷斯用自己的生命教会了他这一点。

"火刑当然是可以免除的，用另一种刑罚来代替。"审判官缓缓地说。

"另一种刑罚？"

"一次脑白质切除手术。"

怒气终于冲破了极限，西泽尔嘶吼起来："你们清楚你们曾经对她做过的事！她早就没有脑白质那种东西了！再切一次么？然后是切掉她的小脑？然后是切掉她的大脑？"他把佩枪拍在桌面上，"那你们最好先切掉她的另外一部分——我！"

"前次的手术似乎做得不太彻底，就当作……补完好了。"审判官说，"这里面的内情我根本不知道，我只是个代理人。我得到的指示是，只要再执行一次小小的手术，你就可以把你的母亲领回去了。从此别再让她抛头露面，远离圣座。"

"如果我拒绝呢？"西泽尔身体前倾，这个姿势给审判官以巨大的压力，好似那个男孩随时会跳过桌面来捏碎他的喉咙。

但审判官的理智告诉他西泽尔其实做不到，跟机动甲胄分离的红龙就只是个十五岁的男孩，所以才会在西泽尔从锡兰返回后约他见面，因为西泽尔跟他的甲胄……分开了！

"那么火刑就会如期执行。"审判官缓缓地说，"我想你很清楚，那些人是说到做到的。他们托我转达的意思是，他们无意伤害你和你的家人，你这样的国家英雄是大家都会尊敬的。脑白质切除手术可以看作对你母亲的伤害，也可以看作对她的保护，忘记了一切，她就永远地从麻烦中摆脱出来了。如果她还记得过去的一切，那才是真正的痛苦吧？因为过去的一切，不会再回来。"

西泽尔怔住了，因为那句话："如果她还记得过去的一切，那才是真正的痛苦吧？"

是啊，过去的一切不会再回来……他拼了命也要保护妈妈和妹妹，却无法对抗这个国家，在庞大的国家机器面前，他是英雄或者孩子，都不重要。他太渺小了，这个国家里有无数人能在弹指间将他抹去。

在这个国家里，隆·博尔吉亚是教皇，他的妻子来自美第奇家族，他们的婚姻才是被祝福的。爸爸和妈妈在一起对所有人都没有好处，连西泽尔都不觉得母亲一定要成为父亲的合法妻子、堂堂正正的博尔吉亚夫人。

他不需要通过成为一名真正的博尔吉亚来证明自己，他可以打倒所有真正的博尔吉亚来证明自己！

可母亲只有在和那个男人跳舞时才真正地活着啊……那是……爱情么？

041 石头

"我要见见我妈妈，"西泽尔面无表情，"在那之前给我闭嘴。"

"当然可以，"审判官点了点头，"她就在这里。"

带着轰隆的响声，升降梯从天而降。那座升降梯就位于这间圣堂的中央，仿佛通天的黑色立柱，直通屋顶。

审判官和西泽尔乘坐升降梯上升，进入穹顶中央的孔洞，穿过伸手不见五指的黑暗，抵达了圣堂顶部的隐秘空间。

四周都是坚固的黑色石墙，石墙上是精美的宗教画，年代已经颇为久远了，颜色黯淡，只剩下真金描绘的线条仍旧闪亮。

但这毫无疑问是一所监狱，每走几步就得打开一扇铁栅栏门，石墙上还残留着粗大的铁钉。可以想见当年狱卒用铁链把囚犯锁死，再把锁链钉在石墙上，墙壁上的松油火把一边燃烧一边往下滴松油，在犯人的皮肤上烫出大片的水泡。

"这就是你们安置我妈妈的地方？"西泽尔的眼角爆出青筋。

"请别误解，殿下。这确实曾是一座监狱，用于关押最邪恶的异端罪犯。他们的身体中寄宿着魔鬼，唯有圣堂的气息才能压制他们。"审判官说，"但几十年前它就被弃用了。我们把你的母亲安置在这里，是避免她被不相干的人骚扰。你总不想你的母亲被关押在公共监狱里吧？那里不适合她那么美丽端庄的女性。她在这里不曾受过任何的苦，只是失去了行动自由。"

"你说的最好是真的，否则她受的任何苦，我都会乘以十倍回报在你们身上！"

最后一道铁门打开，西泽尔疾步踏入，穿过长长的走廊，前面又被铁栅栏挡住了。铁栅栏的对面是间清净无尘的小屋，小屋里陈设简单，主要的"家具"就是一张十字形的铁床，两端连着铁铐。

当年这里关押的只怕是最危险的罪犯，睡觉都要用铁铐把双手铐住，连翻身都做不到。不过审判官说的倒也没错，囚室虽然简陋，但花时间重新布置过，那张铁床上也铺设了松软的褥子和丝绸床单。

琳琅夫人静静地坐在唯一的小窗前，背对着铁栅栏。她身穿一件领口很低的素白长袍，背影伶仃如少女，长发披散下来，仿佛世间最好的丝绸。

"妈妈！妈妈！"西泽尔紧紧地抓着铁栏杆。

这一刻是令人动容的，前一刻他的言行举止中还满是冷酷凶狠，下一刻他就流露出十五岁男孩的脆弱。他的神情焦急，声音控制不住地颤抖。

可唯一的旁观者是戴着铁面具的审判官。他礼貌地退到走廊的末端，算是给西泽尔和琳琅夫人留出了单独相处的空间。

小窗边的女人闻声回头，歪着脑袋看西泽尔。没错，确实是琳琅夫人，此时她看起来显得更小了，因为住在这里没有侍女给她化妆。她的眉色淡淡的，唇色也淡淡的，唯有那双黑如点漆的眼睛依旧。

看见西泽尔她并未流露出惊喜的表情，关在这死寂的地方她也看不出害怕，她走到铁栏杆旁边，歪着脑袋端详西泽尔，像是在看一个陌生人。

她一直都是这样，认不出西泽尔是自己的儿子，在她的世界里西泽尔大概是一个经常出现在她身边、看起来有点眼熟的男孩。

阿黛尔像只猫，是顽皮得像只猫，琳琅夫人其实也像只猫，是智力像只猫。据说猫的记忆只能维持七天，七天过去，就连从小喂它的主人它都不记得。琳琅夫人就是这样的，西泽尔要是出门几天，在她眼里连"眼熟的男孩"都不是了。

现在她大概正在努力地思考这忽然出现的男孩是谁，但她实在想不起来了，有点苦恼地皱起眉头来。

这时候西泽尔可顾不得吓不吓到她了，伸手抓住她的手，四手交握感受到体温，他的心才缓缓地落回了原位。母亲确实还好，很健康，至于待在这种地方，于她而言倒未必很难忍，住在舒适豪华的坎特伯雷堡她也不欣喜。

琳琅夫人任儿子抓着自己的手，像是很乖的少女似的，这说明她多少还有点记得西泽尔。

"我会想办法带你回家，我一定会想办法带你回家。"西泽尔轻声说，他知道这话琳琅夫人根本无法理解，但他还是要说。

"一个简简单单的脑白质切除手术，夫人就可以回家了。我们会安排翡冷翠最有名的脑科医生为她做手术，确保手术不出现任何问题。"审判官淡淡地说，"手术后的她跟现在不会有什么区别，只是更安静一些。"

"闭嘴。"西泽尔低声说。

他使劲地握了握母亲的手，随后转身离去。他没时间留在这里叙亲情，他得去想办法。

"还有时间做决定，距离执行火刑的时间还有几天。"审判官跟在他身后，轻描淡写地说。

在走廊尽头，西泽尔又一次回头，发现琳琅夫人已经回到小窗边了。她认真地看着下方，可下方其实什么都没有，只是细雨中的广场，偶尔有执行官来往。

西泽尔心中微微一动，明白了母亲在看什么……她仍然在等那个曾经跟她跳舞、跟她相爱、跟她生儿育女的男人来接她！

夜幕之下，教皇宫灯火通明，武装着白色甲胄的骑士们沉默地握紧战斧。

机车高速驶来，急刹甩尾，浑身湿透的西泽尔完全不顾倒在积水里的机车，疾步入宫。

今晚教皇宫中并没有酒会，他也不是贵宾，虽说他曾无数次出入教皇宫，但每次都得经过机要秘书的通报。但今夜他等不及通报了，他必须立刻见教皇，他知道门前的骑士会阻拦他，可就算拦在前面的是整个炽天骑士团他也得冲过去！

"前方禁区！止步！"骑士们的战斧果然交叉着落了下来，如一道锋利的钢铁闸门。

西泽尔若不停步，就会被纵剖开来！可西泽尔像是根本没看见那两柄危险的武器，依旧昂首直行！

他这是在"逼宫"，逼宫就得赌上点东西，比如……生命！

生命是为数不多的、真正属于他自己的东西。他的其他东西都是教皇给的，教皇一句话就能收回去。

琳琅夫人不是刚刚出事，以教皇的耳目之多，不可能不知道，但教皇对此保持沉默。

那个男人会这么做，西泽尔并不惊讶，尽管他跟母亲共舞的时候曾经流露出一丝半缕的旧情，但那也就是一丝半缕而已。

西泽尔从未期待过父亲情深似海，母亲对父亲来说算得了什么？只是曾经犯下的错误而已。那个男人心里至高无上的东西只有权力。

当年那次切除脑白质的手术他就没有阻止，如今这次手术只是当年手术的"补完"而已。

西泽尔想让他动用手中的权力去救母亲，就只有逼他！用尽自己的一切去逼，权力、地位、荣誉乃至于生命！

如今的西泽尔不再是那个克里特岛上的无助男孩了，甚至说得上是一个举足轻重的人物，逼得他走投无路，教皇国就会损失一位珍贵的功勋骑士，他未来的价值比得上一个师团！这是谁都得掂量的，尤其是教皇，因为西泽尔是他的利剑。

西泽尔继续前行，战斧继续坠落，双方都展现出军人的顽固。眼看就要到血光迸射的时候，有人伸手凌空一举，便有一股无形的力量顶住了那两柄斧头，令它们无法再落下分毫。

那是一个消瘦的老人，他站在门前，似乎在看雨，厚重的红袍在夜风中翻动。

"史宾赛厅长。"西泽尔直视老人的眼睛。

教皇厅厅长史宾赛，同时也是红衣主教史宾赛，号称教皇手下的第一忠狗。他掌握的教皇厅自成系统，会聚了众多的精英，完全服务于教皇。

史宾赛厅长德高望重、学识渊博，跟他相比，铁之教皇就是头铁爪的雄狮，蛮横粗暴，两个人的位置倒过来似乎更加合适。

其实史宾赛自己也是个权力者，他是资历极深的红衣主教。不知多少权力者想从教皇厅把史宾赛厅长挖走，得到史宾赛，绝对是如虎添翼。但史宾赛都拒绝了，他的理由是为教皇工作很好。

很好？这真是一个莫名其妙的托词。什么叫很好？很好是多好？让你心甘情愿地效忠一个资历逊于你，能力也未必强于你的人？其实你自己没准都能当教皇！

没人知道，但是教皇和史宾赛厅长的配合确实"很好"，教皇通过史宾赛厅长下达各种各样的命令，史宾赛厅长就是教皇的代言人。

"你不该来的。"史宾赛厅长叹息。

"我要见他！"男孩站在雨中，低声嘶吼，湿透的头发黏在脸上。

"今夜教皇宫中有极其重要的会议，很多重要人物出席，别说你没法见到他，连我也只配站在门口当个守门人。"史宾赛厅长再度叹息，"西泽尔，你是我们倾注了大量资源培养出来的人，你比绝大多数你这个年龄的孩子都懂这个国家的格局，你应该知道异端审判局是宗教审判机构，只对枢机会负责。如果教皇厅能帮上忙，不等你从前线回来，我已经出动了。但这个案子恰好处在教皇厅无法过问的范围里，你指望从教皇厅这里获得什么呢？"

"我要一份特赦令！"西泽尔咬着牙，面目狰狞，"我要一份教皇签署的特赦令！他不是号称神的代行者么？他有权签署特赦令！"

史宾赛厅长苦笑："特赦令？你疯了么，孩子，你真的认为教皇可以随心所欲地签署特赦令？每一份经教皇签字生效的特赦令都是枢机会批准过的啊，圣座的签名只是走个形式。就算圣座强行签出一份特赦令，它也不会生效，结果只会是圣座被罢免。"

史宾赛每说一句话，西泽尔的心就冷一度，冷得像是要结成冰块。

因为他很清楚史宾赛并没有说假话，父亲对母亲多少还是有点感情的，如果教皇厅可以出手，早就出手了。但幕后的人准确地把这件事置于教皇无法过问的范围内，而且毫无疑问幕后的人是比教皇级别更高的权力者，在那无形的压力下，教皇厅根本动弹不得。

可这样就放弃母亲了么？那男人还要权力干什么？男人要权力不就是为了保护自己爱的人么？

"闪开！我要见他！"西泽尔抽出腰间的短枪顶着史宾赛厅长的额头，"我是你们训练出来的人，你们指望我就这样调头回去，看着他们再把那肮脏的手术刀插进我妈妈的脑子里么？"

白色骑士们骤然反应，这次动的不是战斧了，而是从背后拔出了格斗短刀。这才是真正要对西泽尔动手的表现，战斧只是某种威慑。

两柄格斗短刀切出两道铁色弧光，在西泽尔的后脑交叉，西泽尔纹丝不动地盯着史宾赛厅长的眼睛，而那个枪口下的老人也没有流露出任何不安……他第三次叹息，很长很长的叹息。

"你想要的东西，教皇厅没法给你。"史宾赛厅长把早已攥在手中的木头盒子递到西泽尔面前，"你父亲说，如果你固执到发疯的程度，那就把这个东西给你，这是他能给你的一切了。"

西泽尔愣了几秒钟，伸手接过那个盒子。他深深地吸了口气，打开盒盖……盒子里并非他期待的特赦令，只是一块普普通通、有棱有角的石头。

教皇给他的东西竟然是块石头？意思难道是"你可以抓着这块石头去砸那个审判官的脸"么？或者说"其实过了那么多年，你根本就没有长进，依然还是那个只会握着石头发狠的少年"？

史宾赛厅长转过身，根本无视西泽尔的枪口，教皇厅的黑铁大门裂开了一道口子，史宾赛厅长的红袍消失在那个裂口里，裂口重新合拢。

白色骑士们恢复到雕塑的状态，一切好像全未发生过，只剩下男孩站在雨中，沉默地看着手中的石头。

不知道过了多久，他转过身，渐行渐远。他的背影在雨中是那么的孤独和萧索，远处的城市灯光如海，他像是慢慢地没入了海中。

042 手术

无星无月的夜晚，西斯廷大教堂开门。

黑色礼车长驱直入，刚刚停稳在广场上，就有执行官迎了上来："勃兰登医生？"

来客推门下车，掏出证件递了过去。他二十五六岁的样子，面容英俊，鼻梁上架着纯银的细框眼镜，一眼就能看出是个大夫。他左手提着黑色的手提箱，右手伸出去跟那位执行官握手："是我。"

委实说勃兰登根本就不想跟异端审判局的人握手，他总觉得那些人的指甲缝里都沾着鲜血。可异端审判局找上他，他也只能应命而来。

勃兰登可能是翡冷翠第二有名的脑科医生，第一有名的是他的老师，但老师年纪大了，手不稳，所以要论起动手术，勃兰登就是第一了。

今夜他来这里是要为一名罪犯做脑白质切除手术。这种手术勃兰登做了不下百例，他的老师做了上千例，可以让那种癫狂、暴躁仿佛恶魔附身的精神病人恢复平静，只是术后病人会变得迟钝麻木，连身边的人也不认识了，但自理能力还是有的。

执行官核对证件之后递还给勃兰登："欢迎，勃兰登医生。"

"在这里做手术？"勃兰登仰望那座石灰岩圣堂，不禁有些惊讶。

此刻数百盏灯和数百名全副武装的执行官围绕着它，他们端着沉重的多管火枪，枪口四下扫动，不下十名机甲骑士分散在圣堂四面的台阶下，拖着蒸汽巡视，何等严密的防御！在防备什么人？

"这些您就别管了。"执行官说，"做好您的手术，不要问跟您无关的事。"

圣堂大门缓缓打开，勃兰登没来由地打了个寒战，但还是老老实实地走了进去。

圣堂中还是点着无数的蜡烛，烛光中坐着铁面的审判官，审判官对面设了两张椅子，空着的那张显然是留给勃兰登的，另一张椅子上坐着个十五六岁的男孩。

勃兰登不由得多看了男孩几眼，那是个秀气得有点像女孩的男孩，只是脸色太过苍白了些，温暖的烛光都照不红他的脸。男孩穿着一件考究的黑色小礼服，胸前簪着一朵白花，这像是出席葬礼的装束。

"这位是女犯的亲属，"审判官为他们介绍，"这位是翡冷翠最出色的脑科大夫勃兰登先生，我们许诺过会提供最好的医疗条件，确保不会损伤夫人分毫。"

"很高兴认识您，勃兰登医生。"西泽尔跟勃兰登握手，这是个很成人化的举动。

勃兰登不由得多看了男孩两眼，因为很少有人有他那种颜色的瞳孔，深紫近乎黑。

判决书递了上来，勃兰登随手翻阅，根据这份判决书，手术对象是个女巫，她试图杀死自己的一对儿女血祭魔鬼，被判火刑，但出于人道的考虑，决定用脑白质切除手术代替火刑。

勃兰登都不知道在如今这个年代，刑罚中还存在着火刑，也很难相信在翡冷翠这种大城市里还有血祭魔鬼这种事，不过这不是他该问的事，他确认印章和手续都无误，就在"处刑人"那一栏上签下了自己的名字。

西泽尔也在判决书上签了自己的名字，审判官核对无误后点了点头："很高兴最后能和殿下您达成共识，这样对大家都好，手术后您就可以把母亲领回家了。"

勃兰登微微一惊，没想到这个男孩还是位殿下呢。一个女孩般柔弱的小殿下，要为母亲被处刑签字，真是可怜啊，可自始至终他没在男孩的眼里看到一丝悲戚或惊惶。

"我要亲自看手术的全过程，"西泽尔说，"以防你们做什么手脚。"

审判官吃了一惊，这是西泽尔临时提出的要求。对勃兰登这种顶级医生来说，脑白质切除手术说不上血腥残酷，但也不是正常人喜闻乐见的，何况手术台上的是自己的母亲。

"我信不过你们，我只信自己的眼睛。"西泽尔冷冷地说。

审判官迟疑了几乎半分钟，都到这一步了似乎也没必要在这种小事上扯皮，西泽尔未带任何武器进入圣堂，那他就是安全的。就算他偷藏了什么武器也不怕，这个男孩只有和炽天使甲胄合在一起才是究极的危险分子。

"那好，我带两位上去。"审判官说。

还是乘坐那架升降梯，他们抵达了黑石的监狱，今夜这间监狱里防备森严，到处都是荷枪实弹的执行官。

他们在黑暗中行走，穿过长长的走廊，月光忽然如海潮般涌来。勃兰登呆呆地看着眼前的景象，足足二十秒钟没说出话来，然后他在胸前画了个十字："神啊，宽恕这迷路的羔羊。"

琳琅夫人被缚在黑铁的十字架上，好奇地望着那轮忽然从乌云缝隙中闪现的月亮。她穿着简单的素色长袍，却勾勒出她那少女般的曲线，她的脸上还带着稚气，简直无法想象她是西泽尔的母亲，说是姐姐还差不多。

这种女人会是女巫？她该是天使才对啊，虽然没有羽翼，但勃兰登一时间有点恍惚。

"那就是我妈妈，拜托勃兰登医生了。"西泽尔轻声说，"现在其他人都出去，只留我和勃兰登医生。"

审判官一愣。

"手术中也许会见到我母亲的身体，医生看见那是没办法的事，你们也想卷进来么？"西泽尔看向审判官，"别忘了我父亲是谁。"

审判官思考了一下这个问题，带着执行官们老老实实地退了出去。他确实只是个代理人，他的工作就是让琳琅夫人把手术动完，为了这个事情让他得罪教皇？他疯了不成?

勃兰登感觉这位女孩气的小殿下颇有点威风凛凛，他也蛮高兴的，毕竟在审判官和执行官的监督下工作可不好受。

他打开随身带着的黑箱，黑丝绒上一片纯银的光辉，纯银的柳叶刀、纯银的十字钉锤、纯银的卡口钳、纯银的长柄钩子……

"手术器械，有点像刑具，不过其实并没有那么疼，"勃兰登挽起袖子，开始给双手消毒，同时向西泽尔解释，"大脑内部是没有痛感神经的，只是在颅骨上打开一道细缝会疼，但我带了最优质的麻药。银质的手术器械自带消毒功能，绝对不会感染。"

他跟西泽尔说这些其实是不想得罪这位年轻的殿下。无论殿下的母亲真是女巫还是冒犯到了什么更大的人物，勃兰登都不想被这位殿下看作仇人。

他的意思是我就是个来做事的，我会把事情做好，异端审判局叫我切除你母亲的脑白质我不能不切，但我绝不会多让她受伤害。

审判官在铁门外踱步，月亮又隐入乌云中了，今夜天空乌云密布，像是随时会下起雨来。这种天气让人没来由地心神不定，他暗自祈祷事情顺利结束，让西泽尔把他母亲领回家去。

对于一个已经是傻子的女人来说，补完那个手术能有多大伤害呢? 反而会让她的内心更加平静。对西泽尔殿下来说这也是唯一的选择吧，对大家都好的选择，审判官在心里安慰自己。

但那个男孩可是"锡兰毁灭者"啊，关于他在前线鬼神般的残暴，审判官也略有耳闻……

他抓起电话: "报告防务情况。"

"甲胄骑士十二人处在最高战备状态，执行官三百名处在最高战备状态，重炮三十门随时可以击发，来复枪射手八人封锁附近的道路，防务一切正常。"副官回报，"一支军队也冲不进圣堂!"

"保持警惕! 我们需要两个小时!"审判官挂断了电话。

他在仔细听牢房里的动静，一切都在按部就班地进行着，勃兰登似乎在给手术器械消毒，同时跟西泽尔解释着手术的细节。

"早期的脑白质切除手术需要开颅，但我的老师改进了手术，只需要在脑颅上开一道细缝，把特别打造的银质尖刺伸进去切断脑白质的神经束，然后用细的银管把废掉的脑组织吸出来，手术就完成了。"勃兰登说。

整个铁十字床立了起来，枕头的位置上有个椭圆形的缺口，琳琅夫人的后脑从那里露了出来，便于手术。

西泽尔站在床边，面无表情地听着，琳琅夫人却因那些银光闪闪的器械觉得害怕了，她的躯体因紧张而扭曲。

"妈妈，别怕，我在这里。"西泽尔拥抱母亲，轻轻抚摸她丝绸般的长发。

这个举动让勃兰登有点感慨，他想到雪地里野兽的幼崽把毛茸茸的身体拱在母亲的怀里以寻找温暖，可眼前这个男孩在用自己的体温给母亲以安慰。

他拨开琳琅夫人的头发，用碘酒在要切开的地方做了标记，接下来他要给琳琅夫人剔掉头发，以便手术。

这么好的一头长发剃掉可真是叫人于心不忍，他握着琳琅夫人的头发，心中生出一丝绮思，目光不由得顺着琳琅夫人的身体曲线移动。

"你认识我么？勃兰登大夫？"西泽尔忽然问。

"您是……西泽尔殿下？"勃兰登记得在判决书上见过这个男孩的名字。

"不，我想你并不知道我是谁，"西泽尔从母亲的怀里抬起头来，凝视着医生的眼睛，"如果你知道，又怎么敢当着我的面用这样的眼神看我妈妈？"

勃兰登心里一惊。

"不过这也说明你跟他们并不是一党，所以……我饶你不死！"随着这句话，西泽尔忽然动了，从勃兰登的箱子里抓了最长的那根银刺，狠狠地贯穿了勃兰登的肩膀，推着他，将他钉在了角落里的木架上！

这电光火石的一瞬，勃兰登连疼痛都没有来得及觉察，他惊讶于这女孩般的男孩忽然爆出了……雄狮般的眼神！

西泽尔一击得手后立刻封住勃兰登的嘴，不允许他发出任何声音，旋即闪到走廊的尽头，把铁门锁死，再用早已准备好的万能钥匙打开母亲手腕上的锁，抱她坐在旁边的椅子上。

为了防止妈妈惊恐地喊出来，他把一块糖送进她嘴里，那是琳琅夫人最喜欢的一种糖，她虽然惊讶于眼前发生的一切，但嘴里含着糖就不闹了。

所有这一切发生在几秒钟之内，勃兰登的肩膀断裂般疼痛，满头都是冷汗，原本不该再有心思管西泽尔在做什么，但他还是惊讶地瞪大了眼睛，看着这男孩忽然变得凌厉而寒冷。

他毫无疑问是要救自己的母亲，虽然勃兰登想不出在这种铁壁般的围困中他能有什么办法。一切都是伪装，包括这位小殿下柔弱的眼神，勃兰登从踏入圣堂开始就踏入了这个男孩的圈套！

如今他所做的一切都可以把他自己送上电椅，但他似乎根本没考虑过后果，稳定精密地操作着，不惊不惧。

这根本不是十五六岁男孩能有的心理素质，这是什么怪兽般的男孩？

外面传来了审判官的敲门声："勃兰登医生？勃兰登医生？"

审判官也非常敏锐，他意识到不对是因为勃兰登的声音一下子消失了，牢房里静得有点异样。

"勃兰登医生！勃兰登医生！"审判官的声音转为低吼。

男孩的救援计划立刻就败露了，原本在这种情况下他也没法瞒住多久。

"执行官！把门打开！"审判官的声音转为尖啸。

枪声震耳欲聋，火光在铁门的缝隙中闪灭，铁门剧烈地抖动，锁舌咣咣作响却无损分毫。这间牢房的历史虽然悠久，却是用来囚禁异端罪犯的，所以用上了最坚固的设备和最好的材料，随身携带的火铳一时间是奈何不了它的。

"调骑士过来！快！给我打开这扇门！"审判官抓着电话大喊。

骑士的话，区区一扇铁门是阻拦不住的吧？这个救援行动到此就结束了吧？勃兰登强忍着痛苦想。

可男孩竟然在给母亲扎头发，全神贯注，嘴里念着神圣的诗句："我们四面受敌，却不被困住。绝了道路，却不绝希望。遭逼迫，却不被丢弃。打倒了，却不致死亡。身上常带着神赐的死，但神赐的生，也显明在我们身上。"

他用自己的手帕将母亲的头发绑起："好了，妈妈，我们准备出发。"

这一刻，广场上的执行官们都看见了不可思议的一幕，巨大的黑影从天空中下降，仿佛一头黑色的巨鲸在空中缓慢地游动着。

043 逃亡

"利维坦! 利维坦级飞艇! "有执行官认出了那个庞然大物。

利维坦是个宗教名词, 特指神亲自创造的某个巨大生物, 世上只有大海能容纳它巨大的身躯。它被描述为披着铁甲口中喷火的怪物, 有着巨鲸般的形状, 它游到哪里, 哪里的洋流就会逆转。

利维坦级飞艇, 则是教皇国最杰出的战争工具之一, 它有着百余米长的巨型气囊, 里面填充着轻质气体, 能够载重上浮到云层中去。它的速度不如火车, 航程不能跟铁轮船比, 但它出其不意, 而且绝对无声。

利维坦级飞艇怎么会出现在西斯廷大教堂的正上方? 那是战争工具啊! 难道某个疯子要以圣堂为战场?

巨大的黑箱从飞艇上直坠下去, 西泽尔捂住母亲的耳朵。黑箱砸穿了圣堂那坚硬的屋顶, 制造出弥漫的烟尘。

牢房外忙着开门的审判官和执行官被黑箱撞击教堂的巨响惊退了, 接下来是纷纷坠落的各种建筑材料, 等他们看清了才发现眼前的走廊整个都消失了, 取而代之的是一个沉重的黑铁物体。

这就是那个黑箱, 从飞艇上坠落的时候它看起来并不大, 但那是相对于体积惊人的利维坦。落地却有一间小房子那么大, 从那坚实的装甲外壁来看, 不下十吨重。

西泽尔从另一侧开启了黑箱, 大量的蒸汽溢满了牢房。西泽尔撕下身上的礼服, 赤裸着瘦弱的上身走了进去。

"利维坦级飞艇出现在西斯廷大教堂正上方, 十几秒钟前将一个黑色的物体扔了下去! 请求新的指示! "密报通过电话线传到了某些人那里。

"最终还是不愿意跟我们妥协么? 那头小狮子果然是不可驯化的啊。"有人轻声说。

"档案里都说了, 他是个任性的男孩啊, 一直都是。"

"任性的可不止西泽尔, 以西泽尔的权限怎么能调动利维坦级飞艇? "

"是时候结束这场闹剧了。任性的孩子怎么能成为炽天骑士团的团长? 任性的孩子怎么能为我们征服东方? 那孩子没有用, 放弃他吧。"

"正好他犯下了足以毁灭自己的罪行，那就让一切结束在西斯廷大教堂吧。"

"有点可惜，不过终究不能让自己养的狮子来咬自己啊。"有人抓起了电话，"下达命令给异端审判局，所有执行官实弹射击，不要让西泽尔离开西斯廷。"

"是！"

广场上遍地都是火光，装备了长程来复枪的执行官们都在对空射击，他们的弹头上涂抹了白磷，在夜空中留下闪光的弹道。利维坦努力想要上浮，但这个庞然大物也走到了生命的尽头。

浮在云层中的时候它几乎是无敌的，因为目前还没有什么武器能对高空目标造成威胁，但下降到这个高度它就是在自寻死路，它的气囊里充满了易燃的轻质气体，任何一发带白磷的子弹都可能点燃它。

但为了准确投掷，它又不得不下降。这头巨鲸是以自己的生命为代价把那个黑箱丢进了圣堂。

"瞄准大门！实弹射击！火力覆盖！"

"瞄准大门！实弹射击！火力覆盖！"

……

这条命令在执行官之间迅速地扩散，所有枪口都指向了圣堂的正门。执行官们相互递着眼神，眼神中都有些惊讶。

足足三百名执行官被调来西斯廷大教堂，负责此次的警戒工作。这些人都是精英中的精英，以一敌多对他们而言是家常便饭，可眼下他们被叮嘱以最密集的火力锁定圣堂大门。

那里面藏着什么？一个魔鬼么？

甲胄骑士们也收到了同样的命令，十二名甲胄骑士中，六名是火力手，肩甲上架着沉重的连射铳，此刻那些连射铳呈扇面的形状包围了教堂。

连射铳开始转动，弹链把一枚枚的黄铜子弹填入弹仓，它们随时都能吐出狂风暴雨般的弹幕。

剩下的六名骑士中四名是以钢铁长矛为主武器的冲锋型骑士，他们在台阶下列队，以自己的身体作为执行官的屏障。

最后两名骑士是最精锐的剑舞型，这类骑士的反应速度最快，战技也最完整，他们背着沉重的龙牙剑，保持着沉默。他们只有两人，但他们是最坚固的屏障，他们无处不在。

圣堂大门缓缓地开启，雷鸣般的琴声忽然在圣堂深处响起，那是有人启动了圣堂里那台两层楼高的管风琴，它可以自行演奏几百种宗教音乐，今夜它演奏的是洪涛大海般的弥撒音乐。

神经绷紧的执行官们在乐声涌出的那一刻几乎扣下了扳机，他们不知道自己要狙击什么，但他们本能地畏惧，圣堂开门的瞬间，好像有什么凌厉至极又愤怒至极的气息涌了出来，如刀割面。

"预备！预备！预备！"队长高举着手呼喊。

沉重的脚步声在圣堂中响起，黑影穿越无数烛台组成的光之海，光明被他踩灭，黑暗在他的身后扩张，蜡油泼得满地都是。

"预备！预备！预备！"队长继续呼喊。

那些扣紧扳机的手指都开始发麻了，随时都会有一颗子弹提前离膛。

那赭红色的巨人终于走出了圣堂，站在台阶的最高层，它浑身弥漫着蒸汽，怀中抱着身穿白袍的女人，背后的武器架上环绕着刀剑和枪炮。

"预备！预备！预备！"队长的声音都嘶哑了。

所有人都震惊地看着那个身影和他怀里的女人。他们中有些人知道那是一对母子，可在甲胄的衬托之下男孩魁伟得不可思议，母亲却柔弱惊惶得像个少女，男孩抱着他的母亲，就像武士的手甲上停着一只白羽的鸟儿。

"你是谁？你要带我去哪里？"琳琅夫人瑟瑟发抖。

她认不出自己的儿子，也搞不清楚发生了什么事，她只是觉得周围的一切都太可怕了，她努力地挣扎想从西泽尔的怀抱中逃走。

"我是你儿子，你是我妈妈。"西泽尔略微收紧手臂不允许母亲逃走，同时抬起巨大的盾牌，小心翼翼地将她遮好，"别怕，我们一起……杀出去！"

"发射！"队长咆哮。

数百道闪光的轨迹在同一刻向着西泽尔聚焦过去，其中还夹杂着连射铳的密集火光，仿佛万炮齐发。

子弹打在巨盾和甲胄表面的装甲板上，溅起密集的火花，却未能损伤那具甲胄分毫。西泽尔一步步走下台阶，缓慢但坚定，动力核心高速运转，发出嗡嗡的刺耳的声音，强劲的蒸汽流通过细管灌注炽天使的全身。

那一幕对于执行官们来说简直是噩梦，那在枪林弹雨中前行的身影，像是君王或者魔鬼，他呼吸着浓烈的硝烟，带着焚世的烈火。

根本没有武器能阻拦他，再多的火力也是枉然，那种强大超越了人类所能理解的限度，那东西真的是人类自己造出来的，而不是天国或者地狱向人间投放的东西？

枪声中隐约还有女人的哭声，那是吓坏了的琳琅夫人，她哭得就像个小女孩。西泽尔默默地按按母亲的头，免得她的头探出盾牌的边缘。

冲锋型骑士并肩踏上台阶，四支长矛组成矛阵。这种专供甲胄骑士使用的长矛，矛尖经过特殊的工艺处理，最善于撕开金属材料。

面对这种武器，西泽尔不能再无动于衷了，他从背上拔出了龙牙剑。盾牌格挡左侧的长矛，龙牙剑闪袭右侧的骑士。那一剑的速度太快，持矛的骑士虽是精英，但仍旧胆寒了一瞬，速度慢了半拍。

于是原本整齐的矛阵中出现了一个空隙，西泽尔抓住了这个空隙，放弃了龙牙剑，抓住了矛杆。那名紧握长矛的突击手被他拉得失去平衡，西泽尔发出凌厉的膝击，击在他的咽喉处。

仍是托雷斯当年想出来的近身格斗术，如今西泽尔用得越发得心应手了，即使是黑龙也未必能轻易防住这种攻击吧？

真好，何塞哥哥，我现在还觉得你跟我在一起战斗，我们在一起就会所向披靡！

长矛入手，西泽尔一脚把那名骑士踢下台阶，同时横挥长矛逼退剩下的三名骑士。

三名骑士中的第二人中了这种近身格斗术的招，闪避时长矛被西泽尔夹在了腋下。西泽尔旋转身体夺下第二支长矛，然后射出第一支，贯穿台阶下那名骑士的肩膀，把他钉死在地面上。

他挥舞着长矛，格挡、突刺、格挡、突刺，枪林弹雨，刀光剑影。他的攻击极致凌厉，心情却从未那么放松过。

他的战技愈发熟练，完全不用借助狂化的状态，有种行云流水的感觉。托雷斯当年叮嘱他的要点自然而然地浮现在脑海中，自然而然地被运用在长矛上。

这才是他期待的战场，不是锡兰，也没有国家利益，他做了那么多就是为了保护他的家人，现在他做到了，他怀里抱着母亲，他为她挡一切的枪炮，把所有想伤害她的人都打倒在地。

教皇给他那块石头的时候他忽然明白了其中的寓意："你不是已经拿到了你的石头么？"是啊，他已经抓住了石头，现在是挥舞石头的时候了。

时至今日西泽尔仍然不喜欢父亲，不喜欢他对权力的执着，不喜欢他对母亲的薄情，可西泽尔感谢那个男人，因为他给了自己石头。

那个男人也如约把西泽尔需要的东西送来了，炽天使最新的强化版，"超重武装·红龙改型"。

也许凭借这具甲胄他仍旧不能杀出重围，但他尽了自己的全力，就像那个挥舞石头扑向自己的锡兰男孩，无论结果为何他都会无怨无悔。这是战争教会他的，他终于长大了，他为自己的长大而自豪。

他唯一的心愿就是妹妹能平安地长大，今夜他偷偷地去看了熟睡的阿黛尔，亲吻她的额头说："我去接妈妈了。"

"我们四面受敌，却不被困住。绝了道路，却不绝希望。遭逼迫，却不被丢弃。打倒了，却不致死亡。身上常带着神赐的死，但神赐的生，也显明在我们身上。"他反复地念着这首诗，战斗。

这是他在炽天骑士团学会的，骑士们总在上阵前念这首诗，让心沉静下来，让自己无所畏惧。

无畏的人，所向无敌！

044 究极之盾

烈日般的炫光在圣堂前的广场上闪灭，那是西泽尔从一名骑士的背后扯下了红水银背包，把它投向高空中再一枪射爆，火雨暴降，数十名执行官因此受伤。

密集的射击阵列中出现了缺口，西泽尔抓住了这个机会，用巨盾护住自己和母亲发动了突击。

异端审判局的执行官们当然是精锐，但面对红龙改型，他们和装备简陋的锡兰军人一样无能为力，西泽尔用矛杆横扫，大片的人体被击飞，满耳都是骨折的声音。

肩扛连射铳充当火力手的骑士们无法站在原地射击了，连射铳纷纷从肩头脱落，他们拔出杀伤力惊人的战斧或是双短剑，从不同方向包抄西泽尔。

西泽尔随手把从突击手那里夺来的长矛插入地面，从背后的武器架上拔出了又一柄龙牙剑，转身挥出巨大的弧光。

超重武装·红龙改型的身高差不多三米，异常魁伟的身躯给了它更多的空间储存能源和武器，背后的武器架上排列着冷热兵器，直至此刻，西泽尔才真的开始动用这些武器。

在六对一的情况下骑士们仍然未能压制红龙改型，那具超重型甲胄挥出的每一剑都是"砸"出去的，增强型龙牙剑即使不开刃，单凭重量都能打裂普通甲胄的装甲板，而这种重量惊人的武器被西泽尔单手运转自如。

一柄制式战斧被直接砍断，半截斧刃飞旋出去，砍在一具大理石雕塑的脑袋上，几秒钟后，那具雕塑整个崩塌了。

剑舞者们登场了，两名剑舞者一直在外圈移动，高速加上黑色涂装，大大地增加了他们的隐蔽性，一眼扫过去，只看见一片白蒙蒙的蒸汽中，影子一闪而过。

他们这是在寻找偷袭的机会。

剑舞者是战技最全面的骑士，近身作战，凶猛凌厉，但他们的装甲板很薄弱。他们对上同为剑舞者的西泽尔，如果不能短时间内重创对方，就可能反过来被西泽尔重创。

他们不能再等了，因为那六名火力手已经无法保持队形了，赭红色的巨龙就要从骑士刀剑组成的牢笼脱困。

一道白蒙蒙的蒸汽从头顶上方直坠下来，在谁也没有注意到的时候，一名剑舞者竟然爬上了矗立着圣者雕像的高台，如同钢铁的巨鹰发动扑击。

同时西泽尔背后的执行官队伍中裂开了一条道路，另一道白蒙蒙的蒸汽直射西泽尔的背心，龙牙剑割裂空气发出刺耳的尖啸。

完美无缺的配合，两名剑舞者的攻击几乎同时抵达，西泽尔手中只有一柄龙牙剑，无论向着哪个方向发动格挡，都必须扛住另一柄龙牙剑的剑锋。

红龙改型那强化后的装甲板到底有多强？是时候检测一下了！

西泽尔忽然提起了巨盾，从开始到现在他一直将那面巨盾护在胸前，挡住母亲。现在巨盾升起，那个一身白袍、繁樱般的女人忽然失去了庇护，瑟瑟发抖。

她美得让人恍惚，周围那些刀枪并举的骑士和执行官都愣了一下。因为混战的缘故早就没人开枪了，任何有自尊的男性都不愿意把刀剑加于这样孱弱而美丽的女人身上，所以有那么一瞬间，所有人好像都静止了。

除了西泽尔和那两名剑舞者，红龙改型将巨盾举向空中，同时回身扫出地狱般的剑风。

同是龙牙剑，增强型和普通型碰撞，普通型立刻崩碎。那名剑舞者惊讶于手中的武器竟然像纸那样脆弱，连闪避都忘了，西泽尔发出凌厉的踢腿，将他踢出去近十米，沿路的地面都被那名剑舞者踏碎了。

空降的剑舞者则挥舞着龙牙剑狠狠地撞击在那面巨盾上，龙牙剑在触及盾牌表面的瞬间裂成了碎片，盾牌上只留下了一道长长的划痕。

"究极金属！"骑士们一齐退后。

没人知道那面巨盾的材质，它跟炽天骑士团标配的盾牌完全不同，光滑得像是镜面，弹幕打上去像是流水冲击在礁石上，自然而然地向两个方向散射开去。

红龙改型在这支精锐军队的包围之下进退自如，很大程度上依赖于那面盾牌。现在高品质的龙牙剑刺在盾牌上都是这样的结果，只怕那面盾牌是"究极金属"的制品。

教皇国有几种合金是其他国家仿造不来的，它们的强度、韧度和耐久度都很高，用于制造最核心的机械部件，号称"究极金属"。

难道说那面盾牌竟然是究极金属的制品？那些金属的价格几乎跟黄金、铂金相当！是什么败家的机械师会造出这种不计成本的东西？红龙改型握在手中抵挡弹雨的东西，价值差不多等于翡冷翠核心区的一座宫殿式建筑！

巨盾落下，重新遮蔽了琳琅夫人，红龙改型冷冷地环顾四周，一手握紧龙牙剑，一手拔起了插在地上的战矛。

火力手们看着剑舞者，剑舞者们强撑着起身拔出备用武器，执行官们彼此对视，这是何等的力量，让人想起上古神话中，恶魔行走在大地上，带着燎原的火焰，阻挡它的人都被摧毁，如同草芥。

红龙改型，这种东西真是能战胜的么？

但军令是无法违抗的，即使前方是弹雨也要冲锋，后退者死，几秒钟之后，骑士们再度吼叫着发起进击，执行官们也纷纷给火铳上膛。

与此同时红龙旋转起来，带着死亡的飓风。

"红龙突破第一包围圈，执行官死伤比例已经上升到30％。"

"十二名骑士中已经有六名丧失了战斗力，剑舞者全灭。"

"弹药告竭，执行官队形开始崩溃。在弹药告竭的情况下他们对红龙根本无能为力。"

"红龙突破第二包围圈，即将脱离圣堂范围。"

通过电话线，藏在幕后的人们听取着战场报告，沙盘上早已摆好了西斯廷大教堂的建筑模型，数以百计的锡兵被放置在沙盘上，白色的代表执行官，蓝色的代表甲胄骑士，红色的代表狩猎的目标……

那个被称为"锡兰毁灭者"的男孩，他曾经被认为是这个国家的希望，但现在他是这个国家的敌人。

多年前他是克里特岛上的一只小野兽，今时今日他仍然是野兽，为了母亲和妹妹，他可以跟每个人为敌，根本不考虑后果。

每一秒钟他都在制造巨大的损失，军费如流水哗哗流逝，可上位者们从容淡定，会议室里播放着舒缓的音乐。

"再这样下去可就留不住他了啊。"有人缓缓地说。

"能留住的，战场可不是西斯廷大教堂，而是整个翡冷翠啊。"有人轻笑。

"早就准备好了要借这个机会测试红龙改型的威力么？"

"是啊，我们需要更强的、毁灭型的战士，红龙改型正是雏形之一。隆把红龙改型交给了西泽尔，就正好借用一下这个机会咯。"

"用整个翡冷翠作为测试场来测试一具新型甲胄？太奢侈了点吧？他会造成多大的破坏啊，而且翡冷翠道路如此复杂，可别让他逃出去了。"

"怕什么，还有黑龙呢。"说话的人继续轻笑，"命令重炮轰击吧，从现在开始我们要给红龙的生命倒计时了。"

045 射日之矛

圣堂前的广场上插满了骑士们的断剑和断矛，满地都是弹坑和火焰灼烧的痕迹，黄铜弹壳满地滚动……最后一名甲胄骑士倒地不起，身上冒出密集的电火花。

他无奈地向着西泽尔投出自己的断矛，这是骑士间认输的表示，西泽尔看也不看，一把接过断矛，反手扎在那名骑士的机械脚踝上，把他钉死在地面上。

普通的甲胄骑士并不像炽天使那样采用了神经接驳的技术，机械脚踝损坏骑士们并不会觉得疼痛。甲胄中的骑士苦笑了几声，知道西泽尔并不信任自己，毁坏机械脚踝又把他钉在地上，这是防备他在背后偷袭。

这是什么男孩啊？简直就是为战争而生的机械，从走下台阶的那一刻开始，西泽尔的每个举动都是为了剥夺敌人的战斗力，精密到每一个细节，没有任何浪费的动作。

执行官们一边射击一边后退，被西泽尔强压着后退。西泽尔每上前一步，广场上就空出一大片。

子弹打在他身上叮当作响，火花四溅，但有那面盾牌和增强型的装甲板，他只是增添了无数的划痕。如果不是为了照顾怀中的母亲，他早已脱离西斯廷大教堂的区域了。

唯一一次有人对他造成了较为严重的伤害，是一名突击手侥幸用矛尖刺进了红龙的小腹，但下一秒钟红龙就调转剑锋斩断了露在外面的大半个矛头，顺手一刀砍下了那名突击手的整条右臂。

夜空中忽然出现了火红的弧线，火红的弧线从四面八方向着广场集中过来。

执行官们的阵形忽然间彻底崩溃，他们丢下手中的武器四散奔逃，相互踩踏。军纪在这个时候已经没用了，因为他们都认出了那恐怖的武器——焚城炮！

在十字禁卫军装配的各类重炮中，焚城炮是射程最差及射速最慢的，本质上来说是大口径掷弹筒。但它无愧重炮之名，因为它的炮弹里灌满了红水银！它每次发射都是向着天空，划着陡峭的弧线落下，把整座城市化为火海。

难以想象什么人有资格下令，在翡冷翠城内使用这样的大范围杀伤性武器。

火焰的伤害当然是不分敌我的，发射焚城炮，意味着高层要用这广场上的部分执行官为红龙陪葬。在这种情况下执行官们当然会逃，但只有极少数的幸运儿能够离开焚城炮的攻击范围。

黑铁大门是锁死的，他们拼命用身体去撞，但是无济于事。

这一幕简直就像是末日审判，整个广场上遍布着血红色的光，焚城炮的炮弹翻滚着，带着大量的红水银从天而降，向着红龙的头顶汇聚。

西泽尔只有几秒钟的时间做出判断，他当然可以选择撤离，红龙改型的力量应该可以撞开那扇黑铁大门，但得踩着那些执行官的尸体。他也可以选择用究极金属的盾牌笼罩自己和母亲，但盾牌能否挡住火海，没人试过。

这一幕像极了他和他的小队在莲花广场，臼炮齐射，炮弹从天而降，最后的一秒钟里，托雷斯和其他骑士用身躯为他构建了防护墙。

面甲之下，他无声地笑笑，忽然抬脚踢起了一支突击矛。

神经接驳系统200%活化，忽然增强的电流进入脊椎然后分散到神经系统的每个角落，他的所有感官都被强行提升，一刹那间听觉、视觉、触觉都倍增。紫瞳的深处仿佛有另一双眼睛猛地睁开！

他旋转身体，对空掷出突击矛，因为飞行速度过快，那支矛撕裂空气的声音尖锐得像是鸽哨。

如果时间减速的话，人们会看见那支矛以超越焚城炮炮弹几倍的速度上升，仿佛射天的银龙，银光洞穿了其中一枚炮弹，那枚炮弹在半空中爆炸，强光像是太阳提前升起。

焚城炮的火焰覆盖范围极大，当其他炮弹进入这个高温领域的时候，也相继爆炸。红水银本就是极不稳定的东西。

那是末日天谴般的景象，广场上空笼罩着炽白色的云，云中下着火雨。红龙高举着盾牌，盾牌下是娇小玲珑的母亲和魔神般的儿子。

多数执行官得以逃脱这场灾难，但仍有很多人被火雨烧伤，最悲惨的是那些受伤倒地的骑士，他们距离西泽尔太近。

当红水银——那种重量很大的液体——燃烧着洒落在他们的甲胄上，甲胄在几秒钟里被烧得通红发亮，可以想见甲胄里的人体是什么状况。

原本还在拼着命想要浮起的利维坦级飞艇也被这场剧烈的爆炸波及，轻质骨架和气囊燃烧着坠落，笼罩在黑石的圣堂上。

那浮于天空中的巨鲸死了，只剩下熊熊燃烧的骨骼。

西泽尔转过身，向着圣堂方向行军礼，感谢那个拼了命给他送来红龙改型的飞艇驾驶员——他甚至不知道对方的名字——然后拖着浓浓的蒸汽走向黑铁大门。

再没有人阻挡他了，执行官们为这个男孩让开道路，红龙以强有力的肘击砸开了那扇门，冲向了灯火通明的台伯河。

开始下雨了，执行官们默默地站在雨中，眺望着那男孩的背影，仿佛一群沉默的枭。

"红龙突破了西斯廷大教堂的包围圈，正向着台伯河的方向去。"

"焚城炮也没能埋葬他么？真令人惊讶啊，根据锡兰前线的战报，他在锡兰的表现可没这么优秀，幼稚、怯懦、手忙脚乱，全凭狂化状态取得了最高的战功。可看看现在的他，冷静、高效、凶猛，从他走出圣堂到现在，每一个举动都可以写入战争教科书。"

"也许锡兰并不是他真正想打的战争吧，这才是。"

"当初就不该给他机会！也不该给隆机会！不可控的天才就像会误切自己手指的刀！"

"什么样的父亲生什么样的儿子，隆也是个亡命之徒啊。"

"别大惊小怪，一头小狮子而已，还是一只受伤失血的小狮子。十字禁卫军和炽天骑士团本部都已经布防完毕，他能逃到哪里去？独自对抗整个国家的军事机构么？"

"是啊，冲出西斯廷大教堂的时候他已经伤痕累累，能源也即将耗尽才对……失血的野兽，就算爪牙再锋利也坚持不了多久！"

046 逃生通道

西泽尔抵达了一条废弃小巷的深处，两侧都是漆黑的高墙。在市政厅的地图上，它被标注为一个等待拆除的住宅区。

全翡冷翠的钟都在轰鸣，蒸汽哨吹出龙吼般的高音，好像战争爆发似的。宵禁令已经下达，平日里熙熙攘攘的街面上空无一人，雨水冲刷着道路两侧的汽车，沉重的军靴声隔墙经过。

脱离西斯廷大教堂只是第一步，他的敌人不会就此放弃，眼下成建制的军队正在接近这个区域，他应该快跑，可他跑不动了。

他靠在墙根大口地喘息着，红龙的后背装甲摩擦着墙壁发出刺耳的声音，他全身都湿透了，一半是雨水一半是血水。

他的腹部有个巨大的伤口，在广场上，那名突击手把矛刺进红龙的身体时，成功地伤到了西泽尔。只不过西泽尔一直在忍，他不能让敌人看出他的颓势。

机动甲胄对骑士的保护总是最严密的，所以当年在夏宫，西泽尔几乎拆了冈扎罗的甲胄，冈扎罗还是侥幸活了下来。红龙改型也不例外，它的装甲板质量绝对上乘，执行官们的子弹打上去都被弹开。

但那是在完好无缺的情况下，密集的弹雨令装甲板伤痕累累，防御力大幅下跌，那支突击矛恰好是从一块几乎崩溃的装甲板处贯入，几乎刺穿了红龙。

必须有补给才能继续作战，可西泽尔四下扫视，所见只有风雨。

教皇把红龙改型空投给他，当然是要撇清教皇厅和这起危及国家安全的暴力事件的关系。真正的罪人就只有西泽尔，他全副武装地劫走了重罪的母亲，在翡冷翠大开杀戒。至于红龙改型怎么来的，反正驾驶飞艇的人也已经遇难了，教皇厅人可以否认。

因此也别指望教皇给予更多的帮助了，除了一项，就是提供给他的地图上标注了这个补给地点。如果有补给的话他就还有机会，问题是在这种废弃的小巷里，谁来补给他？怎么补给他？

甲胄骑士可不是喝口水吃口东西就能继续作战的，他需要更多的能源，他还需要维修严重受损的左腿膝关节。

忽然，发动机的轰鸣声隔墙传来，西泽尔本能地闪避，却看见背后那堵高墙哗啦啦地坍塌，一辆重型战车随之现形。那辆车一直隐藏在民居里，这时候撞破砖墙出现。

西泽尔手持伤痕累累的战矛，和那辆漆黑的战车对峙了几秒钟，忽然松了口气，弃掉战矛跳上战车，在巨大的钢铁椅子上坐下。

黑衣人从战车撞出的缺口里钻了出来，跳上战车把西泽尔围住。没人打招呼，因为根本没时间，他们以惊人的速度行动起来，将战车上的管道接入红龙背后的阀门，另一群人则开始更换受损的装甲板和受损的左腿膝关节。

医疗官打开甲胄胸部的罩板，开始给西泽尔的伤口做处理。黏稠的药物抹在深可见骨的伤口上，顷刻间就止了血，口服营养剂和肾上腺素针让西泽尔缓了过来，大口地喘着粗气，像是刚刚在海里游了几公里。

"装甲受损率超过50%，三分钟内能更换掉主要受损部位的装甲，将受损率降低到15%。"

"膝关节比较麻烦，我们得更换整条小腿，需要六分钟！"

"怎么这么久？被抓到我们都得进监狱！快点儿！"

"这还是幸亏有备件！没有小腿备件你给我四个小时我也修不好！"

"伤势只能简单处理一下，毕竟不比甲胄能更换备件……来点兴奋剂怎么样？来点兴奋剂再撑半个小时不是问题！"

"再打兴奋剂他就死了！拜托你有点脑子好么？"

黑衣人一边操作一边交谈，语速也是极快。

为首的家伙并未自己下场维修，而是一脚踩在战车某个凸起的阀门上，揭开蒙面的黑罩子喝酒……他们所有人都戴着黑色的面罩，看起来像是某个邪教组织的信徒。

不过说他们是信徒也没错，"蒸汽机械神教"的信徒们。西泽尔早该想到是这群人来补给自己，因为红龙改型就是这帮家伙造的，教皇既然能得到红龙改型，那就跟这帮家伙脱不了关系。

"是不是有武神附体的感觉？"为首的黑衣人得意扬扬，"开枪的时候是不是觉得万炮齐发？没有机械师团队当后援，什么精英骑士都是胡扯，只够给你当靶子的！有我们密涅瓦机关做你的后盾，就放手干吧！"

"教授你刚才说了密涅瓦机关，但我们今天的身份是'路过的机械师们'。"某个黑衣人说。

"闭上你的臭嘴，赶快给我干活！只要你们这帮兔崽子不把我给供出来，谁知道是我给小西泽尔维修了甲胄？"头儿气势汹汹，"我就是路过此地的天才机械师，仗义地对受伤的骑士伸出了援手！"

西泽尔苦笑，这种状况下还有心情斗嘴的，当然是佛朗哥教授和他手下那群神经病工程师了，这些年来一直是这些人充当他的维修团队，每次他重伤倒地都会看见这帮人一脸淡定地出现，把他从骑士舱里揪出来，给他打针输血，同时讨论着这次小西泽尔是不是救不回来了，不如直接送太平间好啦……密涅瓦机关的精英们就是这样一群没心肝的家伙，自负，自我，自命为文明的创造者，臭屁得让你想踩他们的脸。

西泽尔不知道自己跟佛朗哥教授和这帮工程师能否算是朋友，他们压榨起西泽尔来就像磨坊主压榨拉磨的驴子。他们可不是托雷斯，不管西泽尔是否伤痕累累，但凡他还有一口气他们都想把他再丢进骑士舱里再做一轮实验。

西泽尔经常想自己死了这帮家伙可能会很悲伤，但悲伤的不是失去了好朋友，而是伟大的实验进行到一半实验体死掉了。"西泽尔你怎么就死了呢？你应该为科学的进步再挺挺啊！"大概是这种悲伤吧。

可这次他们居然选择了对抗国家的最高权力者，为他提供红龙改型不说，还犯险来到现场充当他的补给团队，这份义气委实让西泽尔不太理解。

"你们怎么把战车藏到民宅里去的？"西泽尔问。

这着实是件叫人奇怪的事，甲胄骑士专用的补给战车，体型之巨大，别说民宅进不了，就连教皇宫的大门都未必能开进去。

"简单，先把战车开进去，再把墙砌上！"佛朗哥得意扬扬，又转头催他的手下们，"快点快点！我们操作的时候会产生大量的蒸汽，在夜里很容易被发现！"

"能帮我把妈妈带走么？"西泽尔低声请求。

"别开玩笑了，"佛朗哥耸耸肩，"全城戒严，我们能带她去哪儿？你难道指望我开着这辆战车一路碾压过去？拜托，那是你的工作好不好？你驾驶的红龙改型，没准是世界上最强的机动甲胄！"

"那你们自己怎么办？"西泽尔问，"密涅瓦机关的总长协助罪犯，你也不能免罪。"

"有什么怎么办？他们围住我们，我们就投降！哭诉说我们刚刚看见你一闪而过，你还顺手对我们开枪！我们被你吓坏了！请军部的老爷们救救我们！"佛朗哥一身流氓气，"怎么说我也是一名枢机卿啊！他们找不到罪证敢把我怎么样？"

"为什么要帮我？我一直以为我对你们的意义跟一条狗差不多。"西泽尔苦笑。

密涅瓦机关里确实也养了很多狗，用于插入金针测试神经回路，工程师们一边养着它们一边等着它们在实验中不幸死去——这帮工程师对吃狗肉毫无心理压力，认为从蛋白质和脂肪的角度来说它甚至比牛肉更好。

"怎么可能呢？你比狗狗们还是要高一个级别的。"佛朗哥很严肃。

西泽尔哭笑不得，原来只是比狗狗们高一个级别，这种安慰人的话也只有佛朗哥这种人能说出来。

"不过即使你是条狗，"佛朗哥拍拍他的肩膀，"密涅瓦机关的人会允许别人来杀我们的狗么？就算是狗也是密涅瓦机关的狗！我们的狗，只有我们能觊觎它的肉！"

还是驴唇不对马嘴的话，可不知为什么西泽尔居然觉得有点温暖。

"装甲板完工！"

"腿部完工！"

"能源充满！"

工程师们纷纷离开，佛朗哥教授把酒罐递给西泽尔："喝一口？"

"我才十五岁，"西泽尔疲倦地微笑，"没到法定饮酒年龄。"

"以你现在的行为已经可以列为这个国家的前几号罪犯了，还管法定饮酒年龄？"佛朗哥教授哼哼几声，然后稍微严肃起来，"就当作饯别吧，你可未必能冲破前方的防线。那样的话，这可能就是我们最后一次见面了。"

西泽尔点了点头，仰头灌了几口酒下去，是高度数的威士忌，呛得他直想咳嗽，但还是强压了下去。

他把酒罐还给佛朗哥，佛朗哥在他面前摊开了一张纸，那是一张地图，他快速地在地图上写画："这是几分钟前得到的消息，他们围捕你的布防图。沿着台伯河两岸，一共是三个师团的兵力，你知道三个师团的兵力意味着什么吗？有人说教皇国一个师团的兵力足以征服一个国家，而他们为你动员了三个师团。他们的武器包括布置在台伯河南岸的重炮，三个装甲战车队，大约六千名骑着斯泰因重机的士兵封锁每一个路口。"

"甲胄骑士呢？他们有多少名甲胄骑士？"

"不少于六十名甲胄骑士，全都是炽天使！"

西泽尔深吸了一口气，他也是第一次知道这个国家有那么多的炽天使，大概把孩子送进炽天使甲胄的"植入实验"并不只在密涅瓦机关执行吧。

"虽说是铜墙铁壁般的包围圈，但你必须直面，因为没有更好的选择。目前状况下这是最安全的逃离路线，我知道你们在战场上把它叫作'逃生通道'。"佛朗哥说。

"是的，逃生通道。"西泽尔点点头。

理论上说，即使在敌众我寡、实力悬殊的情况下，战场上依然存在着"逃生通道"。沿着那条通道脱离，支付的代价最小，生还的概率最大，此时此刻，这条逃生通道已经在地图上标注出来了。

他得沿着台伯河逃亡，河两岸都是豪华住宅区，在这两个区域里是不能再动用焚城炮这类武器了，密集的建筑物也让军团无法冲锋，红龙改型的单兵突击能力可以得到最大限度的发挥。

他最终的目标是河对岸的使馆区，那里驻扎着各国大使，是外交豁免区，没人敢在那里开火。抵达那里之后，会有人安排他和母亲秘密地离开翡冷翠，之后他们或许要流亡天涯，终身躲避异端审判局的通缉……据说历史上还没有人做到过。

不过那是将来的事，将来的事，将来再说。

"记住路线了么？"佛朗哥问。

"记住了。"西泽尔点了点头。

佛朗哥点燃打火机，把那张布防图化为灰烬，这些东西都是证据，会陷佛朗哥于不利。

"去吧，小西泽尔，要是能活下来的话，以后再来密涅瓦机关玩啊。"佛朗哥转过身去。

"我得说真心话，教授您的地盘简直就像地狱，一点都不好玩。"面甲落下遮蔽了西泽尔的脸，"地狱里才会养出我这样的怪物，如果将来还有机会见面的话，宁愿在别的地方。"

"好吧，孩子长大了总是要离家出走的。"佛朗哥笑笑，"最后一个问题。让他们补完脑白质切除的手术，你还能把夫人安全地带回家，过上等人的生活，这个选项真的没有对你产生过诱惑么？你现在的举动却可能把夫人和你自己都送进真正的地狱。"

"有过诱惑，"红龙缓缓起身，再度将那哭闹的女人抱起，眺望着细雨中的城市，"可我看到她呆呆地看着窗外，她在等那个记忆里的男人来接她，那个男人在我看来是混蛋，可那是妈妈在这个世界上最爱的人……如果连那个人都从她的记忆里消失了，那她活着跟死了又有什么区别呢？替我转告那个混蛋，虽然我一点都不喜欢他，但只要有我在，他仍旧可以和我妈妈跳舞，我不会允许任何人打断他们。"

佛朗哥沉默了很久很久，轻轻地吹了声口哨。

战车轰然震动，那魔神般的身影拖着蒙蒙的蒸汽冲向巷子外。那白袍的女人从甲胄的肩膀上方露出头来回望，漆黑的长发在雨中飞舞，眼睛空洞而明亮，像是镜子。

047 死斗

"红龙再度出现！红龙再度出现！"

"预测他的行进路线！所有战斗部门沿行进路线拦截！"

"不行！它太快了！我们无法对它造成足够大的伤害，它似乎完成了补给，战斗力已经恢复！"

　　"谁补给他的？除了少数国家掌握的秘密部门，还有谁能对炽天使进行补给？"

　　"炽天使！我们需要炽天使！我们需要炽天使！"

　　西泽尔在夜雨中狂奔，到处埋伏着无数的杀手。

　　好在密集的建筑让大兵团作战和炮火覆盖都成为不可能，截击他的都是小股部队。那些人隐藏在教堂的阴影里，或者从楼顶直落下来，对他挥舞破甲的重剑，或者试图用火焰喷射器攻击他的红水银背包，或者用某种小型化的马其顿阵打击他的侧翼。

　　其中有骑士，也有普通的步兵，有些人使用的攻击方法匪夷所思，西泽尔想不到世上还有这种对炽天使的攻击方式。

　　藏在幕后的那些人似乎已经笃定西泽尔逃不出他们的手掌心，所以在杀死他之前先玩玩他，就像猫玩弄奄奄一息的老鼠。

　　但截至此时他们掌中的仍然是狮子！

　　西泽尔握着闪虎。对于红龙改型来说街道太过狭窄了，他扭头看见的是二楼的窗户，窗户里是一张张惊恐到痴呆的面孔。

　　这种环境下龙牙剑很容易被卡住，短刀的优势就体现出来了，搭配托雷斯发明的甲胄近身格斗术，他稳准狠地将那些偷袭的骑士"割喉"，用凶猛的膝击和肘击将甲胄里的骑士打成脑震荡。

　　"割喉"并非真的割断骑士的喉咙，而是将他们全身上下关键的电路和管道切断，让甲胄一具接一具地报废。闪虎带着一连串的电火花闪过，一名骑士就像被抽走了灵魂那样瘫软。

　　这种攻击方式非常考验对甲胄的了解和动作的准确性，稍有偏差就会遭到反击，但西泽尔可以做到，他跟甲胄一起长大。

　　闪虎的锯齿刃把好几根金属导线和暗金色链条从一名偷袭骑士的后颈中拉扯出来，然后猛地发力割断。红龙单臂抡起这名丧失行动力的骑士，把他狠狠地砸在一栋无人居住的废屋中。

　　西泽尔不顾母亲的挣扎，把她抱紧在巨盾之后，跌跌撞撞地继续往前走。

　　他再度受伤了，刚才那名偷袭的骑士从一栋楼的阴影里闪出，用一种短管大口径的火枪对准他的小腹射击，锋利的锥形弹头穿透装甲板进入了红龙改型的内部，破坏了某些部件，也在西泽尔身上撕开了一个伤口。

放眼望出去，黑沉沉的城市笼罩在银色的雨幕中，黑暗中不知还有多少个偷袭者等着他。他能听见台伯河的水声却看不见台伯河，他还有很长的路要走。

大人物们在窗前眺望，轰隆隆的爆炸声足以传到他们所在的位置，沾满雨水的窗户偶尔被远处的火光照亮。

"第十三波截击没能成功，他只用了不到十秒钟就切断了那名骑士的后脑线路。"秘书放下了电话。

"我好像记得那名截击骑士在炽天骑士团排名第七啊，排名第七的功勋骑士在红龙改型加上天赋骑士面前，连十秒钟都撑不住么？"有人皱着眉问。

"之前的十二波截击者也不是泛泛之辈，不照样在短时间之内被他制服了么？"

"你们还想玩到什么时候？现有的对骑士用武器设备都在他身上试得差不多了吧？是时候结束作战了！"

"你是担心他最终从我们的笼子里逃走么？放心吧，那种事情是不会发生的。"有人淡定地笑笑，"虽然前面的十三波截击都失败了，但红龙已经被削弱了，他正在失血，一头失血的狮子能跑多远？"

"总之快点结束吧，派出正规军！"

狂风暴雨般的弩箭笼罩了红龙，同一瞬间多达上百枚箭矢发射。

这就是小型化的马其顿阵，发射的不再是铁矛而是全金属的箭矢，金属箭杆金属尾羽，加上破甲箭头。

西泽尔都不知道教皇国还有这样的武器，第一次遭遇的时候猝不及防，被十几支箭矢命中，好在红龙改型的装甲足够坚韧，换作普通甲胄也许已经完蛋了。

这一次在觉察到马其顿阵的瞬间他就蹲下，用巨盾护住了自己和母亲。究极金属制造的盾牌扛住了蜂群般的箭，随后西泽尔上步挥砍……这时候第二具马其顿阵发射了，正面命中红龙！

马其顿阵的指挥官想要欢呼，因为这意味着高额的军功奖励，所有截击小队都得到了这样的许诺，击倒或者击杀红龙的人，他们所获的军功奖励可以让他们全家人一辈子衣食无忧。

两具马其顿阵本来要一齐发射的，但指挥官看见西泽尔携带的那面巨盾，临时改了方案。小型化后的马其顿阵威力相应减弱，只有引诱西泽尔从盾牌后闪出来进攻，他们才有机会。

他们真的做到了……但下一刻，闪虎斩开了雨幕，就在他的面前将那具正在重新填充箭矢的马其顿阵斩成两半。

对机动甲胄来说闪虎或许短小，但在人类面前它依然是巨刃。那浑身扎满箭矢的赭红色巨人默默地提起巨刃，转身把懵懂的母亲抓了回来——她显然是深深地畏惧着这个恶魔般的儿子，西泽尔提步挥刀的时候不得不松开她，那个间隙她就想逃走。

马其顿阵的指挥官愣愣地看着那个赭红色的背影扶着街道两侧的楼宇，一瘸一拐，渐渐远去。

那巨大的魔神这一刻在他的脑海里忽然还原为伤痕累累的孩子，可怜悯心刚生出，西泽尔再度成为咆哮的凶兽。

下一波截击开始了，无数的黑影从小巷中、阴影中、屋顶上闪现，来复枪的枪火、连射铳的弹幕、剑光、线控步兵雷……从天到地笼罩了红龙。

红龙改型震动着吼叫着，以三倍功率运转，他从背后的武器架上抽出短管火枪，大步踏入包围圈。

每一次西泽尔扣动扳机，都有一名骑士被轰飞出去，步兵雷在引爆的前一刻，被红龙的利爪抓着丢了出去，在一名突击型骑士的面甲上爆炸。

西泽尔终于杀到了街道的尽头，钢铁利爪抓着最后一名骑士的面甲，把他狠狠地摔在一栋楼的外墙上。

过量失血让西泽尔的视线模糊了，巨大的体力消耗也早已超过了他的极限，佛朗哥教授说过他的优点在于神经接驳几乎完美无缺，弱点在于体能，红龙改型再怎么强大还得他自己的体能过关。甲胄的状态也很糟糕，刚更换过的左膝关节再度受损。

不过没关系啊，突破极限对他来说不是家常便饭么？他就是那种总能从几近枯竭的身体里榨出力量的疯子啊，何况他现在还抱着这世界上他最重要的人之一。

琳琅夫人哭泣着尖叫着，这个智力水平可能只有四五岁的女人根本无法理解这一切，她大概是觉得自己被什么钢铁魔鬼劫持了吧？哭着想要西泽尔放开她。

西泽尔丢弃了右手的闪虎，使劲提起盾牌遮住妈妈，再用右手利爪罩在她的头顶，以防暗中的枪手偷袭："妈妈别怕……妈妈别怕……"

他只剩下这点语言能力了，他自己都摇摇欲坠。

但忽然间他再度警醒起来，猛地站直了，这个动作好像一个人收紧了全身的肌肉。西泽尔准备从背后的武器架上拔刀，却惊觉武器架已经空了。

街道尽头的细雨中，骑士们并肩站在蒸汽云里，手持黑铁的长矛，仿佛钢铁的墙壁。

十字禁卫军，炽天骑士团本队，终于抵达战场！

048 战友

火焰在双方之间缓缓地燃烧，那是刚才战斗的时候西泽尔把一名骑士的蒸汽包撕扯下来，用作炸弹投掷的效果。火光照亮了双方胸前的火焰军徽。

战斗并未立刻开始，骑士们提着长矛默立，红龙缓步退后拉开距离。

那些都是炽天使，如此大规模地出动炽天使，简直跟锡兰战争的规模相当了，这就是决战了么？

红龙改型的性能比一般炽天使要强，但在重度损伤的情况下是否还有那么大的性能优势很难说，最麻烦的问题还是没有武器了，也许快速地打倒第一名炽天使并从他那里夺下一件武器是最优的战术。

即使是最优的战术，成功率也不会高于10%吧？不过没关系，他早都想明白了。

西泽尔无声地笑笑，正要动作，炽天使阵列中忽然裂开了一道口子。西泽尔以为是指挥官要出列，但事实上并没有，骑士们静静地站在雨中，给他让出了路。

他们这是要让自己离开么？为什么？分明军令已经下达，不执行的人就得上军事法庭，即使他们是炽天使，是这个国家最优秀的军人也不例外。

或者这是个陷阱，引诱自己走到他们中间然后忽然发起进攻？但这不是炽天使的风格，那些高傲的骑士不会允许自己做这种事。

西泽尔来不及思考了，他的能源就要耗竭，他必须抓紧时间抵达中继地点，再等下去他会变成一堆废铁。他抱起母亲，猛然发力前冲，从炽天使组成的铁壁中穿了出去，骑士们构成的屏障令隐藏在暗处的狙击手无法瞄准西泽尔。

在西泽尔即将脱离的最后一刻，某位队列中的骑士低声说："锡兰远征军，向西泽尔·博尔吉亚少校还有我们的教官何塞·托雷斯中校致以敬意！"

西泽尔猛地扭头，看见他们胸前的另一个花纹，血红色的莲花徽章。

原来是这样，原来是曾经跟他一同出征过锡兰的骑士们，托雷斯训练过的骑士们。他们中的某些人曾在臼炮的轰击下充当自己的护甲，如今他们又一次充当了自己的护甲。

真好啊何塞哥哥，我现在清楚地感觉到你在跟我同行！

通道尽头插着一支黑铁的战矛，这当然是炽天使留给他的武器，但他们不能亲手交到他手里，否则在军事法庭上就是证据。这样就算被他抢走了武器吧。在国家机器的沉重压力下，这是骑士们能为他做的一切了。

红龙拔起战矛，跌跌撞撞地走进风雨里。

炽天使们整齐地抬头看向高处，教堂的钟楼上站着漆黑的炽天使，他怀抱着那支堪称神圣的枪，那支枪用红水银的力量驱动，它打出的子弹本可轻易地洞穿红龙改型的装甲板，但它的枪口始终指向天空。

那漆黑的骑士轻声地念着古老的诗句，声音通过无线电传达到每个骑士的耳边："我们四面受敌，却不被困住。绝了道路，却不绝希望。遭逼迫，却不被丢弃。打倒了，却不致死亡。身上常带着神赐的死，但神赐的生，也显明在我们身上。"

"局面已经失控！"有人愤怒地捶桌，"正规军根本就是他的同伙！难道没有人想到那些骑士是他在锡兰战争中的战友么？"

"黑龙呢？黑龙不是出动了么？不是还给黑龙配置了圣枪·朗基努斯么？"

"黑龙就是那队炽天使的指挥官……"

"你们有人监听了他们的无线电么？红龙逃脱的时候，我们看重的黑龙骑士什么都没做而是在念诗！我们砸下那么多资源养出了一个诗人么？"某人忍不住咆哮起来。

"这是黑龙服役以来第一次出现不听从命令的情况……他为什么宁可违抗军令也要帮助红龙？"

"现在我们要分析的不是黑龙，而是如何捕获红龙！前线报告不是说他处在能源即将耗竭的情况下么？这是捕获他最好的机会不是么？黑龙所部不服从，我们难道就截不住红龙了么？"

　　幕后的人们终于焦躁起来，他们有多少年没焦躁过了？今晚却为一个男孩破了例。

　　"他能逃到哪里去？"终于有人打破了沉默。

　　"从他的行动路线来看，应该是去使馆区。"秘书在旁边回答，"那个区域享有外交豁免权，可以说并非教皇国的领土，十字禁卫军也就不能追进去。"

　　"他想用使馆区作为临时的安全港，然后逃出翡冷翠？荒唐！外交豁免权是我们赋予使馆区的！如果各国使馆坐看红龙逃入使馆区而不加以阻止，就当承受教皇国的怒火！"

　　"只怕他们真的会坐视不管，西泽尔穿着红龙改型，那具甲胄凝聚着我们目前的最高技术，它如果进入使馆区，只怕会被各国的机械师分解开来研究。哪个国家不想得到炽天使的秘密呢？"

　　"他会怎么去使馆区？"

　　"他应该会走那座桥跨越台伯河，"秘书立刻在地图上指出了那座桥，"那座桥的尽头是一道闸门，越过那道闸门他就抵达了使馆区。"

　　"落下那道闸门！封锁他的道路！"

　　"那道闸门不归我们管控，那道闸门属于使馆区……"秘书低声说。

　　"那最后的办法就是把他毁灭在那座桥上了！传令下去，所有单位的火力对准那座桥，无须等待进一步的命令，红龙一到就齐射！"电光从天而降，照得桌边的人脸色惨白，就像刚从棺木中苏醒的吸血鬼。

049 桥

　　白色的大桥横跨风雨中的台伯河，因降雨而暴涨的河水冲刷着桥墩，数以千计的枪管和炮管分布在桥的两侧，枪管和炮管口蒙着遮雨布。

　　台伯河附近布置了多达三个师团的兵力，眼下三个师团的重火力全都被集中在这座桥附近，直射炮、龙吼炮、焚城炮、各种大口径枪械，全都对准了桥身。

　　数百名精锐战士会聚在这里，他们在军服外蒙着橡胶雨披，胯下的斯泰因重机轰隆隆作响，排气管吐出浓密的蒸汽云，飘到台伯河上空才被暴雨淋散。

他们悄悄地对视，眼中透着疑惑，不知道什么样的敌人值得他们这样严阵以待。

他们不是炽天使，也没有资格知道太多，只是领命而来，不惜任何代价守住这座桥而已。

大桥的对面就是使馆区，那道坚固的铁闸门后，停着好些辆黑色的装甲礼车。它们都没有悬挂本国的国旗，车内却坐着各国大使或者最高级别的武官。

他们都已经通过秘密的渠道得知了教皇国内的骑士叛乱，这件事跟他们无关，但他们都很乐意来看看事情的发展。

听说叛乱的骑士穿着教皇国最机密的新式甲胄，听说十字禁卫军、炽天骑士团和异端审判局的精锐加起来都没能阻止他，那是何等惊人的究极武力，大家都想知道。

各种震耳欲聋的声音由远及近，好像地面都在震动。

车内的大使和武官们不约而同地举起望远镜看向河对岸，军人们则整齐地扳开枪机。他们中的绝大多数人都不曾近距离目睹甲胄骑士之间的战斗，因此对那声音既紧张又充满了好奇心。

桥这边是几座教堂和大片的豪华住宅，墙壁高耸，墙头趴着石雕的狮子。

此刻那些高墙组成的深巷中时而传来沉重的脚步声，感觉是地狱中的恶鬼在拖着步子行走；时而是金属撞击、石头粉碎的巨响；时而是引擎运转的呜呜声。蒸汽云裹着浓烈的灼烧味从高墙上方飘了过来，墙那边死斗的甲胄骑士们排放出的高热蒸汽和硝烟味，竟然不亚于这边上千人排放出的。真不愧是这个时代的究极兵器啊，据说穿上那种机械就可以以一敌百。

战斗听起来非常激烈，那些机械的恶鬼狂奔着撕扯着，挥舞着凌厉的刃和爪。没有人亲眼见到那场死斗，每个人心中都想象着不同的画面。

那些声音让人心生畏惧而又心怀向往，那是隐藏在人类内心深处的、对究极力量的向往。

那座小教堂的钟楼上，颇有些年头的青铜钟忽然轰鸣起来，像是着了魔似的。

几秒钟之后，钟楼轰然倒塌，机械恶鬼们互相以长矛贯穿对方的身体，相拥着冲破了墙壁。原来钟鸣是因为他们战斗时撞在了钟楼上。

小教堂堪称古迹，黑色大理石外墙，雕饰精美，但已经很久没有翻修了。内部有隐患的墙壁和那些天使、恶魔、狮子与龙的雕塑都在甲胄骑士们的撞击中坍塌，他们彼此抓着对方的身体往墙上砸，又用锋利的铁爪从对方的伤口里抓出电线来。

机械的轰鸣声代替了骑士们的嘶吼，但每个旁观的人都能体会到他们的痛苦。

最终那名体型更为巨大的赭红色骑士从对手的后背上撕下了一根暗金色的索带，对手彻底瘫软，失去了反击的能力。赭红色的骑士拎着对方的后领，拖着他跌跌撞撞地向前走去，装甲板在地面上磨出点点火光。

他终于走进了雨幕，暴露在所有人的面前，任大雨冲刷着。

人们这才惊讶地发现那魁伟到恐怖的身躯里装着的竟然是个男孩，他的面甲早已在搏斗中脱落了，露出了那张苍白的面孔，半张脸被血蒙着，另外半张脸文气得像个女孩。

那就是究极骑士么？他们要对那名究极骑士开枪么？那只是个男孩啊！军人们相互对视。

"是……锡兰毁灭者啊。"有人认出了那个男孩。

总有些人的记忆力特别出众，记得曾在新年庆典上露面的那个少年军官，当时他从教皇手中接过了深红剑鞘的指挥剑。后来据说就是那个男孩在征服锡兰的战争中发挥了决定性的作用，成了国家英雄。

原本有望统领炽天骑士团的英雄，却早早地堕落成了国家的公敌。

为了他怀中抱着的那个女人么？真不可思议，那女人看着比他大出很多，倒像是他的长姐。不过美得也真是倾国倾城，她从那面巨盾后面露出头来的时候，能看清她面容的人都觉得自己的心跳漏了一拍。

那繁樱般的女人满眼都是泪水，两只手紧紧地塞着耳朵，美丽但空洞的双眼扫过无数黑洞洞的枪口炮口，好像身处一场无边的大梦中。

而那男孩则反转了手腕，从机动甲胄的胸膛中拔出了那支染血的矛，矛杆摩擦着开裂的装甲板，发出令人牙酸的声音。

西泽尔无声地笑了笑，对于在这里遭遇十字禁卫军的主力，他是有心理准备的。

从他的推进路线来看，不难看出他的目标是使馆区，他的敌人绝对不是傻子，相反他们可能是这个世界上最聪明的一群人。跟那些人相比，他只是个冲动的孩子。

他能够侥幸地抵达这里，是因为那些人小看了他，小看了他作为亡命之徒的疯狂，还有黑龙的意外放水。西泽尔很清楚地知道他冲出那条满是埋伏的街道时，黑色的身影就站在前方的钟楼顶上。

因为黑龙念出那首炽天使们常念的诗时，相同的频率令红龙改型里的西泽尔也能听到他的声音。

"我们四面受敌，却不被困住。绝了道路，却不绝希望。遭逼迫，却不被丢弃。打倒了，却不致死亡。身上常带着神赐的死，但神赐的生，也显明在我们身上。"

这就是黑龙的骑士道么？那个被高层所恩宠所眷顾的男孩，难道也觉得自己四面受敌？

这世上形形色色的人还有很多是他不能理解的，比如黑龙，比如佛朗哥，比如他的教皇父亲，很多年过去了他穿上了军服驾驭了世间最强的武器，可心底深处还是那个克里特岛上的男孩。

这个世界对他而言太复杂了，也许他不该来翡冷翠的。

他的状态糟透了，能源接近枯竭，武器用尽，大量失血，他之所以到现在还不昏迷，全靠肾上腺素针剂撑着。

他一路上都在给自己注射这种保护心脏、增加供血、提升神经系统活性的药物。入针的位置是胸口上方的静脉，反复针刺造成了大片的瘀血，左胸整个是乌青色的。

但还不够，巨大的疲惫感笼罩着他，他还需要更加振作一些。最后一关了，突破这座桥他才能休息，越过那道铁闸门他就相当于逃出了教皇国的国境，至于边境那边有什么，是将来的事。

他以巨盾为掩护，悄悄把最后一支针管插入自己的左胸，把那种深紫色的药剂慢慢地推了进去，再无声地捏碎了针管。

药物从接近油尽灯枯的身体中再度榨出了些力量，沐浴在冷雨中太久，他的身体早已冷透了，此刻又感觉到些微的温暖。

他扯了扯那张军用毯子，让它包住母亲的头部。这是他从佛朗哥那里拿到的，军用毯子虽然粗糙，但是防水保温，裹在琳琅夫人身上，像是黑色的襁褓。

怀中的女人恐惧地盯着他，像是受惊的小猫炸起了浑身的毛。前次去看她，她还比较温顺，好像对西泽尔有点印象，但这一次西泽尔穿上了甲胄她就认不出了，这一路上她都在哭闹和扭动，想尽办法要逃走。

"别这样啊妈妈，我是你儿子啊。"西泽尔苦笑着用钢铁利爪的背面蹭了蹭母亲的脸。

这也有可能是他们母子的诀别了，谁知道他能不能冲过这座桥呢？准备狙击他的可是十字禁卫军啊，号称世界上最强的军队。

十字禁卫军在高处架设了几台强大的聚光灯，所有光圈都集中在西泽尔身上，怕他借黑夜遁形。强光下琳琅夫人的脸仿佛是半透明的，像是那种从东方运来的、最好的白瓷。

平日里西泽尔并不觉得母亲有多美，因为见得太多了，而且很多人都说他的容貌基本都是遗传自母亲，照镜子的时候他还经常能从自己脸上找出母亲的痕迹来。但今夜他忽然觉得母亲真是很美的，难怪父亲那种铁石心肠的男人也无法拒绝她。

可就是这份美最终害了她，如果可能的话，西泽尔倒宁可自己的母亲是个操劳的、皮肤发红的农妇，夜来在油灯下给他缝补衣服，偶尔给他温暖的拥抱。

其实他这一生基本没有感受过母亲的温暖，也许小时候母亲经常抱他吧？在四岁以前他的记忆还很模糊的时候。那之后她就一直是这样呆呆的，你喊她或者抱她，你快乐或者悲伤，她都没有反应。

托雷斯的死让他那么难过是很容易理解的，从小到大，托雷斯是陪他最久的人，其次就是阿黛尔和莉诺雅。可为什么还是很害怕失去母亲呢？她根本就是个大布娃娃啊。

其实西泽尔也说不清楚，可能是害怕失去了母亲，自己就再也没有可以称为"家"的东西，从此这个世界上就只有他和阿黛尔相依为命。

托雷斯说人越大就会越孤单，因为这个世界上可供你依靠的人会越来越少，亲人会变老会离你而去，即使像托雷斯那样的哥哥也会有一天不再所向披靡，最终一切的决定都得自己做自己承担结果。

西泽尔相信托雷斯说得没错，但他希望那一天晚点到来。

红水银蒸汽沿着管道充溢甲胄的每处关节，背后的气孔全开喷出浓密的气流，红龙向着前方的长桥发起了最后的冲锋！

050 寂

同一片风雨也笼罩着白色的教皇宫。

身披红色法袍的老人站在教皇宫的一座钟楼上，向着台伯河的方向眺望。留声机播放着凝重又悠扬的《骑士舞曲》，身穿黑衣的秘书们排成一队站在他身后，望向同一个方向。

身穿黑色军服的男孩缓步登上钟楼，站在史宾赛厅长的背后，他的白色长发被雨水淋湿了，黏在瘦削苍白的面孔上。

"您召唤我么？史宾赛厅长。"男孩的声音端庄，但是寒冷。

"不敢说召唤，只是邀请你来教皇宫，很感谢你接受了邀请，龙德施泰特中校。"史宾赛厅长转过身来，面对这个代号黑龙的男孩，"教皇厅想对你表达谢意，但我们很好奇你为什么要这么做。"

"谢意就不用了，我不是为了教皇或者教皇厅而这么做的。"龙德施泰特在这位德高望重的红衣主教面前保持着立正的姿势。

"放走西泽尔，你背后的人肯定会怀疑你的忠诚，你将来的发展也会受到影响。如果你需要，教皇厅很愿意给你支持，扶你成为炽天骑士团的团长。"史宾赛厅长淡淡地说，"想必你也知道，这件事的结果无论如何，红龙已经没法用了。"

"史宾赛厅长，恕我直言，我是绝对不会和教皇厅合作的。"龙德施泰特的声音不高，但是毅然决然。

"能让我听听你的理由么？"史宾赛厅长倒也并不生气。

"因为在这个国家的诸多势力中，教皇厅是最激进的战争派，谁都知道圣座渴望着一场席卷世界的战争，通过那场战争他才能掌握越来越多的权力。"龙德施泰特微微昂起头，"但炽天使不该是为了战争而存在的。"

"你在对锡兰的战争中不也是英雄么？没有你的支援，红龙不可能攻下锡兰王宫。"

"作为骑士，我必须服从命令，在战场上争取让尽可能多的战友活下来。但那并不代表我赞成那场战争。"

"真是孩子气的话啊，"史宾赛厅长轻声说，"你怎么知道你背后的支持者就不渴望战争呢？也许他很渴望，但不想表现得很明显。你是他看中要统领炽天使的男孩，红龙是圣座看中要统领炽天使的男孩，炽天使能干什么用？那是究极的武装，究极的武装是用来守护和平的么？孩子，那只是政客们虚伪的说辞，究极的武装只能是用来发动战争的，正如剑最初被发明出来就是用来伤人的。你和西泽尔都是剑。"

"我不知道我背后的人怎么想，我只遵守我的骑士道。我的骑士道让我放西泽尔通过我防守的路口，我愿意为此承担任何后果。"

"红龙是你的竞争者，他第一次穿上甲胄的时候几乎置你于死地。我知道你一直以来都在磨炼战技以胜过他，是什么促使你帮助你的敌人呢？"

"您说的是红龙，红龙确实是我的竞争者。而我帮助的那个人名叫西泽尔·博尔吉亚，我曾经两次见过他爆发出恶魔般的力量，但促使他那么做的理由从来都不是战争。"龙德施泰特望向远方，"这场战争才是他真正想打的吧？为了家人搏上生命，这是他的骑士道，那是崇高的东西，不容侵犯。"

史宾赛厅长沉默了片刻："你可真是一个古板的孩子，也是个幼稚的孩子，就像西泽尔。世界哪是你们想的那样呢？被各种崇高的'道'充斥着，骄傲光荣，堂堂正正……"

"不过，"他轻轻地叹了口气，"听到小孩子们的理想真好，我也很希望世界是你们所期待的模样。"

冲天的火光在台伯河上燃起，片刻之后万炮轰鸣般的巨响传来。

"他们开始了，"史宾赛厅长轻声说，"那条红色的龙，就要突破他的牢笼！"

枪火和炮火吞没了白色的长桥，其中既有小型的直射炮，也有龙吼炮、焚城炮，更多的是重型的破甲用枪械。

所有人都瞄准那个赭红色的巨大身影，他冲锋的态势简直像是太古的巨神，面前有座山都会被他冲碎。

桥面上也设置了坚固的钢铁路障，路障后成排的炽天使待命——调来截击西泽尔的炽天使中，除了黑龙从锡兰带回来的那些选择了中途撤退，再有部分在半路上被红龙变成了废铁，剩下的都集中在这里。

以炽天使骑士们的骄傲，本该由他们正面阻击红龙，但超重武装·红龙改型一路碾压着来到这里，藏在幕后的上位者们已经没有足够的把握纯用炽天使部队留下它，而是想用炮火把整座桥连同红龙一起轰碎。

如此密集的炮火，简直就是灭世的火流，不亚于黑龙使用的那支圣枪，就算是巨神也该化为一堆融化的金属了吧？

　　但未必所有人都这么想，远处的另一座钟楼上，佛朗哥和他的工程师们也在遥望这边的火光。

　　"教授……红龙的装甲真的能对抗那种程度的炮击么？"有人低声问。

　　"当然对抗不了，就算是究极金属，在那种炮火里也熔毁了。"佛朗哥随口说。

　　"那……"工程师愣住了。

　　"可我们造出来的又不是炮击的靶子，"佛朗哥大口喝着烈酒，"红龙最大的优势可不是那身装甲板，虽说是超重武装，可再怎么它都是炽天使，炽天使最强的地方，在于它是超机动的！"

　　红龙在炮火中舞蹈起来！

　　当年冈扎罗不相信西泽尔能重复地使用腿击，心想如果炽天使的灵活性跟人接近，那岂不是连跳舞都可以了？如果此时此刻他亲眼看见这一幕，就会明白自己对炽天使的理解简直太浅薄了，就像是孩童仰望星空。

　　炽热的火流中只有少数武器能透过红龙改型的装甲板造成致命伤，譬如焚城炮，再譬如迎面被直射炮命中。西泽尔闪避着最致命的攻击，同时用那面究极之盾挡开弹幕，他跳跃着、旋转着，真的就像在雷电的缝隙中跳舞。

　　"瞄准射击！"炮兵长官在咆哮，"他的速度……怎么会这么快？"

　　精英炮兵们也有点不知所措，长桥完全被笼罩在火光中，他们使劲瞪大眼睛才能看清红龙的影子，他们瞄准的速度追不上红龙移动的速度。

　　"它……它是超机动的！"终于有人发现了其中的问题。

　　任何人第一眼看到红龙改型，都认为是超厚装甲板武装起来的堡垒型骑士，堡垒型骑士必然笨重，行动缓慢，容易成为射击目标。

　　但在快要踏上桥面的时候，红龙改型那厚重的装甲板全部脱落，那一幕发生在爆炸的火光中，只有极少数人看清了。那一刻伤痕累累的装甲板全部崩散，一个身影破甲而出！

　　那才是真正的红龙改型，所谓超重武装·红龙改型不过是在它身上悬挂了更为厚重的装甲和沉重的外挂动力系统"龙骑兵套装"，现在西泽尔抛弃了所有的外设，恢复到最核心的状态。

他以舞蹈般的动作闪避着致命的炮火，同时肩部的装甲板翻开，蜂窝般的金属槽中喷出了萤火般的光点，飞出一段距离后，这些萤火般的光点炸出了刺眼的光幕。

"火萤之巢"，这些光点的爆炸没多大威力，顶多也就是烧伤完全没有防护的步兵，但光幕比炮火的光更加明亮，所有人都本能地闭眼。

就在这个时候，红龙突破了他自己制造的光幕，把密集的炮火抛在了背后，越过临时设置的路障，落向炽天使们的头顶。

台伯河的对面，各国大使和武官都被这场面震撼了，这才是机械技术的巅峰么？人和机械的……完美协同体！

他跃出那片光幕的时候，简直就是天国开门，那些神话中的天使们背负着致命的火焰，从天而降！

051 怒

红色的弧光闪灭，仿佛两柄巨斧在纵横挥斩。还是那曾经击溃冈扎罗的格斗家攻击术，西泽尔以大范围的踢腿荡开围攻上来的炽天使群，除掉了外设之后红龙依然比普通炽天使高大，踢腿带起的风仿佛来自地狱深处。

他掷出了盾牌，那面沉重的巨盾像是浮舟般带着他的母亲向前冲去。红龙的双手彻底解放，两把龙牙剑画出交错的弧光。

神经接驳系统200%活化，人和机械之间以前所未有的方式融合，机械仿佛在这一刻获得了生命。

动力核心的运转功率达到额定功率的三倍，红龙全身上下每道缝隙中都喷射着炽热的蒸汽。

已经没有人去管琳琅夫人了，骑士们全都扑向了西泽尔。作为骑士，他们有自己的尊严，不会把带着锯齿的剑锋对准一个手无寸铁的女人，西泽尔明白这一点，所以才敢暂时地让母亲离开自己身边。

刺眼的电火花、飞溅的润滑液、金属的断肢、伤口处飞蛇般的电缆……这是最高级别的骑士之间的战争，但那画面透着古老的美感，仿佛千百年前就被刻画在岩壁上。

一柄重剑割开了西泽尔后背的主装甲板，西泽尔连头都没有回，龙牙剑转为反手，将那名骑士"割喉"。

一支战矛自斜里刺出，把红龙腰侧的鳞片状护板挑开，鲜血喷涌出来，但瞬间就混合了高温蒸汽，化为一团红色的雾气。

大口径破甲枪轰响，一枚尖锥形的子弹贯穿了红龙的左肘，神经接驳的方式无疑会给西泽尔带来剧痛，但他毫无反应，掷出了右手的龙牙剑，贯穿了一名炽天使的小腹，再从废掉的左手中抓过那柄龙牙剑，继续挥舞。

红龙每前进一步身后都会留下一具废掉的甲胄，但它每前进一步都会付出相应的战损，他已经不再是那台超重武装了，卸除了重型装甲之后，他的防御力也随之下降。

继续这样下去他绝对冲不过这座桥，在冲过闸门前他就会被炽天使们撕成碎片。

连桥对面的大使和武官们都为他暗自焦急起来，虽然他们不能摆明了支持这位叛变的骑士踏入使馆区，但目睹了红龙改型那种逆转胜负的力量之后，谁都会迫切想要得到这具甲胄，哪怕是碎片。

西泽尔的意识开始变得模糊，最后那支肾上腺素的药效差不多也耗尽了，他的心脏疲惫得快要停止跳动，他的身体再度变冷，他甚至感觉不到疼痛，他想要睡去，哪怕一睡不再醒来……

只剩下意志在支撑着他，让他以自己的后背为盾，顶住了枪林弹雨，推着那面巨大的盾前行……巨盾如船，船上有他的母亲。

炽天使们小心地跟在后面，保持着距离，用连射铳而不是剑与矛持续地攻击着。这是最稳妥的战术，他们完全可以用子弹把红龙改型废掉，也就不用面对红龙那堪称恐怖的近身作战能力。

狂风暴雨般的子弹打得红龙身上的装甲板塌陷，那具曾经看来不可战胜的甲胄拖着电缆，爆出无数的电火花，流淌着墨绿色的液体。

甲胄的双腿膝关节都损坏了，走起来摇摇欲坠，就像坏掉的玩具人偶……他早该倒下了，甲胄的重要零件已经报废了很多次才对，可为什么他还在行走呢？

果真如骑士教官们说的那样么？甲胄终究是没有灵魂的东西，装入骑士就是装入了灵魂，真正的强大，并非源自功率和装甲，而是灵魂，灵魂深处的某些东西。

此刻支撑着那钢铁躯壳行走的就是那个男孩的灵魂吧？真不可思议啊，那么一个小小的、尚未长成的孩子，却要用灵魂撑起顶天立地般的巨人。

炽天使们一边扫射一边对视，他们接到的命令是"所有单位的火力对准那座桥，无须等待进一步的命令，红龙一到就齐射"，而不是必须杀死西泽尔和琳琅夫人，在这种情况下他们可以自主决定。那么他们决定生擒，这是对骑士的尊敬。那悍不畏死的人便不可杀死，因为你要敬畏他身体里不可摧折的灵魂。

可他们看不到在那森严的面甲之下，西泽尔其实在笑。

怎么可能就到此为止呢？那些人居然相信他会束手就擒。怎么可能就到此为止呢？他是为了救妈妈来的啊，到此为止的话之前所有的努力不都白费了么？妈妈还是要死，他就再也没有家了。

他还有最后的武器没用啊，那武器并未装载在红龙的身体里，那是沉睡在他灵魂深处的魔鬼！他只要放出那个魔鬼来，就一定能杀出重围！

狂化状态！那无法解释的狂化状态，才是西泽尔的王牌！

自始至终，军部对黑龙的评价都比对他的高，但在某一项能力上他的评价始终是个问号，原本对炽天使骑士的评价中是没有那项能力的，因为他的出现那项能力才被认识到，并且定名为"狂化"。

无法解释的、人与机械达到究极协同的狂化状态，足以令他凌驾于那不可战胜的黑龙之上！连佛朗哥都说，这种能力与其说是能力不如说是神迹，就像是给死去的人注入生命！

西泽尔一直畏惧着这种能力，这种能力强到连他自己都恐惧，而当它爆发出来的时候，往往他自己也无力控制。

但今夜例外，今夜他把最后的希望全都赌在了狂化上。变成魔鬼算什么？如果变成魔鬼就能改写四岁那年的那个雨夜，他会做的。那个男人在小教堂里说的话他现在明白了，如果这个家得有一个人把手弄脏，那就让他来吧。

把手弄脏又算得了什么？难道眼睁睁地看着四岁那年的雨夜事件重演么？那样的自己，是连自己都要对自己吐口水的啊！

巨大的黑暗在他的脑海里渐渐成形，他眼前开始出现幻觉，那株长满了人脸的大树，那个从血池中爬出的白色恶魔，还有那指针飞旋的时钟和崩塌的世界……来吧！开始吧！让这个世界在我眼前粉碎吧，只有那样我的精神才能自由……

可那原本已经汹涌起来的黑暗之潮忽然开始退却了，那株大树上的人脸并未睁开眼睛，血池中的恶魔并未起身，钟上的指针纹丝不动，仿佛整个世界正在飞速地远离他，他置身于一片巨大的空白之中。

怎么会这样？唯一的一次他主动想要动用这份力量，却未能唤醒心底的愤怒。

怎么会这样？神经接驳正逐一地断开，他和红龙改型并未融合而是加速地分离着，他失去了对这具甲胄的控制，他的四肢百骸好像都被冻上了。

他被困在这具甲胄里了，别说驱动它，连动一根手指都不可能。

前方就是那道闸门了，可他竟然再也无法前进哪怕一步，像一具钢铁雕塑那样站在了桥上。

052 哀

"妈妈！妈妈！"西泽尔的意识被拉回了现实，他能做的唯一一件事就是咆哮，"跑啊！妈妈！跑啊！"

妈妈！跑啊！用你自己的腿走完最后的路！跑过那个闸门你就自由了！跑啊！

炽天使们停止了射击，这一幕无疑是让人悲伤的。原来那女人是他的母亲啊，于是不管那男孩怎样背叛了国家，他的行为都有了解释。

命令上只提及了红龙，并未提到这个女人，骑士们提着沉重的连射铳站在那具赭红色的甲胄背后，目送那个白衣的女人惊恐地跑向桥的对面。

"妈妈！跑啊！快跑！"西泽尔满脸都是泪水。

"下令！给那些混蛋下令！不能让那个女人离开！"幕后的上位者们也在咆哮。

"来不及了……来不及了！"秘书们惶恐不安。

为什么军令上没有提及那个女人呢？怎么会犯这么严重的错误？而那个女人是绝对不能放走的啊！她的大脑深处，存着不能告人的秘密……

"狙击手在哪里？命令狙击手开枪！别管她有没有进入使馆区！别管什么外交豁免权！外交豁免权是我们授予的！我们即为法律！我们就是神！"

琳琅夫人奔跑在风雨中，白色的裙摆飞舞，海藻般的长发也飞舞，像个自由的精灵。

她奔跑在大雨里，也奔跑在史宾赛、龙德施泰特、佛朗哥的望远镜里，在这座城市里有人想要留住她，有人想她生出羽翼。

但沉重的闸门轰然降落，封锁了她的道路。最后一刻，桥对岸的那些人放下了铁闸。

那是一扇多么脆弱的铁闸门啊，如果红龙还能活动，只需最简单的踢击就能撕裂它，可它却足够挡住那个白衣女人，把她留在了翡冷翠。

西泽尔的血都冷了，他咆哮他嘶吼，但这些都无济于事。他看着那些大人物掉转车头离去。是啊，他们想要的不是那个女人，而是西泽尔，对他们来说有价值的是西泽尔身上的甲胄。在这个权力的森林里，人人都是野兽，无人同情弱者。

那个教师般的老人，锡兰王曾经给西泽尔讲过这句话，可当时他没听懂。

雨哗哗地下着，台伯河两岸，数百人的目光都汇聚在那女人白色的背影上。她趴在铁闸门上呆呆地望了一会儿，竟然转过身，赤着脚走回西泽尔的身边来了。

她站在那里，歪着头看着西泽尔，看了很久很久，那美丽而疑惑的眼神，就像少女初见情郎。

"我好像认识你，你是谁？"她轻声问，瞳孔中闪动着瑰丽的光，仿佛风中繁樱飞舞。

西泽尔俯视着母亲，他的面甲已经脱落，露出的是他自己的脸。他忽然意识到母亲在看的是谁，她的目光就像那场舞会上她看到了他的父亲。是的，她从西泽尔的脸上看出了隆·博尔吉亚的痕迹，即使他多半遗传了母亲的长相，儿子多少也会有些像父亲。

"我叫西泽尔·博尔吉亚，我是你的儿子，妈妈。"西泽尔说。

女人露出惊讶的眼神，仿佛受惊的鹿，她继续歪着头打量这个巨大的钢铁怪物，它竟然长了一张男孩的脸，在那个女人的思维里，这是童话般的事情吧？

旋即她笑了起来，好像真的明白了这句话的意思，她踮起脚尖抚摸西泽尔的脸："这个世界真好，这个世界上有我的儿子。"

那是西泽尔生命中第一次感受到母亲的温暖，那大布娃娃一样的女人第一次把他当作儿子，她再不是家庭的虚假象征，而是实实在在给他温暖的母亲。

他觉得自己重又变成了那个小小的男孩，不知何处来的力量令他驱动了唯一完好的钢铁右臂，轻轻地拥抱母亲："这个世界真好，这个世界上有我的妈妈……"

下一秒钟，枪声撕裂了雨夜，从琳琅夫人胸口喷出的鲜血染红了红龙的身体，她轻盈地向后倒去，那树开了很多年的樱花，终于凋零。

炽天使们立刻反应过来，围在西泽尔身边，为他挡住了接下来的子弹。

西泽尔没有哭，他用最后的力量抓回母亲，轻轻地拥抱着她。在他的意识里这个世界变成了灰色，灰色的世界里下着无尽的大雨，前一秒天堂，后一秒地狱。

这个世界……再也不好了。

星历1884年的一个夜晚，阿黛尔·博尔吉亚从梦中醒来，窗外下着雨。

睡前她被喂了安眠药，外面的响动都没有听见，直到此刻药效过了，她忽然醒来了，觉得心里很疼很疼，像是失去了什么东西。

"哥哥！哥哥！"她本能地喊。

她的哥哥并不在这间卧室里，窗边却坐了个灰白色头发的男人，他穿着一件黑色的风衣，浑身都湿透了。非常罕见的，他没戴那副染色眼镜，那双永远藏起来的眼睛平静而苍老。

阿黛尔呆住了，她知道那是谁，那是教皇，也是她的父亲。她是一个私生女，他们本该永远不见面，可这时教皇就坐在她的床边，不知凝视了她多久。

她被这骤然降临的幸福惊呆了，不知道该叫他爸爸还是圣座……

教皇并未给她选择的机会，他俯下身紧紧地抱住了她，抱得那么紧，像是怕有人把她夺走。

053 历史

星历1884年的秋天，教皇国的首都发生过一起严重的军队叛乱事件，最终叛乱在通往使馆区的桥上被镇压了。

当夜翡冷翠下达了宵禁令，不少居民被军人从自己的住宅中请出避难，等到天明他们返回家中，才发现门前的道路就像是被铁犁犁过似的，沿路都是可怕的痕迹，街道上弥漫着刺鼻的硝烟味。

少数人则声称他们看见了红色的骑士和其他骑士在长街上恶战，那红色的骑士身形像是魁伟的巨神，行动却像凶狠的恶鬼。

国家没有对外公布那起叛乱的细节，人们也无从知道叛军共有几人，最后都是什么下场。

日子一天天过去，人们对那场叛乱的记忆渐渐地淡了，这座城市里每天发生的事情太多了，一场被迅速镇压下去的军队叛乱算不了什么，那一度被传得恶魔般可怕的赭红色身影很快就被遗忘了。

而在铁十字堡内部，有权得知真相的人也不多，只知道事实上叛军仅有一人，而为了镇压叛军，付出的战损却无法估量。

与此同时，那个一度很受瞩目的少年军官从炽天骑士团的阵列中消失了，连带着"红龙"这个代号一起。

不久之后，代号"黑龙"的少年军官龙德施泰特被委任为炽天骑士团的团长，西方各国都称这个沉默的男孩为"骑士王"。

唯有异端审判局的案卷清楚地记录了事情的全部经过，琳琅夫人的火刑最终仍被执行，她的遗体被捆在火刑架上，绝世的美渐渐地化为焦炭。

这么做是为了掩盖真相，对外他们不会承认那是教皇曾经的女人，也不会承认那场叛乱跟这个女人有关，当然也不存在什么未能完成的脑白质切除手术。他们抓捕了一个异端罪犯，依法判处火刑，火刑执行完毕，就这么简单。

半年后，就在西斯廷大教堂的某间小经堂里，名为西泽尔·博尔吉亚的罪犯接受了秘密审判，审判他的人是高贵的枢机卿们。

罪犯对其所犯的罪行既不承认也不否认，整个庭审过程中那个苍白的男孩保持着绝对的沉默，他们用铁铐把他铐在十字架上，迫使他跪着，以防他暴起伤人。

但他始终注视着高坐在审判席上的老人们，紫色的眼瞳中闪烁着鬼火般的光。

按照他所犯的罪行，可以被绞死一百次。但是因为他犯罪的时候还年幼，或者说因为幕后的博弈，他被判逐出翡冷翠，终身不得返回。

他搭乘火车去了遥远的小城市马斯顿，陪同他的只有他的亲妹妹，那女孩拥有"凡尔登公主"这般的高等贵族头衔，本可在翡冷翠过锦衣玉食的生活，可她对来劝说的史宾赛厅长说："我已经没有妈妈了，这个世界上我只有哥哥，哥哥在的地方就是我家，现在我要回家去。"

她说这话的时候异常严肃，根本看不出平日里那猫样少女的赖皮劲儿，那张酷似琳琅夫人的小脸上流淌着绝世的容光。

兄妹俩重又过上了背井离乡的生活，恰似多年之前他们住在那个名叫克里特的偏僻小岛上。

不过马斯顿总算是比克里特好多了，在那里他们入读马斯顿王立机械学院，哥哥努力学习，希望成为机械师来养家糊口，妹妹学习着烹饪，同时应付着各方的追求者。

可就在一切都要好转起来的时候，战争降临马斯顿。

夏国公爵、有大夏龙雀之称的楚舜华统领夏国大军，决战教皇国十字禁卫军，战场就在马斯顿附近。

装备落后但是人数占据优势的夏军取得了最终的胜利，东西方的战争告一段落，但马斯顿王立机械学院却受那场战争的波及而毁灭。

战争结束后，幸存的兄妹俩被接回了翡冷翠。

根据古老的"亲人代为赎罪"的法律条款，凡尔登公主殿下接受了枢机会提出的条件，和查理曼王国的王储克莱德曼缔结婚约，前往查理曼王国的首都亚琛，也充当两国结盟的人质。

教皇国历史上最危险的罪犯之一西泽尔·博尔吉亚因此获得了自由，但军籍没有恢复，曾经加在他身上的光环也都消失了。

这一年他已经十九岁，重新被打回原形，就像他七岁的时候第一次回翡冷翠。

翡冷翠郊外的山中，博尔吉亚家的封邑，夏宫。

夜深人静，圆月当空，身披白袍的家长们围坐在草坪上，用细长的黄铜烟斗，抽着来自东方的优质烟草。他们的头顶上方，月桂花开得正盛。

家长们都很喜欢抽烟，抽烟令他们觉得很放松，趁着抽烟也可以聊聊翡冷翠最近的局势变化。

"听说了么？西泽尔回来了。"有人说。

"怎么会没有听说？当年就在夏宫，那个小家伙可是给我们留下了很深的印象啊。"赫克托耳家长吐出一口烟来，在这些家长中，他的地位显得举足轻重。

"您怎么看这件事？隆还想重新起用他的私生子么？"

赫克托耳家长还没说话，就有别的家长插了进来："没机会了吧？他离开翡冷翠足足三年，三年间很多事情都变了，当年他是军部的新星，有望成为炽天骑士团团长，可如今军部又出了很多新星。当年他能够出头是因为驾驭住了炽天使，可如今是否要继续保留炽天使部队都不确定。过去的三年他一直在马斯顿度过，没有接触政治和军事，也没有摸过机动甲胄。这个巨大的空白只怕很难弥补了。"

"可不是么？当年有资格参加家族晚宴的孩子，多半都有了自己的成就，佩德罗都成为财政部的司长了。西泽尔那两个同父异母的兄弟路易吉和胡安也各有成就。"有人附和，"可西泽尔还是老样子。哦不，比原来更糟。"

"我只是担心他想报复，那真是个报复心很重的孩子啊。"有人有些忧虑，"我至今还记得他那对眼睛。"

"报复？开玩笑？"有人笑了起来，"拿什么报复？报复是要看本领的，不看眼神。"

"行了，别讨论这些了，如今的西泽尔还不值得我们为他花时间。"一直沉默的赫克托耳家长忽然说话了，"不过说实话我也有点担心，那孩子的眼睛里……有腥风血雨啊！"

天之炽.2
FLAMING HEAVEN

第七章
–被称作老板的男孩和三骑士–

那人打着一柄和夜一样漆黑的伞，黑色的长风衣
在风雨中起落。闪电落在河面上，这一刻伞下的紫色瞳
孔被照得闪闪发亮，里面映着闪电的白光。

054 昆提良

夕阳西下，西斯廷大教堂里传出了悠扬的音乐，从这一刻起，翡冷翠进入了夜晚。

可对很多人来说，这才是一天的开始。

台伯河南岸的豪宅区，灯光次第亮起。高级礼车从四面八方会聚而来，车门打开，飘出仪表不凡的绅士和他们的女伴。身披红色绶带的侍从长站在门边，铿锵有力地报出客人们的姓氏。

晚宴总是丰盛至极，牛肉产自阿尔比恩公国的皇家牧场，红酒来自查理曼王国，借着酒意，绅士和窈窕淑女眉目传情。这就是所谓的社交，在这种场合，大人物们相互结识，构建了翡冷翠的上流社会。

与此形成鲜明对比的是市中心的教廷区，它被白色的大理石城墙环绕，威严肃穆，遗世独立。白色的机动甲胄在城头巡逻，背后留下淡淡的蒸汽痕迹。

翡冷翠便是这样的城市，神圣和世俗共处，彼此保持着微妙的平衡。

台伯河北岸，灯火通明的特洛伊酒店。

高级马车流水般在门口停下，车门打开，走出年轻的男人，他们的手中挽着妩媚的女孩。

女孩们无一例外的年轻漂亮，极尽性感之能事，裙摆下露出精致的细高跟的鞋子。

这些外省的漂亮女孩，在她们抵达翡冷翠之前都对自己的容貌充满信心。但她们很快就发现，美貌在这座城市里非常廉价，全世界的美女都渴望着翡冷翠，单靠美貌根本别想过上好生活和嫁入豪门。

于是她们中的很多人就沦为有钱人的玩伴，陪他们各种交际，渴望着混入上流社会，有朝一日出人头地。

特洛伊酒店就是这样的社交场，论级别它当然比不上台伯河南岸的豪门盛宴，但好在年轻化，贵族青年和漂亮女孩们在这里聚集，红衣舞娘在舞池中跳着弗拉明戈舞，男男女女窃窃私语，眉目传情。

酒店的门被人大力地推开了，艾雷斯男爵跌跌撞撞地走了出来。他浑身酒气，一手搭着红衣侍者，一手搂着身边的女孩，隔着一层薄纱，他愉悦地抚摸着那毫无赘肉的柔软腰肢。

女孩叫艾莲，从外省来，除了清丽的脸蛋和姣好的身材就没什么特长了，只能在特洛伊酒店当女招待。特洛伊酒店的其他女招待都放得开，擅于讨好人，也不介意熟客在自己身上占点小便宜。可艾莲太胆小了，醉酒的男人看她几眼她都会如临大敌。开始还有好几位客人对她感兴趣，后来就只剩艾雷斯男爵了。

艾雷斯男爵二十多岁，风度翩翩，是这里的常客，和老板颇有交情，对艾莲也格外温柔。

"今晚天气真好啊！应该更开心一点嘛！是不是啊？昆提良！"艾雷斯男爵拍着红衣使者的肩膀，意味深长地说。

"是的是的，您走好，小心脚下的台阶。"红衣侍者说。

侍者名叫昆提良，十九岁，长着一张南部岛民的脸，眉弓凸起，面部线条刚硬，皮肤因为烈日曝晒而呈现古铜色，身材彪悍得像只豹子。

艾雷斯男爵搂着艾莲搭着昆提良，相当于把两人的重量都压在了昆提良身上，可南部小子走得很稳，一点都不摇晃。

靠着一张硬汉脸和彪悍的身材，这小子很招女孩的喜欢，但只有艾雷斯男爵知道，那具豹子般强悍的身躯里，装着一颗尿包的心。

昆提良是艾雷斯男爵在特洛伊酒店的"线人"，专门帮忙物色女孩，艾雷斯男爵喜欢青涩可爱型的，就像艾莲。

从某种意义上说，艾雷斯男爵是猎手，女孩子是猎物，而昆提良恰恰是猎手和猎物之间的媒介——一只嗅觉灵敏的猎犬。

昆提良把猎物带到男爵面前，剩下的事情就简单了，艾雷斯男爵会经常光顾，温柔地对待女孩，灌她喝点小酒，最后把她带回家。

温柔是捕猎用的网子，动手的时候猎人则会毫不犹豫地亮出猎枪。

男爵的意思是"今晚我就得带艾莲走啦"。他已经在艾莲身上花了不少金钱和精力，就算艾莲笨笨的，也该"闻弦歌而知雅意"才对，老憋着不投怀送抱，他不成了冤大头么？

昆提良没有回答，似乎有点走神。天空里忽然下起了雨，无数涟漪出现在河面上，仿佛千万朵水莲花一齐盛开。

马车就在前面，可地面上忽然就积了一层水。男爵可不愿意踩水，他的皮鞋是昂贵的鹿皮底子，泡了水就得送去修理。

"嗨！小子！给我垫一步！"男爵抛了一个金币出去，一推昆提良的后背。

昆提良凌空抓住金币，屈膝半跪在马车前，同时把一块牛皮搭在肩上。侍者们都带着这样的一块牛皮，马车比礼车高，登车不太容易，客人要上马车的时候，他们就把牛皮搭在肩上，跪下来当人肉台阶。

男爵这么做固然是为了保护他那双昂贵的皮鞋，但也是为了做给艾莲看，告诉她在这座城市里一切都是用地位说话的，你喜欢的这个南部小子，可是为了一枚金币就会跪在我脚下当台阶的人！

艾莲之所以始终不愿接受艾雷斯男爵的"好意"，就是因为昆提良。

某个偶然的机会让男爵撞破了这两个下等人的情愫，那晚艾莲低着头，端着酒具从昆提良面前经过，也许是有点紧张，不小心跌落了手中的托盘。

艾莲差点惊叫起来，店里的酒具都是上等的水晶玻璃制品，以她的薪水可赔不起。这时昆提良猛然俯身，以一个匪夷所思的动作把托盘连同酒具全都捞了起来，好端端地递回了艾莲面前。

艾莲默默地看着昆提良，在那之前她甚至没有勇气直视昆提良的眼睛，这反倒让昆提良有点不适应了，他挠着那头乱乱的短发，不断地试图把托盘递还给艾莲，可艾莲就是不接。

青涩的外省女孩忽然爆发出了不可思议的勇气，她搂住昆提良的脖子，吻在他的嘴唇上。昆提良双手端着托盘，既没法拥抱艾莲也没法推开她，只能呆呆地站着。

那短短的几秒钟里，艾莲像只小猫那样趴在他宽阔的胸前……他们谁都没有觉察到角落里，艾雷斯男爵妒火熊熊的眼神。

凭什么？堂堂的翡冷翠贵族怎么能输给这种外省来的穷小子？他花费了那么多时间和金钱在艾莲身上，艾莲心心念念的却是昆提良。

可昆提良又是什么？昆提良是他艾雷斯老爷的猎犬，只是条狗而已！

昆提良的背横在艾雷斯男爵面前，那么宽阔，简直像是一座山脉。男爵踩了上去，连点颤动都没有。男爵心说这小子还真的有副好身板啊！他不准备白花那个金币，于是一把把艾莲横抱起来。

他抱着艾莲站在了昆提良的背脊上，却并不急于踏入马车，而是用轻描淡写的语气说：“真是平稳啊！艾莲，你说要是昆提良跑起来我骑在他肩上，他会不会是匹好马呢？”

他仰天吐出一口酒气，觉得这才对嘛！这就是翡冷翠，阶级地位在这里就是铁则，没人能够逾越！下等人想挑战上等人，门都没有！

艾莲就该是他的！昆提良竟然没有拒绝艾莲的那个吻，碰了属于艾雷斯老爷的嘴唇，就该被踩在脚下狠狠地碾！

这时风雨中有人轻声说：“嗨，昆提良。”

那声音听起来很是遥远，仿佛随风而来的叹息。

男爵忽然站不稳了，因为他脚下的那座山脉正在隆隆升起，南部小子的肌肉正缓缓地收缩，就像是巨大的绞盘把钢筋拉紧。

“混账！”男爵怒吼着跌进积水里。

昆提良直起身体，着魔般盯着风雨中的黑影，目光像是燃烧的炭火那样炽热。

那人打着一柄和夜一样漆黑的伞，黑色的长风衣在风雨中起落。闪电落在河面上，这一刻伞下的紫色瞳孔被照得闪闪发亮，里面映着闪电的白光。

昆提良把所有挡路的人都拨开，冲向那柄黑伞。秩序大乱，酒店门前的骑警被惊动了，从马鞍上抽出火铳来，四下顾盼。

昆提良冲到那人面前刹住脚步，大口地喘息着。这时人们才看清楚了，伞下的男人——与其说是男人不如说是大男孩——苍白消瘦，身披一件黑色的长风衣，戴着素色的蕾丝领巾，柔弱得像个女孩。

唯有那只紧握着伞柄的手青筋毕露，透出一点点“力量”的气息。

昆提良缓缓地站直了，就着雨水整了整头发，昂首挺胸：“老板，你回来了！”

“没想到你现在成了这个样子，昆提良少尉。”男孩轻声说，“是受了我的牵连吧？”

“不！我没变！我跟以前一样！”昆提良攥拳捶胸，吐出的每个字都斩钉截铁，

"我们都在等你回来！我们知道那些老家伙杀不死你！没有人能杀得死红龙！"

"谢谢你，昆提良，"男孩递上白色的信封，"愿意的话，就来找我。"

"是！西泽尔殿下！"昆提良双手接过信封。

"回去吧，在公共场合，不要喊我的名字。"

"是！"昆提良转过身，大步奔回特洛伊酒店。

他们之间不必叙旧，将来有的是叙旧的时间，也不必告别，这是伟大的重逢之日。听说他们重逢，这座城市里可该有人吓得屁滚尿流了！

昆提良目不斜视地从男爵身边走过，好像根本听不见这位贵族在狂吼。

他再度出现在酒店门前时，店老板德隆爵上正诚惶诚恐地跟男爵道歉。

看见昆提良出来，德隆爵士气得须发皆张："这就是你对待贵客的方式？滚！从今天开始！别想再踏进这间店的门！也别想在这个区的任何一家酒店找到哪怕薪水是一个铜币的工作！我告诉你，你完了！你完了昆提良！"

"这也是我想跟您说的，"昆提良脱下身上的侍者服，把它放在德隆爵士手里，"我不做了，我老板回来了。"

"你老板？"德隆爵士怒极反笑，"你说那个狗屁孩子是你老板？"

"是的！他是我老板，如果你知道他是谁，你会为了叫他狗屁孩子而晚上睡不着。可惜，你连知道他名字的资格都没有。"昆提良说完，拨开目瞪口呆的艾雷斯男爵和德隆爵士，大踏步地走入风雨中。

"你……你就这样放他走了？"男爵冲着德隆爵士气急败坏地质问。

"男爵……我想我们还是谨慎点，"德隆爵士迟疑地说，"你没听说过那句话么？在这座城市里混，连条狗你都别轻易招惹，谁知道那狗的主人是谁？我只怕来找昆提良的那个孩子……真是个大人物。"

"笑话！半大的孩子而已，会是什么大人物？"男爵恶狠狠地说，"别被昆提良蒙了！他一个侍者，能认识什么样的大人物？"

"不，你看他走路的步伐，"德隆爵士望着昆提良的背影，不禁打了个寒战，"那是……骑士的步伐啊！"

男爵愣住了，茫然地看向风雨中，那个南部小子正昂首挺胸地穿越风雨，如一柄利刃把浩大的雨幕切开。

"相信我，这世界上只有一种人有那种坚不可摧的步伐，那种人出自……炽天训练营。他们想驾驭钢铁战神，就得先把战神烙印在自己心里，所以他们即使没穿着甲胄，走起路来仍然像是全副武装。"德隆爵士低声说，"那小子曾经是个军人，一个骑士！在这座城市里，能号令一个骑士的男人，当然是大人物，无论他是多少岁，也无论他看起来是否起眼！"

"可昆提良……他分明是个平民啊！"男爵喃喃地说，"他以前走路都不像这样的……他怎么忽然就变成了一个骑士呢？"

"就算是骑士，无主漂流的时候也很难骄傲地抬起头吧？可现在他的老板回来了……"德隆爵士轻声说，"就像骑马的主人回来了，猎犬也会兴奋地刨着地面，准备出猎！"

昆提良没走多远，忽然站住了，转头跑了回来。男爵眨眼的工夫，昆提良就再度站在了他面前，那双利刃般的眼睛直直地盯着男爵。

男爵吓得直往德隆爵士背后躲，心说这是要报复么？见鬼啊！他也就是帮我介绍了几个外省女孩而已，我也付了钱给他，除了今晚因为不愤踩了他几脚，之前对他也算不错……

昆提良伸出手，一把把男爵给拨到一边去了，艾莲正站在男爵背后，这小子其实是盯着艾莲。

艾莲害怕地往后退，她心里确实是喜欢昆提良的，喜欢他的眉梢眼角，喜欢他的言辞钝拙，也喜欢他仰望天空时呆呆的样子。

可眼前的昆提良还是她所喜欢的那个南部小子么？他身上涌出钢铁般的强大气息，像是剑锋指在你的眉心。

静了好几秒钟，昆提良说话了，言辞还是往日那般钝拙："艾莲，我老板回来了……你要不要跟我走？"

艾莲呆呆地看着他，雨水扑在她清秀的脸上，打湿了她的长睫毛，汇成细流滑过脸庞，让人觉得她像是哭了。

只有她听懂了那小子的意思，那个言辞钝拙的小子，那残缺不全的语句，他完整的意思是……我老板回来了，在这座城市里我有靠山了，我可以不卑躬屈膝地活着，你可以不靠委曲求全活着，如果你是自由的……你会跟我走么？

她忽然动了起来，推开了试图挡住他们的艾雷斯男爵，扑进昆提良怀里，紧紧地搂着南部小子的脖子，仿佛她是海中溺水的人，而昆提良是游过来救她的海豚！

她用尽全力亲吻昆提良的嘴唇，那天夜里的一幕重现在艾雷斯男爵面前，只不过这个吻要热烈一百倍！跟前次忽然被吻一样，昆提良还是呆呆的，显然艾莲的反应远远超过了他的预期。他的双手举在空中，像是对这个女孩子举手投降。

"我们这就走！"艾莲大声说。

她拉起昆提良的手，不由分说地再度跑进了风雨中，夜幕中她踩着积水飞奔，洁白的裙裾起落，积水在她纤细的小腿边起落，手中牵着她那懵懵懂懂、蛮牛般的少年。她从未那么疯、那么勇敢，也从未那么美丽。

这段奔跑一直持续到她那双白色高跟鞋的鞋跟卡在地砖的缝隙里。昆提良蹲下来帮她把鞋子摘掉，把她横抱起来继续奔跑，他跑得又平又稳，像一匹绝世良驹。

055 唐璜

与此同时，一辆黑色的马车正沿着台伯河的南岸行驶。雨打在车顶上发出沙沙的声音，车厢里男人和女孩并排而坐。

男人大约二十岁，不羁的金发透着艺术家的气息，眉眼美得就像神话中那位因为迷恋自己在水中的影子投水而死的少年。女孩则是一身纯蓝色的长裙，肌肤素净，神情高贵，身上散发着清淡的香味。

这委实是一对"璧人"。雨夜寂寥，孤男寡女同车而行，本该说些能够"触碰心灵"的话，可从上车到现在他们连一句交谈都没有。因为女孩没给唐璜机会，她始终目视前方，凛然不可侵犯。

唐璜觉得有点棘手，这个漂亮的猎物好像很难搞定。

这个女孩是他在某个豪门舞会上钓到的，那时他刚刚饮下一杯烈性酒，忽然看见这个女孩在大厅的角落里看他，安静得就像一棵树生长在那里。

那是棵美好得让你想要在树荫下流连、靠着它睡个午觉的树。

唐璜是个行动派，立刻起身，笔直地走到这个女孩面前，邀请她跳舞。之后的整场舞会他就只跟这个女孩跳舞，他们的舞都跳得很好，简直像是王子和公主。

舞会上还有好些贵族女孩或者贵妇人被唐璜的美貌惊艳到，想跟他跳舞，但她们也不得不承认，当晚就只有这个女孩才配得上唐璜这位"神秘贵公子"。

唐璜当然神秘，他孤身赴会，年轻貌美，博学多闻，风度翩翩，却没人知道他的名字。

没人知道就对了……作为一个贼，唐璜可不想太多人知道他的真名，以他犯下的案子，要是都被警察翻出来，终身监禁是免不了的，吊死也不是没有可能。

他混迹于上流社会的各种晚宴和舞会，对外的身份是外省来翡冷翠发展的年轻艺术家，混吃混喝之余做点"生意"，当然是不能见光的生意。

作为贼，唐璜是很随性的，有什么偷什么，大到稀世宝石，小到珍贵古书，偶尔也偷偷心，贵族少女的心。

就好比今天这个女孩，毫无疑问出身于某个贵族世家，社会经验缺乏，憧憬着在舞场中遇到白马王子。唐璜就是神丢在她面前的白马王子，满足她的一切幻想，她没理由不上钩。

唐璜并不很好色，他搞定这些女孩，主要还是为钱。女孩们陷入情网之后，都会心甘情愿地拿钱出来赞助唐璜的"艺术事业"。唐璜的艺术水准确实也还不错，给情人们画幅画像是绝对没问题的，不会露马脚。

等到把女孩们的私房钱花光了，唐璜先生就准备开溜了，他会先流露出想要去东方采风的意思，然后在某个夜晚留下缠绵悱恻的长信，戴着画具消失在茫茫人海。

休整个把月把钱花光之后，他就改头换面地出现在另一些名媛面前。

"从业"多年，唐璜先生从未露过马脚，除了技术熟练外，也因为他从不对猎物动心。以唐璜的美貌，漂亮女孩对他来说根本不是什么稀缺资源。

但面对今晚的猎物，唐璜有点心动，就试探性地邀请女孩去他的画室坐坐。女孩是单身前来的，如果愿意跟初次认识的男人前往画室小坐，多半是动了情。

"非常荣幸，那就坐我的马车吧。"女孩轻盈地起身出门，摇曳的背影仿佛橡树新生的枝条，让人心中泛起阵阵涟漪。

唐璜脑袋里一空，疾步跟了上去，就这样坐进了这驾马车……感觉像是女孩钓到了他，而不是他钓到了女孩。

"有话直说好么？"唐璜开腔了。走了这一路他已经觉得情况不对了，这猎物委实太完美了，完美得像个诱饵。

"我叫碧儿，碧儿·丹缇。"女孩淡淡地说，"仔细想想，唐璜少尉，你应该能想起我的名字。"

唐璜只愣了不到一秒钟，脸上顿时变色，猛地坐直，就像触电般。

"你似乎想起来了。"

唐璜叹了口气，慵懒地靠在椅背上，恢复了花花公子的本色："我说那种满是庸脂俗粉的舞会上怎么会有你这种妩媚又冰冷的女孩呢，原来是老板亲手调教过的女人。敢泡老板的女人，这下子我可要惨咯！"

这回轮到碧儿的脸上变色了，潮红一直蔓延到颈根："我确实是西泽尔大人的人，但不是西泽尔大人的女人！"她尽量寒着声音，咬牙切齿地说话，以免叫这个败类给调戏了。

"那有什么区别？就像我是老板的男人一样，你是老板的女人，我们是天生的一对！"弄清了对方的身份之后，唐璜的胆子就大了起来，凑上去轻轻地刮了刮碧儿的鼻子。

"真不敢相信你这种人也曾是见习骑士！"碧儿恨恨地把他的手打开。

"所谓骑士道，最核心的三条分别是捍卫神的威严，对敌人残酷无情和爱护妇女儿童。我至少做到了后面两条，而且对漂亮的女性加倍爱护！"唐璜露齿一笑，"老板什么时候回来的？之前可一点消息都没有。"

"两周之前，他想找你，但我查了炽天骑士团的名录，才发现你早就被除名了。后来我们听说有个混迹上流社会的贼，能让女孩一见倾心，又随时能狠下心肠跑路，西泽尔大人说那肯定是你。他命令我设法找到你。"

"老板果然知道我的审美……所以他抛出了你这样好吃的奶酪，我这个耗子就老老实实地来咬，然后被老鼠夹子夹住啦。"唐璜又叹了口气。

碧儿把一枚白色信封递给他："这是西泽尔大人让我带给你的，他说，想好了再去找他，去了就不能退出了。"

唐璜默默地接过，若有所思。

片刻之后他回过神来，那迷死人不偿命的笑容再度浮现。他靠近碧儿，忽然搂住她的纤腰："这个问题我要想蛮久的，不如你跟我去画室，我一边给你画幅肖像一边想？"

这次阻止他的是一支短柄大口径的铜制火铳，顶着他的额头。

"下车。"碧儿寒着声音说。

"喂喂！你到底是老板的女侍长还是老板身边的女骑士？怎么还带着枪？我才是老板身边的骑士好吗？你可以无视我的美貌但你不能连我的饭碗都抢啊！"唐璜哭丧着脸。

"下车！"碧儿重复说道。

于是在绵绵细雨之中，闹市街头，一辆黑色马车的车门被打开，蓝色裙裾飞舞，修长玉腿一弹，就将这个风度翩翩的年轻人踢下马车，接着一把伞劈头盖脸地扔了下来。

"喂！都是老板的人，难道不该把我送到个能叫到马车的地方么？这样大家将来怎么相处？"唐璜冲着远去的马车大喊。

拉车的马毫不停步，更别说有人回答他，女侍长对待外人的时候素来是这种冷漠的姿态，这便是坎特伯雷堡的态度。

"唉！不跟你计较！谁叫我喜欢够辣的姑娘呢？"唐璜叹了口气，打开伞，理了理自己沾水的头发，看了一眼路牌，"既然离得不远，正好去拜访一下机械师，那家伙应该也是老板要召唤的人吧？"

056 阿方索

穿越又窄又长的小街，唐璜停在一个破旧的院落前，门上挂着招牌，招牌上写着："机械师阿方索，精修各类机械，三流的价格，一流的手艺。"

这是间机械修理店，可看起来一点也不高端，它位于房租低廉的贫民区，也不见庭院里有什么大型修理设备。

推开小屋的门，一股暖风袭来，让在冷雨中漫步了许久的唐璜觉得舒服多了。他好几年不在军队里混了，心思都花在女孩身上，体能下降也蛮明显的。

屋子中央是台小型的高温熔炉，暖风就是从熔炉的排气孔里泄出的，同时泄出的还有青蓝色的火苗。这种颜色的火焰温度超过1000摄氏度，它正在锻造的绝非普通的钢铁甚至铁合金，而是某种高阶合金。

这条街上的人永远不会知道，这间三流修理店中的机械师竟然能够锻造高阶合金，那本该是军队的特权。

小屋看起来杂乱无章，各种叫不出名字的设备环绕着熔炉，工具随手摆放，但真正的高级机械师能看出来，这间屋子其实布置得井井有条。它的布局并不是为了好看或者整齐，而是为了最大限度地提升效率。

这间屋子本身就是一件复杂的机械。

而这件机械的核心，则是被熔炉之光照亮的那个年轻人。他用透镜从熔炉的火眼里引了一束强光出来，就着那束光，他正聚精会神地研究着某个直径不大的零件。

唐璜没打招呼。唐璜很清楚那家伙沉浸在机械的世界里时完全是忘我的，你跟他打招呼他反而会大发雷霆。所以唐璜索性就等等他，顺便搜搜他有没有做什么好玩的新东西出来。

唐璜熟练地拨动密码盘，墙上"砰"地裂开了一道缝隙，那是一扇暗门。货品都藏在暗门后面，装在简易的木箱里，木箱上用墨笔写着数字。

每个数字代表一位客户，光顾这间店的客户都是匿名的。

打开第一个箱子，唐璜翻出了一支蜂巢式的黑色火铳，螺旋式上弹，每个枪管都带六根膛线。这毫无疑问是件够劲的武器，但不适合唐璜，唐璜擅长的武器是刺剑。

第二个箱子里的货品看起来很像一件金属义肢，但不是真正的义肢。它能把一个人的右手伪装成义肢，而这件"义肢"里藏满了微缩武器，包括一柄小型枪和一柄一尺长的直剑。

第三个箱子里的货品是一柄手杖剑，榉木杖身里藏着高碳钢制造的剑刃，刃口部分用秘银做了渗透处理，剑脊则用硬金加固。唐璜试了试觉得颇为称手，准备不客气地收下。

"放下那东西，它很危险。"机械师虽然没有回头看，却很清楚唐璜正挥舞那柄手杖剑，在逼仄的空间里划出曲折的银光。

"我当然知道它很危险！可我这样有气质的艺术家就该和危险同行啊！"唐璜潇洒地收剑直立，"放心吧，我玩了多少年剑？它是很锋利没错，可你以为我会被它割到么？这东西归我啦，客户那边你再给他做一柄咯。"

"我的意思是，它是一颗炸弹，大量的高纯度红水银藏在它的柄里。它的真实用途是炸死持剑者，而不是刺穿敌人的心脏。"机械师说。

唐璜脸色骤变，觉得手中握着的是一条毒蛇的尾巴。他撒开手，任那柄危险的剑坠向地面，可他立刻就后悔了，他忽然想起剑柄里灌满了红水银！

那是绝对的危险品！一颗小小的火星甚至一次剧烈的震荡就可以引爆它，从而把这间修理店整个送上天去！

唐璜骤然俯身，四肢如蛇一般弯曲，但力量感十足，动作极其准确，仿佛凌空捏住一只正在飞行的蝴蝶的翅膀。那柄剑下坠的势头忽然减缓，接着转为上升，势头就像羽毛般轻盈。旋转卸力之后，唐璜让它无声地滑入手杖里。

整个过程也就不到两秒钟，但在那两秒钟里，他展现了来自不同国家的好几种格斗术，包括剑术、柔术和擒拿。而这些格斗术都源自某所秘密军营——炽天骑士团的新兵训练营。

"我说阿方索，你疯了么？在家里存着炸弹！如果不是我而是昆提良那个冒失鬼动了你的东西，现在我们已经下地狱了！"唐璜气哼哼地走向机械师，"到底是什么变态向你定这种东西？"

"你难道没有想过自己有没有上天堂的机会？"机械师头也不抬，"不是变态下的单，应该是某位军队的大人物，用于在战败的时候和敌人同归于尽吧！"

"除非神收受贿赂，不然恐怕不存在这种可能性！"唐璜一屁股坐在工作台旁的椅子里，"我说你下次做这种危险品的时候能不能在箱子上留个记号？'唐璜和昆提良不要乱动'什么的。"

"不会炸的。"机械师说，"那柄剑里填满了红水银是没错，但我用一种干燥的海藻吸收了红水银，这会大大地增加它的稳定性。只有在你按动剑柄尾部的击火锤时它才会爆炸，不过这个击火锤，"机械师默默地将一枚黑色的零件放在唐璜面前，"我已经拆下来了。我这里就你和昆提良两个访客，但你们都喜欢乱动东西。"

"那你刚才鬼叫什么？吓我一跳！"

"我并没有鬼叫，我当时的语速跟现在一模一样，是你自己忽然鬼叫起来，然后在那里跳舞似的折腾了半天。"机械师继续聚精会神地研究起手中那个零件。

唐璜气得歪眉斜眼，不过回想起来机械师说的都是对的，他当时就是轻描淡写地说"它是一颗炸弹"，语调平缓得好像在问你吃没吃晚饭。

就着熔炉的火光可以看到，机械师有着一头柔顺的白色直发，肤色素白，面容清秀，戴着一副银色边框的眼镜，作为机械师委实是太文气了，初次见面的人往往会误以为他是某个神学院的见习修士。

但唐璜很清楚他这位修士般的朋友能做出多恐怖的东西来。机械师阿方索，他在这间贫民区的小店里为人修理坏掉的钟表和小玩意儿，可他真正擅长的是捣鼓重型战争器械。

在同届的见习骑士中，他被公认是最危险的。

他和唐璜是同时被军队除名的，但唐璜可以随便晃悠，他却必须每星期去军部报告一次。军部禁止这位曾经的见习骑士触碰高阶合金和红水银，有了这些东西阿方索完全有能力做出一门无后坐力的直射炮来，架在某教堂的钟楼上对着教廷区做炮火覆盖。

私下里阿方索依然接单制作武器，但他从不与客户见面。客户的需求由中间人传达，阿方索只负责制作。

靠着这份手艺阿方索的收入是他们这群朋友里最高的，但他的钱包好像有个窟窿似的，赚来的钱很快就花完了。谁也不知道阿方索把钱花在什么地方了，他住在这种破落的小院子里，活得清心寡欲。

但这家伙也有另外一面，某次唐璜在赌场里输得几乎要把裤子脱下来的时候，阿方索忽然出现，接替他连赌了三个小时。他下注的风格极其凶狠，可脸上永远不带一丝表情，就这样横扫整个桌面。

三个小时后，他从赢来的钱里取回了自己和唐璜的赌本，将剩下的筹码分赠给围观的人，淡淡地说："赌博是神所不能容忍的恶习。"然后起身出门，踏雪而去。

唐璜不能肯定自己是不是这座城市里最帅的男人，但阿方索毫无疑问是最酷的。

"今晚你不是出去狩猎了么，怎么来我这里串门了，没找到猎物？"阿方索问。

阿方索总是很有古意地把唐璜的"工作"称为"狩猎"，好像唐璜不是每日混迹女人堆的花花公子，而是那种坚忍卓越背着长弓追逐猎物的猛汉。

"怎么可能？我的魅力，出手就有！今晚的猎物呢，要说清甜可口也可以，要说辣得叫人无法消受也可以……"唐璜东拉西扯，其实是在琢磨怎么跟阿方索开口谈这件事。

屋外忽然传来斗牛奔跑般的脚步声，单凭脚步声就可以想象那份速度和威势，若是什么斗牛士真的面对这样一头斗牛，别说出剑了，腿都吓软了。

不用问，那是昆提良，只有那个南部小子跑起来才会这样地动山摇。他当年专攻的科目是冲锋，从此养成了走直线的习惯。他甚至懒得走门，好几次他都是咚咚咚咚地跑过来，翻墙而过，从窗户跳进阿方索的工作室。

门"砰"的一声被撞开，昆提良的身影站在冷风冷雨里，浑身湿透，机车夹克的领口敞开着，露出一身奔马般的肌肉。

"老板回来了！"昆提良兴奋地嚷嚷，"我见到他了！他召唤我回去！"

阿方索抬头看了他一眼："你能不能先把门关上？"

唐璜犹豫了好久没想好怎么开头的话，被这小子在进屋的第一秒钟就说完了。阿方索倒也没流露出太过惊讶的表情，早知道何苦浪费那么多时间呢？唐璜叹了口气，没心没肺也有没心没肺的好处，昆提良这辈子都是个没心没肺的冲锋将。

昆提良手中握着白色的信封，唐璜也从礼服内袋里抽出白色的信封扔在工作台上："我来也是为了这个，不过我没见到老板，我见到了他的姐。"

"老板有妞了？"昆提良吃了一惊。

"是他的女侍长，那个叫碧儿·丹缇的妞，负责老板饮食起居的，居然随身带着短铳。我差点以为她也是当年的见习骑士。"

"丹缇小姐我倒是见过，老板被流放之后她来找过我一次。不过你就别惦记那位小姐了，她不喜欢你这种类型的。"昆提良很有把握地说。

"那她喜欢什么类型的？"阿方索一愣，心说昆提良倒也蛮招女孩子喜欢，他的观点很值得参考。

"她喜欢正人君子！"昆提良坚定地说。

"我难道不是正人君子？"

"唐璜你醒醒……"

唐璜忽然有种灰头土脸的感觉。

"阿方索，老板没派人来找你么？"昆提良转向机械师。

"今天来找我的人只有邮差。"阿方索说着把手中的零件放下，"有人给我寄来了这个。"

那是一块古铜色的表。跟普通的腕表不同，这块表大且厚重，功能繁杂到常人根本看不懂的地步。表面的正中心有一只硬金雕刻的蜘蛛，用它修长的八条腿加固着表盘。

阿方索很少维修钟表，他觉得表在机械学中是奇技淫巧，与其把心思花在给齿轮雕花，他宁可研究些能够把教廷区炸平的玩意儿。可今天他居然在修表。

"蜘蛛巢！"唐璜认出了那块表。

"是，这块表是我亲手做的，专门为战场指挥官设计，准确地记录时间和日出日落、潮汐和即时星空，卡罗素飞轮为它消除了重力的影响，发条盘足够支撑两天两夜。"阿方索说，"是老板十五岁时我送给他的生日礼物。"

阿方索把第三个白色信封放在桌上："老板要我给这块表擦洗和上油，让它重新运转起来。言外之意是，他要取回当初的权力。"

"太好了！他把我们三个一起召唤了！"昆提良扑上来拥抱唐璜和阿方索，"我们三个又能在一起干活了！"

"可时代已经变了，"阿方索冷冷地推开了他，"他想取回权力，可权力并不在那里等他。"

057 魔鬼的邀请函

"收到这封信之后我就去问了军部的朋友，根据各方面的线索，我还原了老板被赦免、回到翡冷翠的过程。"阿方索把一沓文件夹放在唐璜和昆提良的面前，"都是保密资料，明天早晨之前得还回去的。"

"你怎么能搞到级别这么高的资料？"昆提良伸手准备拿文件夹。

唐璜一把把他的手拍落："你看个屁！你看得懂军部老爷们的官腔？阿方索拿出来不是给你看的，只是告诉你他的消息是有明确来源的，听他说就好了。"

"哦。"昆提良把手收了回来，盘腿坐在椅子上，双手环抱，摆出认真听讲的模样。

"从四年前开始，我们就跟东方的夏国处于战争状态。几个月前，在东西方交界处，夏国和教皇国的主力军为了争夺一条隧道的控制权，发生了最大规模的战役，死者超七万人。尽管夏军的死亡数字远远超过我们，但十字禁卫军的损失也是非常恐怖的。那场战役后，我国和夏国签署了暂时的停战协议，回到和平状态。"阿方索说，"这些你们可以从报纸上看到，想必都知道。"

唐璜和昆提良都点点头。

"相比这些，你们更在意的应该是炽天骑士团团长、有'骑士王'之称的龙德施泰特在战役中忽然反叛，枪击圣座的装甲车'阿瓦隆之舟'号，最后逃到距离前线不远的马斯顿城，在那里被消灭的消息。"

"黑龙会做这些事真是太不可思议了，"昆提良说，"那家伙不是军部和教廷最信任的忠狗么？"

"当然是有隐情的，即使是军部的秘密材料，也不可能跟你讲事情最真实的一面。"唐璜说，"闭嘴，听！"

"而老板的流放地就是马斯顿，他在那里一所名为'马斯顿王立机械学院'的学校隐姓埋名地上学。龙德施泰特就是在那所学校被杀的，事后那所学校里的上千师生中，只有两个幸存者……"阿方索缓缓地说。

"一个肯定是老板！"昆提良大声说，"还有一个是谁？"

"凡尔登公主殿下，阿黛尔·博尔吉亚！"

"哦，我怎么把阿黛尔忘记了呢？老板没事阿黛尔肯定就没事！"

"那你有没有想过另一个问题，为什么在整个学校全灭的情况下，没有人保护的老板却能保护着他妹妹活了下来？"

昆提良愣住了，他确实没想这个问题。

"这是我得到的情报中最不能确定的一条。"阿方索说，"在当晚，有人听见燃烧的火场里响着沉重的脚步声……钢铁的脚步声！"

"他……再度穿上了炽天使甲胄！"唐璜忽然明白了，"在他穿着炽天使甲胄的情况下，这世上没有人能够杀死他！"

"是的，我们不知道那个夜晚具体发生了什么事，但最终的结果是黑龙死了，红龙却复活了。"阿方索低声说，"在这种情况下，老板被赦免了罪行回到翡冷翠。因为不起用他的话，炽天使就再也没有希望了，龙德施泰特反叛的时候，摧毁了所有同行的炽天使！"

"这不很好吗？"昆提良说，"枢机会那帮老混蛋不得不重新起用老板了，我们就跟着老板干！"

"幼稚，"阿方索面无表情，"经过之前的那些事，无论是博尔吉亚家的老人还是枢机会还会继续信任老板吗？他们要用的只是老板的能力，却不会信任他。用完之后，他会被一脚踢开。为了控制他，他们还做了一个重要的决定，把老板的妹妹嫁给查理曼王国的王子克莱德曼。"

昆提良沉默了几秒钟，忽然目眦欲裂："老东西们……是想找死吗？阿黛尔，只是个小女孩啊！"

"是的，可这个世界上真正在乎那个小女孩的只有一个人，不是你我，更不是枢机卿们，而是老板。"阿方索说，"他母亲死后，他所有关于家的感情都在妹妹身上。正是因为妹妹，他才不得不重新为这个国家工作，但他已经不是当年的那个红龙了。"

"怎么不是？我刚刚见过他，他长高了！他是个大人了！他比以前更强！"昆提良说。

"不，"阿方索低下头，用一块绒布轻轻地擦拭那块名为蜘蛛巢的指挥官腕表，"老板这个人，应该并不是你想象的那种完美的权力者。他的心底深处藏着的，还是个小孩子。你以为他杀伐决断，其实那只是他偶发的疯狂。"

"疯狂又怎么样？我们一无所有！我们不疯狂就会死！"昆提良说，"阿方索你也上过战场，顶着炮火冲过去的时候你不疯狂？"

"此疯狂和彼疯狂还是有区别的。当年我们追随他，因为他是英雄，是希望，是教皇和博尔吉亚家力捧的红人，人人都争着效忠他，因为跟着他就会功成名就。可今天他只是枢机会手里的一个工具，追随他就是跟他一起走死路。为了妹妹，老板当然可以不惜一切代价，那是他的疯狂，可你为什么要像他那样发疯呢？"阿方索轻声说，"那个白色的信封，我们还是烧掉吧，无论里面是什么都别看……那东西就像故事里说的……是魔鬼的邀请。"

长久的沉默，最后南部小子像是泄了气的皮球那样瘫坐在椅子上，呆呆地望着屋顶。

夜很深了，熔炉里仍旧翻卷着高温火焰。唐璜和阿方索都睡着了，阿方索睡在工作台边的靠椅上，唐璜则占据了角落里的小床。

至于昆提良，他坐在窗边喝闷酒，呆呆地望着远处灯火辉煌的富人区。

三枚白色的信封还搁在炉火边，谁也不想再去碰了。阿方索的分析很有道理，他们当初追随的人如今已经是落水狗了，谁会追随落水狗呢？

唐璜微微睁开眼睛，看着窗边的背影，他能理解昆提良的心情，听完阿方索的分析，最受打击的就是昆提良，因为接到那枚白色信封的时候，最开心的就是昆提良。

原本他们也算是在这座城市里有身份的人，如今却混得那么惨。如果不是为生计所迫的话唐璜是不会去当贼的，他的拿手好戏是刺杀剑术，他本该成为战场上的刺客型英雄，在万军中刺杀敌军主将什么的。

以阿方索在机械方面的天赋，缩在这种破烂的工作室里给心怀不轨的客人制造杀人武器，真是太可惜了。至于昆提良，他最糟糕，他除了驾驭机动甲胄外别无任何天赋，只能在酒店里做侍者这种卑微的活儿。

他曾经很苦恼地跟唐璜说："我工作的地方糟透了，我看着那些年轻的女孩子在酒店里学坏，她们来的时候都不化妆，后来都学会化妆了，她们坐在阔佬的大腿上撒娇，喝得烂醉如泥被阔佬们占便宜。"

可唐璜看起来满脸羡慕："你那份活儿可真棒！如果我是你的话，那些漂亮姑娘在变成阔佬的小甜品之前早都被我舔过一遍啦，那些阔佬只能吃我吃剩的！"

唯有这么说才能让这个南部小子继续埋头工作别想太多。

他们已经不是骑士了，他们在这座城市里没有任何靠山，他们的人生还有污点，因为是被军部开除的。当年跟随西泽尔的时候肆意张扬还结下了不少仇，仇人中有好些已经在军部坐上了高位。

他们曾想改变世界，如今他们长大了，才明白被改变的其实是他们自己。

是唐璜教昆提良把新来的女孩推荐给阔佬的，这钱当然不干净，但在唐璜看来，你不赚别人也会去赚，最后那些从外省来的漂亮女孩都会一一沦陷在金钱的攻势下，她们一个个青涩地来，妩媚妖娆地离开，如台伯河的水。

爱情？爱情在这座城市里什么都不算！

在这座用阶级地位说话的城市里，绝大多数人的一生从生下来的那一刻起就注定了，你若是公爵之子，你可以选择借助家族的势力青云直上，成为威名赫赫的大人物，也可以选择游手好闲地荒废人生，但无论选哪条路你都可以锦衣玉食；你若是贱民之子，就只有卑微地度过你那可笑的人生，荣耀和梦想不属于你这种人，漂亮的女孩们也不属于你，你死后会被葬入无名公墓，连块墓碑都没有。

除非你得到机会……他们曾经遇到过，那个机会名叫西泽尔·博尔吉亚……

唐璜望着漆黑的屋顶，漫无边际地回忆从前。

058 木匠或骑士

他们中以唐璜最为年长，昆提良最小。在炽天骑士团的训练营里，他们算是同届生。

昆提良的出身最糟糕，他从小生活在南方的海岛，母亲死于难产，父亲酗酒，喝醉了要么号啕大哭要么就暴打他。他家只靠少量的退休金生活，每到月底都会有那么几天饿肚子。

在那样的家庭里长大，昆提良却没有长成一个阴郁缺爱的孩子，足以证明这头蛮牛的神经也跟肌肉差不多粗壮。他是岛上的孩子王，总是带领着男孩们挥舞着木剑冲入大海，挥舞刀剑和海浪作战，仿佛他是位大将军，被千军万马包围了犹自奋战不休。

父亲三番五次地把他送到木匠工场里让他学手艺，可他只学会了用木头来做骑士剑，各种各样的骑士剑，他把那些剑插在沙滩上，双手抱怀站在中间，眺望着茫茫大海。

他知道海的对面是大陆，大陆上有座美轮美奂的城市，那里的骑士们穿着蒸汽驱动的铁甲，他们的剑不是用木头做的，而是最优质的合金，那剑永不生锈，那剑可以砍断奔马。

每次他摆出这种愚蠢的造型都会招致父亲的痛殴，但随着昆提良的年纪越来越大，力气也越来越大，父亲开始打不到他了。每次父亲挥舞着笊篱向他跑来的时候，他就一溜烟地跑过长街，爬上教堂的钟楼。

那座教堂的钟楼很高，且没有爬上去的阶梯，父亲挥舞着笊篱在下面咒骂这个不争气的儿子，昆提良用棉花塞着耳朵，躺在钟楼顶上，仰望云来云往的天空，沉浸在书中读来的骑士故事里。

终于有一次，父亲追到钟楼下无计可施，暴躁地围绕着钟楼转圈子。父子两人在星空下对喊，父亲说："混账！你做个屁的骑士，你知道骑士是什么东西么？"

昆提良说："我就知道骑士才是真正的男人！木匠不是真正的男人，木匠就是木匠！"

父亲说："你这个混账！你母亲临死前千叮咛万嘱咐要让你当个好木匠，我费了多少口舌才在木匠工场里给你找到当学徒的机会。木匠怎么就不是真正的男人了？木匠能娶老婆生孩子，被孩子们环绕着死在自己的床上！骑士的命运是跪在战场上被人砍掉头颅！你要是当了骑士，都未必有命活到娶妻生子的那天！木匠才是真男人！骑士只是一帮注定要死的死鬼！"

昆提良忽然站了起来，眺望着远处波涛起伏的蓝色大海，像石头般安静，他说："爸爸，我知道当骑士可能会死，但不当骑士，我不知道自己曾经活过。"

以昆提良的修辞能力，今天他十九岁了也讲不出这么有哲理的话，这是他从某本骑士小说上看来的，故事中的主人公要去沙漠魔堡中救他心爱的公主，但守卫那处魔堡的是一条幽灵龙，扈从劝他不要去，去了必死无疑，骑士说："那里确实是地狱，但那里有我心爱的公主，我很清楚我可能一去不回，但我不去便仿佛不曾活过。"

昆提良照搬来讲给老爹听，那一刻他觉得自己特别帅特别勇敢，感觉好极了。

可父亲忽然哭了，那个喝醉的中年人坐在灯塔的基座上号啕大哭，他喊着昆提良母亲的名字说："亲爱的我很想你啊！我把我们的孩子带大了！你看看他多像年轻时那个混蛋的我啊！可我很怕我会失去他！"

昆提良给吓傻了，猴子一样从灯塔上滑下来，老老实实地站在父亲面前，等着父亲用笊篱打他一顿，然后父亲就会觉得好点了，就不会哭了。可父亲只是轻轻地抚摸着他的面颊，说："你长大了，昆提良。"

父亲带着昆提良回到家里，从院子里挖出了一口半朽的木箱，打开木箱，里面是半截断剑，剑身呈暗金色，泛着星辰般的微光，此外还有一条考究的牛皮绶带，上面挂着孤零零的一枚勋章。

"那柄剑就是你梦寐以求的剑吧？虽然断了，可它曾经也是炽天骑士团的制式剑，由密涅瓦机关设计，用混合了秘金的高碳钢锻造，全力挥舞的时候确实能够砍断奔马。"父亲轻声说，"这些就是我骑士生涯仅有的纪念品。"

那一夜昆提良才知道父亲的退休金从何而来，它来自遥远的翡冷翠，由教皇国的军部发放。

他的父亲曾是一位高傲的炽天使骑士，为教皇国征战，积累军功升至上尉。退役之后，他继续留在军部服役，直至身体状况出了问题。

驾驭机动甲胄是件很危险的事，骑士不得不强迫自己的身体适应机械，反复作战反复受伤，父亲退役的时候，肌肉骨骼都严重地受损，随着年龄增大，这些旧伤就逐步暴露出来了。

退休金是有限的，在翡冷翠根本过不上像样的日子，父亲不得不回到家乡，那座位于南方的岛屿。在岛上的小教堂里他娶了昆提良的母亲，那个从小就喜欢他的女孩。

他本以为这样总算过上了平静的生活，可昆提良的母亲在分娩时出了问题，他眼睁睁地看着他的妻子难产而死。他非常清楚如果他们是在翡冷翠，那么他心爱的女人就不会死，那里有全世界最好的医生，可他的退休金和军功不足以支撑他们在翡冷翠生活。

他握着昆提良母亲的手说："对不起对不起对不起！我为什么要离开你去当骑士呢？让你等了我那么多年。什么狗屁的光荣和梦想！我这一生兜兜转转，最后还是只有你啊！"

昆提良的母亲虚弱地微笑着说："可我最初喜欢上你，就是因为你说总有一天你要穿上机械甲胄成为英雄啊，如果你不是那样狂妄的男孩，我也许不会知道世上有你……"就这样，那个美丽的女人缓缓地闭上了眼睛。

受了这个打击父亲加倍地沉溺在酒精和对过去的悔恨中，一心想让昆提良过上平静的日子，想方设法地送他去学木匠手艺——其实这根本不是母亲的意愿，而是父亲自己的。

可日复一日昆提良长大了，却是越来越像当年的父亲。当年那个勇敢而鲁莽的少年，也是眺望着茫茫大海，对靠在他肩头的女孩说："我会成为最伟大的骑士！然后带你去翡冷翠过贵夫人的日子！"

父亲摸着昆提良的头说："这就是骑士的命运啊，痛苦远远多于荣耀，成为骑士王当然世人都会称颂你，可谁会记得那些死在战场上的骑士？知道了这些之后，昆提良，我的儿子，你还想当骑士么？"

那是昆提良一生中最漫长的一次思考，他想了整整一夜——这对阿方索来说倒是不算什么，阿方索经常面对一个小零件思考一个星期，但对昆提良这种神经粗大的家伙来说，思考一夜简直像是思考一生那么漫长——天明的时候他对父亲重复了那句话，他说："爸爸，我知道当骑士可能会死，但不当骑士，我不知道自己曾经活过。"

父亲点了点头，说："我知道我无法阻止你，我只希望在我老死前你能光荣地回来。"

他写了一封信，让昆提良带给军部的一位中校，那位中校是他在炽天骑士团的战友，也是他在翡冷翠最过硬的关系。在信里父亲恳求中校为他的儿子安排一个机会，让他参加见习骑士的考核。

那是封措辞非常卑微的信，因为父亲和那位中校的关系也并不很亲密。昆提良看父亲写信的时候字斟句酌，就知道那是父亲能给他的最大帮助了。

昆提良坐着渔船离开了那座岛，渔船离港的时候父亲并没有来送他，直到航行得很远了，后面忽然传来了钟声。昆提良回头看去，那座高高的钟楼上，他曾屡次躲避父亲追打的地方，白发苍苍的中年人撞着青铜大钟，眺望着渔船的帆影。

不知道他是怎么爬上去的。

那一刻从来不流泪的昆提良忽然号啕大哭起来，他抱着桅杆，像猴子那样爬到最高处，向着故乡和父亲挥舞他的白色领巾。

那一刻他发誓要成为骑士王！还要在父亲真正老去之前，穿着将军的制服回来见他！

059 致命的科学家

阿方索倒不是外省人，他从小在翡冷翠的一所教堂里长大。

他是个弃婴，被丢在教堂门口。父母是谁已经无法查证了，但他应该是东西方的混血儿，既有西方人的挺直鼻梁和白发，也有东方人的细长眉眼和柔和脸庞。

管理那间教堂的老神父很慈祥，而且也很寂寞，便收养了阿方索，所以阿方索的童年倒并不那么孤苦。

老神父还是位数学家，阿方索四岁开始就跟随老神父研究数学，十二岁的时候他的数学水准已经达到大学水准了。按照他原本的人生轨迹，本该成为一位数学家。

但这一年发生了一件事。某位年轻神父宣称老神父管理的那间教堂已经年久失修，理应拆除。当然这不会影响到信徒们的祷告，他们只要多走几步路去他的教堂祷告就好了。

这其实是教区之间争夺信徒的一种手段，教堂的钱是信徒们捐赠的，信徒越多，教堂越富。那位神父深得主教大人的宠爱，想借助主教的支持吞并老神父的教堂。

老神父多次写信给主教大人，哀求他改变这个决定。那间教堂既是阿方索长大的地方，也是老神父自己长大的地方。它确实有些破旧，但绝对没到必须拆除的地步，几十年来每个周末老神父都跟附近的居民在教堂中聚会，像一家人。那座教堂一旦拆除，那个维系了几十年的家也就不在了。

但主教大人迟迟不回信，而那位得势的神父已经等不下去了，派人把圣像从老教堂里搬了出来，然后浇上煤油焚烧。

他倒是没有要把老神父烧死在里面的意思，只是想把老神父赶出来，但老神父想要把他的数学研究资料搬出来，连续进出火场几次后，他被浓烟熏倒了。阿方索赶回来的时候，养育他的老教堂和老神父已经化作了冲天的火炬。

教廷高层默默地压下了这件事，这足以证明那名年轻神父确实在主教那里很得宠。漫长的秋天过去了，附近的信徒从开始为老神父鸣不平到沉默，然后渐渐地转去了年轻神父的教堂做祷告，只剩那座漆黑的废墟矗立在初雪里。

初雪落下的那天，人们看见老神父养大的那个混血男孩提着一个沉重的黑箱子，在废墟上放下了一束白花，然后提着那个黑箱子走进了年轻神父的教堂。

第二天早晨他才出来，出来的时候他苍白得像个纸人，走了几步就倒在雪地里。他就躺在雪里，默默地看着飘雪的天空，无声地大笑。

第三天早晨，人们发现年轻神父吊死在了他自己主持弥撒的祭坛上。

大家都知道是阿方索为老神父报了仇，可一个十三岁的男孩凭什么向那位深得主教大人宠爱的神父发动报复呢？直到今天，对于那些看着阿方索长大的人来说，这也还是个谜。

唐璜是知道的，在某个寂静的雨夜，喝了点酒之后，阿方索将当年的报复计划缓缓道出。

听他讲故事真是叫人不寒而栗。他的声音就像平日那么平淡，好像说的是方程怎么配平、函数怎么解，可实际上他讲的是一个十三岁的男孩怎么一步步地了解他的仇人，锁定仇人的弱点，最后用合法的手段把仇人逼上绝路的故事。

"那个神父是个很好赌的人，他赌博经常赢钱，因为他也是个出色的数学家，很精于计算。"阿方索说，"他逼死我的老师固然是因为他想拉走那些信徒，也是因为他不愿意老师在数学上的成就超过他。我用了整整一个秋天学会赌博，从高利贷者那里借了一大笔钱，然后去拜访他。我跟他说：'你不知道我的老师在数学上的造诣到底多高吧？可惜他已经死了你没法知道了。不过眼下就有一个机会，我是老师唯一的学生，老师去世前说我已经跟他旗鼓相当了，赌赢了我，也就赢了他。'那个神父不可能拒绝这种赌局，这是数学家之间的赌局。那是一场惨烈的赌博，简直要把大脑的最后潜能都榨尽，走出那间教堂的时候，我觉得自己就像一棵枯死的树，而他输掉了整间教堂的经费。他还不上那笔钱，所以吊死了自己。"

唐璜这才知道阿方索那手不可思议的赌术从何而来了，同时万分庆幸阿方索是他的朋友而不是仇人。这个世界上，绝对没有人想跟这个身兼数学家、机械师和骑士三重身份的疯子结仇。他永远不会像昆提良那样一拳打碎你的面骨，他只会默默地结好一个套索放在你面前，你不知道怎么回事就拿这个套索去上吊了。

从法律上说阿方索是无罪的，但那名年轻神父的朋友可没准备放过这个男孩，他们密谋雇凶杀人，但那个雇来的杀手却眼睁睁地看着阿方索走进了炽天骑士团的训练营。

阿方索毫无悬念地取得了见习骑士的资格，也跟过去永远断绝了关系。

060 谜一样的少年

至于唐璜，他也是在翡冷翠长大的，但他的故事没人知道。

"就是那种正常的翡冷翠美少年啦。"每当昆提良问起他的身世时，唐璜总是这么说。

长大之后他把美少年改成了美男子，其他的还是照搬当年的说法。

没人见过唐璜的家人，但唐璜声称他家就在翡冷翠，只是"懒得回去"。此外唐璜宣称他家"很有钱"，"钱多得花不完"，但鉴于那帮"老混蛋"总是要限制他，所以他跟家庭处在半决裂的状态。他来当骑士，是追求那种"豪侠般的自由生活"。

即使是昆提良这种单纯的海岛少年都不会相信这种鬼话。最初的一段时间他总是跟唐璜开玩笑，说："嗨，唐璜少爷，什么时候我能看见一辆加长礼车来接你回家啊？我还没有坐过那种礼车，大少爷你就带我兜兜风呗！"

这时唐璜就会变得格外严肃，说："我只要说句话，随时随地都会有那种礼车来接我，你会看见老妈子抱着我的大腿说：'唐璜少爷你可算回心转意啦，以后再也不要跟家里闹别扭啦，好好地继承家业吧，当什么豪侠啊！'然后我就会被拉回家里去，穿上丝绸衬衫和羊绒外套，像别的翡冷翠美少年那样过我的人生。可那能叫人生么？那只是一头猪被养在豪华的猪圈里而已！如我这样有气节的少年，那么热爱自由，家庭出身只是我的束缚！我就是为了打破那种束缚才来当骑士的！"

昆提良觉得这个笑话棒极了，拍着唐璜的肩膀哈哈大笑。

可根据阿方索的分析，唐璜确实是出身于某个豪门。后天的经历固然可以改变一个人的习惯，但先天的气质是很难抹去的，唐璜随随便便披着军服往那里一站，感觉就会有女侍来帮他整理衣领的样子。

他喝咖啡的时候，咖啡好他就不加糖，以便享受咖啡豆的天然香气，咖啡不好他也喝，但就会加入过量的糖，好掩盖那股粗糙的味道。

在他最落魄的时候，外套也是笔挺的，头发凌乱却透出一股迷离的气质，鞋擦得闪闪发亮。

昆提良听了阿方索的分析，对唐璜的过去很感兴趣，但以他的智商是别想从唐璜那里问出什么来，他就想让阿方索去问。

阿方索拒绝了，阿方索淡淡地说："这座城市里每个人都有秘密，你可能没有，但你不能把别人的秘密都揭开，反正你知不知道唐璜的过去都会继续跟唐璜当朋友对不对？"

昆提良说："对啊，无论他是个公爵的儿子还是个马夫的儿子他都是我的朋友。"

阿方索说："那不就行了？反正知道不知道都不影响结果，你就别知道好了。"

061 肥羊

这样三个出身、家境、智商和情商都完全不同的男孩，竟然在那间艰苦的训练营里成了好朋友，而且友谊维持至今，这很有点不可思议。

就像是把一头躁动的公牛、一头沉静但危险的逆戟鲸和一只时时刻刻梳理羽毛的孔雀关在一起——如果有种办法能把这三种东西关在一起的话——当笼子打开的时候，你发现它们成了好朋友，小公牛站在逆戟鲸的头上眺望前方，孔雀则站在公牛角上梳理羽毛。

他们的组合就是这样不协调，但又出奇的默契。

也许是因为在那段最孤独的少年时期，他们都渴望着朋友，而又恰好相遇了。

南部小子过人的体魄和协调性令他在驾驭机动甲胄方面占绝对优势，他不穿机动甲胄就已经是一匹奔马或者斗牛了，穿上机动甲胄简直就是一头铁甲暴龙。

唐璜驾驭机动甲胄的技术也相当过硬，但他的实战剑术甚至比他的驾驶技术还要出色，他还是个天生的演员，能扮演任何人，射击也是超一流的，根据这些特长，最适合他的职位其实是间谍。

至于阿方索，他原本应该成为一名数学家，而数学和机械学在某种程度上是相通的，他很快就能自己维修机动甲胄的外设部分了。这令教官非常惊喜，这种男孩有很大的机会成为战场的支援者，而一个支援者远比一个战斗力超强的孤胆骑士有价值。

见习骑士的未来不过是两条路，要么获得骑士衔，成为炽天骑士团的正式成员；要么没能获得骑士衔，转入军部其他部门就职。以唐璜、阿方索和昆提良的成绩，所有人都相信他们会轻而易举地获得骑士衔，可直到十五岁那年，骑士衔依然没有到来。

昆提良开始心浮气躁了，想去军部询问，唐璜怕他闹出事情来，于是陪他去。

大概是对这个不懂事的南部小子有些好感，军部的某位少校私下里为他们做了解释。原来骑士衔是由教廷授予的，而不是军部。每年新增的骑士名额是有限的，并非只有训练营的男孩们想要获得这个头衔，贵族少年们也很渴望。他们获得骑士衔之后并不会留在炽天骑士团里卖命，而是转入其他部门担任大人物的秘书，骑士头衔会让他们平步青云。本该授予他们的骑士衔都被那些有家世有门路的贵族男孩半路劫走了。

"但最后你们还是会被授予骑士衔的，"少校拍了拍唐璜的肩膀，轻轻地叹了口气，"因为这个国家不仅仅需要拥有骑士衔的贵族，也需要死在战场上的那种骑士。"

那一刻昆提良才明白，教皇国的炽天使骑士还分两种，一种是永远不用上战场却能享受荣誉的上等人，一种是迎着重炮冲锋的炮灰，而他的父亲，恰恰就是后面那种。

男孩们对此异常愤怒，原来他们再怎么努力再怎么辛苦都没用，归根到底这个恶心的世界是靠家世和地位说话的，他们开始荒废训练，在军营附近的酒馆里瞎混，像小流氓那样找机会搞点小钱，有钱了就去大吃大喝。

以阿方索的性格原本是不会去酒吧里混的，但既然他的朋友都想去，那么他也愿意跟着。他就是在那几个月里学会喝酒的，以前他滴酒不沾。

　　阿方索很擅长赌牌，他占据一张赌桌，坐庄。唐璜负责拉人来赌，昆提良负责"看场子"。大人们都对一群十五六岁的男孩在酒吧里赌牌很好奇，往往都会坐下来玩上两把，可结果往往是输光了才离开的。

　　那种赌局其实应该算是一种诈术，一般人的计算能力，在阿方索手下是全无胜算的。

　　胜利一直持续到某一天，那个十五岁的男孩在赌桌对面坐下，抬起紫色的眼眸，看了阿方索一眼："这种赌法很新鲜。"

　　他有点弱不禁风的感觉，可偏偏穿着高级军官才有的黑色呢绒军服，系着宽阔的腰带，只是没戴肩章和领章。

　　一看这种人昆提良就来气，分明是那种世家出身的小少爷，想在军队中混一份资历，其实连剑都捏不住！就是这种人抢走了他们的骑士衔！还敢穿着军装出来招摇！

　　阿方索倒也没准备白白地放过这位小少爷，扑克牌在他手中翻转，便如蝴蝶扑动双翼。他每发一组牌就给小少爷设置了一个陷阱，小少爷每踏入一个陷阱都会损失几个金币，而作为见习骑士，他们三个的薪水加起来也就每月几个金币。

　　昆提良和唐璜兴奋得都快蹦起来了，小少爷和阿方索却像雕像般端坐着不动，冥思苦想。

　　小少爷对于输钱全然不在意，无论输掉多少枚金币，他都会从钱袋里摸出更多的金币来，好像那个钱袋是没有底的。可这场赌局的计算量正在急剧地上升，达到了跟年轻神父的那场赌局差不多的程度！

　　阿方索开始感受到压力了，巨大的、海潮般的压力！那个沉默的、看起来弱不禁风的男孩正以惊人的计算能力反过来给阿方索设套，赌局迅速地白热化，阿方索赢来的钱开始流回小少爷的钱袋里。

　　唐璜意识到不对了，在那之前他一直觉得阿方索是这个世界上最能控制局面的人，现在赌桌对面的男孩释放出的气息跟阿方索一模一样……甚至更强！

　　赌局持续了足足三个小时，最后阿方索和小少爷都累得不行了，阿方索看向小少爷，用眼神询问他要不要终止，小少爷擦去额头的汗，点点头，以上等人那优雅的声调说："难得在这种地方……"

　　这本该是句完美的告别辞，下面的话应该是："认识了数学能力这么强的对手，今天很晚了，不如改个时间再继续？"

可昆提良一个箭步，冲过来把小少爷抱了起来！阿方索和唐璜都愣住了，眼睁睁地看着昆提良抱着小少爷旋风似的冲出酒馆，等他们追出去时，昆提良已经把小少爷捆起来了……正在他全身上下搜罗值钱的东西。

南部小子以超凡的行动力向他的朋友们证明，靠运筹帷幄搞不定的那种对手，可以尝试冲过去一棍子放翻。

事到如今就算不洗劫小少爷也没法免罪了，本着有福同享有难同当的义气，唐璜帮着昆提良鉴别了一下哪些财物是容易出手的，哪些财物是会惹麻烦的，只拿走了那些容易换钱的东西。

而阿方索则很缜密地买了一瓶茴香酒来，把小少爷给灌醉了，扔上了一辆路过的租赁马车，随口说了个地址。这样就不用把小少爷扔在野地里，被野狗咬了可不好。这应该算作……热爱数学的少年之间的相互关照。

之后他们带着当晚的收获物，唱着歌，欢天喜地地溜回了训练营。

按理说这件事就这么结束了，销赃的事情就落在唐璜身上了，反正这家伙永远都有很多野路子。

唐璜对自己做贼的天赋很自信，他根本没碰那些很容易被追踪到的高级珠宝，只拿了小少爷的钱袋。他带着钱袋里的金币去附近的商店破钱，店主拿到金币翻过来看了一眼，忽然尖叫了起来："博尔吉亚家的印记！"

军法处的军官们不知道从哪里冒了出来，如狼似虎地按倒唐璜。

后来唐璜才知道，虽同是教皇国发行的金币，但各种金币间其实是有细微差别的，金币边的齿纹不一样。他拿去破的是一块博尔吉亚家的金币，那种金币在市面上流通很少。军法处的人监控着附近所有的商店，一旦有人拿着博尔吉亚家的金币来，店主就必须发出警报。

他被押解回军营的时候，阿方索和昆提良已经被剥去上衣和所有军人饰物，只着一条夏裤，被捆在了营地中央的木桩上。

唐璜心里一寒，按照惯例，除掉领章肩章这些军人饰物就意味着……上面准备剥夺他们的军籍！

军籍是他们三个的一切，在这座城市里他们没有任何靠山——也许唐璜有，但他看起来就算走投无路也不会求助于他的家人——唯一的资本就是见习骑士的身份，如果被剥夺军籍，他们只能流落街头。

整个训练营的人都跑来围观，军法官们手持短鞭等候在旁。他们双膝跪地双手吊起，昨夜被打劫的小少爷静静地站在前方。他穿着笔挺的黑色军服，肩扛银色的肩章，赫然是少校军衔。他的白手套外戴着沉重的铁戒指，戒指上是燃烧的火焰！

只有骑士才能拥有那样的铁戒指，小少爷竟然是位真正的骑士！

最可怕的还是他的袖口，用金线绣着相互穿插的玫瑰花枝，这暗示着男孩的家族。高贵的博尔吉亚家族，他们以荆棘玫瑰为家徽，就是那个家族出了现任教皇！

原来昨晚他们遇见的是一个博尔吉亚家的男孩，前途不可限量的少年骑士……他们本该亲近他讨好他，没准将来还能借助他的关系登上更高的位置，结果他们抢走了他的钱包，把他灌晕了扔在一辆马车上。

训练营的长官看着他们三个，惋惜地摇摇头，大概是爱莫能助的意思。他们犯的事儿实在太大了，违反军规出入酒馆、赌博、抢劫……还抢了博尔吉亚家的男孩。

昆提良看看唐璜，唐璜看看阿方索，阿方索苦笑着摇摇头。昆提良知道自己这伙人是没希望了，连阿方索都没辙，他这头蛮牛和唐璜那个伪贵公子又有什么办法呢？

这种时候南部小子反而傲气起来了，挺起胸膛，以睥睨的眼神看着小少爷："嗨！你好啊！"

"你好。"小少爷竟然回答了他，语气淡淡的，好像朋友间随口打招呼。

"混账！胆敢无礼！"军法官上前一脚，踩在昆提良的头顶，逼迫他低下头去，"说！谁给你们这样的胆子？谁在背后指使？"

在军法官想来，若是没什么人教唆，这三个平民男孩怎么敢去伤害那位教皇厅红人、博尔吉亚家的贵公子呢？十有八九这是有预谋的。可昆提良能说什么呢？他们只是觉得一头好肥羊不能白白放过……

"没人指使，就是看不惯贵族，想抢他们的钱花，怎么样？"昆提良死命地把头抬起来。

短鞭狠狠地打在他的侧脸上，在那里留下了一道深深的血痕。军法官怒吼："放肆！你知道你在跟谁说话？不怕死吗？"

"死？"昆提良大笑，"反正活下来也是当炮灰，拿死来威胁几个注定要死的炮灰，大人你也太无聊了点吧？"

"而你，"他恶狠狠地看向小少爷，"你们就不一样了，你们生下来就高高在上，你们是将军，我们是士兵，我们冲锋送死，你们领勋章！哈哈哈哈！我昨晚把你捆起来的时候为什么不打你一顿呢？狠狠地打你一顿！想着都蛮解气！"

长久以来的愤恨冲昏了这小子的脑袋，昆提良旁若无人地高声说话。说他们的骑士衔被那些穿上机动甲胄连跑步都不灵活的贵族男孩抢走了，说他的父亲为这个国家战斗了一生，退役后只能带着一身的伤返回家乡，在那座寂寞的小岛上等死，说他当年把木头削的骑士剑插在沙滩上，渴望着驰骋于绚丽和辉煌的翡冷翠。可若你没有生在那个荣耀的阶级，你就只能在地上爬行！

他最后重复了军部那位少校的话："这个国家不仅仅需要拥有骑士衔的贵族，也需要死在战场上的那种骑士。"他指着周围看热闹的人说，"你们都是那种要死在战场上的骑士！"

风卷着尘土从空地上过，见习骑士们都默默地听着。那是一番让人为之动容的话，却也是一番可能会让昆提良倒大霉的话。谁都知道教廷和军部的不公，可是这话不能说，说出来的人都被丢进了监狱。

唐璜也知道这番话会坏事，他可不想被送往军事法庭，他可是要谈很多段浪漫的恋爱的人啊，那时候他连第一个心爱的女孩都没找到……可那个时刻，他不能低头，所以他像昆提良一样强硬地仰着头，三兄弟像是三只仰望天空的青蛙。

昆提良讲了足足五分钟才停嘴，他本以为自己吼几句就会被堵上嘴，可竟然没人堵他的嘴，因为冲上来的军法官被小少爷阻止了。

这时称呼他为小少爷已经不合适了，而应称他为少校，他阻止军法官只用了一个眼神，这让这个苍白纤瘦的少年多了一份威仪。

"行了！就这样吧！"昆提良咂吧咂吧嘴，又想了一会儿，觉得实在没什么可说的了。

他说得很爽，剩下来就是等待宣布处罚呗，随便少校男孩拿他怎么样，反正他也爽了。

孤零零的掌声响了起来，男孩认真地拍着巴掌，全无表情。昆提良愣住了，旋即不屑地说："要讽刺随你便！"

这时男孩背后的副官说话了："军法官刚才跟你说了，你根本不清楚自己在跟谁说话，你没明白那话的意思。你觉得你是这间训练营里的优胜者，却没有获得骑士衔，就这样抱怨不休，但你可知道你面前的这位殿下七岁就能控制住机动甲胄？在你还没踏进这间训练营的时候，殿下已经是精英骑士了！你没有去过的战场，殿下见过！你没有经历过的死亡，殿下经历过！这世上确实有人是因为家庭出身而得到了骑士衔，但是你眼前的这位殿下凭的只是他自己！"

整个训练营的人都愣住了，不敢相信自己的耳朵。

娇贵的博尔吉亚男孩，在区区七岁就被丢到危险的机械里去？还上过战场？这样弱不禁风的男孩也曾顶着枪林弹雨冲锋吗？与死神擦肩而过，挥舞利刃砍下人头？

副官转过身，向整个训练营大吼道："听好了！殿下今日来训练营，是要挑选他的助手！这是你们的机会！你们的荣幸！但我知道你们中一定有人像这个昆提良一样狂妄，自以为了不起，觉得受了贵族的压迫，就心存怨恨，那样的人是不配追随殿下的！我们的殿下，可是毁灭……"

这时男孩挥了挥手，随着他的手指划出的弧线，鹰隼般的副官立刻闭上嘴巴，无声无息地退后。

"就选他们三个吧，我觉得挺好，其他人解散。"男孩指着阿方索和唐璜的鼻子，最后是昆提良，"还有，我确实觉得你说得很好，不是讽刺你。"

说完他就走了，留下目瞪口呆的副官、军法官、军营长和满满一座军营的见习骑士，还有捆在木桩上的三只待宰羔羊。

062 地狱之路何去何从

次日昆提良他们就被通知去铁十字堡报到了，骑士衔的问题仍旧没有解决，但他们已经成了炽天骑士团的预备成员，那三身考究的黑色军服和肩章上的少尉军徽说明他们今非昔比了！

昆提良兴奋得大吼一声，敞着军服跑过长长的走廊，一头撞进西泽尔少校的办公室，报到的时候他们才知道男孩的真名是西泽尔·博尔吉亚。

当时西泽尔正趴在办公桌上做作业——他确实是在做作业，因为他既是军官又是学生，就读于都灵圣教院——之后的日子里他随时随地都会拿出作业来做，这在昆提良看来简直就是个笑话。

年轻的殿下收起了作业簿之后，礼貌地示意他们三个坐下，唐璜和阿方索都坐下了，昆提良却还站在镜子前端详自己穿着军服的身姿，嘟哝说胸口这里还是有点太紧……唐璜低低地咳嗽一声说："以你的年纪而言，胸肌过于发达并不值得这样炫耀。"

"将来你会拥有更好的军服和更高级别的领章，昆提良少尉。"西泽尔说。

"是！殿下！"昆提良行了个漂亮的军礼，"你会带我们上战场吗？"

西泽尔沉默了一刻："只怕除了战场，我也没有可以带你们去的地方。"

唐璜微微一怔，察觉出了这话中隐藏的悲凉，偏偏语气又是那么的淡。一个十五岁的男孩，要经历多少事，才能那么淡然地对待悲凉？

昆提良可没感觉，他几乎是跳着来到西泽尔的办公桌前："好极了！我可不想当那种坐办公室的所谓军官啊！殿下你选我们三个算是选对人了！我们是同届的见习骑士里最有本事的人！阿方索是天才的机械师，我最擅长冲锋，至于唐璜……"昆提良想了想，"您也看到了，他长得最漂亮！"

唐璜气得想吐血。什么叫长得最漂亮？这是选迎宾么？怎么轮到我评价就这么不中肯了呢？

昆提良还想接着啰唆，却被阿方索打断了："以您的权力和地位，有的是人愿意效忠您。您也不像是那种对自己的助手是谁全然不在意的人，可为什么选我们？"

"你真想知道？"西泽尔抬起眼帘。

他总是习惯性地低垂眼帘，好遮挡那对深紫色的瞳孔，而一旦他抬起眼帘，就不再是那个微冷的、远离世界的孤独的男孩了，会淬出剑一般的寒芒。

"是的，我想知道。"阿方索缓缓地说。

办公室里的气氛一下子凝重起来，昆提良茫然地看着唐璜、阿方索和西泽尔目光交接，仿佛剑锋相对。

片刻之后，西泽尔转过头，从窗户望了出去。窗外，大理石森林般的教堂和灯塔矗立在阴霾的天空之下，暴风雨似乎随时都会来临。

"因为你们不喜欢这个世界，"西泽尔轻声说，"而我也不喜欢！"

长久的寂静，寂静中暴雨落了下来，沿着玻璃流淌如瀑布。

坐在沙发上的三个男孩审视着坐在办公桌前的那个男孩，像是看朋友，又像是看怪物。那个博尔吉亚家的男孩，以他的年龄和成就，注定要成为远东总督那样伟大的人，却深深地厌恶着这个世界……厌恶着这个由他那种人呼风唤雨的世界。

"明白了，那么我愿意成为您的助手。"阿方索打破沉默，缓缓地给自己配上了少尉军徽。

"我也愿意！"昆提良大声说，"虽然我没太听懂你们在说什么！"

"我当然也愿意咯，"唐璜懒懒地说，"在这座城市里，没有靠山可不好混啊，靠山找到我们，我们还能拒绝吗？不过，真的只是那么简单的原因吗？不喜欢这个世界的人，可多了去了。"

西泽尔倒是愣住了，想了几秒钟之后他笑了笑："你们还……长得挺漂亮。"

沉默了几秒钟之后，阿方索和昆提良都笑了起来，只有唐璜局促得不行："不要随便开启嘲讽模式啊殿下！我们刚刚适应了冷漠模式！"

细雨笼罩着翡冷翠，台伯河上笙歌未绝。

回想起当初的相遇，悸动还在，清晰得就像年轮。那个名叫西泽尔·博尔吉亚的男孩曾是支火炬，点燃了三名见习骑士心中的火焰。

但西泽尔终究没带他们去锡兰的战场，因为觉得他们还没准备好，也因为他们只是"普通的"甲胄骑士而非炽天使骑士。

随后就是天翻地覆的变化，炽天骑士团少校西泽尔·博尔吉亚因为涉及异端罪被剥夺军籍流放他乡，所有跟西泽尔有关的人都遭到牵连，他们三个也不例外。

时过境迁，西泽尔回来了，却不复昔日的荣光。当年他是博尔吉亚家的宠儿，可以当他们三个的靠山，如今只怕是一无所有，反过来要他们三个把命赌上。

往事如海潮般翻涌，今夜看来是很难睡着了。唐璜把眼睛睁开一道细缝，想看看昆提良是不是睡着了。

这一睁眼他吓了一跳，昆提良正端坐在床前，腰板挺得笔直，正低头看着他。唐璜原本是个刺客型的骑士，不该有人能这么轻手轻脚地摸到他的床边，但今晚心事太多，他竟没能觉察到昆提良靠近的脚步声。

唐璜的伪装能力还像当年那样出色，身体纹丝不动，仍旧留着细细的眼缝，想知道南部小子发什么神经。

昆提良的神色很怪，呆滞中混合着悲伤。

"阿方索……唐璜……你们都是我最好的兄弟，我知道你们是为我好。"昆提良的声音很轻，应该是不知道唐璜醒着，"可我还是决定去找老板了，因为我这一辈子，就只有他许诺了我我真正想要的东西。"

唐璜心说："你这一辈子就是个幼稚的少年！心理年龄停留在你把木头骑士剑插在沙滩上眺望海对面的年纪，你知道什么是你真正想要的？"

"你记得艾莲吗？今天我从酒店离开的时候带着艾莲一起走啦。我以前是不好意思承认，我很喜欢艾莲的，她跟别人不一样。"火光在昆提良的脸上晃动，他难过得像是要哭出来，"我知道艾莲也很喜欢我，她走的时候都没有收拾东西。我知道她是再也不想回特洛伊酒店去受欺负啦，她就想跟我走，我去哪儿她就去哪儿。可是在路上我们被骑警拦住了，艾莲忘了她欠店里的钱，很多钱，她妈妈生病的时候她问店里借了一笔钱寄给她妈妈。"

唐璜心说："这事情虽然有点棘手但也不是没法解决啊，你让我花点时间泡上酒店老板的女儿，我让她把钱给你掏了……"

"我们没钱还，没钱还艾莲就不能走，想走就得进监狱。艾雷斯男爵也跟过来了，他说只要艾莲跟他走，他就保证帮艾莲把钱还上，还把她妈妈接到翡冷翠来。艾莲想了好久好久，忽然就哭了。她跟我说她不是勇敢的女孩，怕是不能陪我走到最后。她说：'你走吧，昆提良你走吧，你也许会做成大事也许会死，死了我会想你的，做成了大事你也看不上我这种女人了，我们没缘分。'"

唐璜从没想过这个南部小子有这么好的语言天赋，每个字都很简单，可每个字都像是敲在人心上。

"我看着她在雨里上了男爵的马车……她一次都没回头看我，我知道她是怕我控制不住去打人……这就是我们的人生吗？我不喜欢，我可以跟着老板死在战场上，但我不要这样活！世上只有一个人会把得来的权力和光荣分给我们这种人，他的名字叫西泽尔·博尔吉亚……我要去找他！"昆提良站起身来，走到工作台前，"当年老板说，这世界可恶极了，让人想把它烧了。那么多年过去了，这个世界还是这么的……可恶！"

他抓起属于他的那枚白色信封，手撑窗台翻了出去，像一只愤怒的公牛那样奔向远方，跑出很远很远，唐璜听到了他的号叫声。

这个本该欢欣鼓舞的夜晚，那头什么都不懂的公牛真的伤了心。

熔炉边的阿方索缓缓地睁开了眼睛，目光清亮，唐璜轻轻地叹了口气："要是没有我们管着，他只怕是会死吧？"

"你不会是想跟他一起去吧？"阿方索冷冷地说，"你要想清楚，那是一条通往地狱的路。"

唐璜懒懒地翻了个身："我可不是那种会为了女人冲冠一怒的人呐，有那么多漂亮姑娘想在我的怀里撒娇打滚呢，我过得很开心，凭什么要去找死？"

阿方索没说话，静静地望着炉火，眼中倒映着火光，像是燃烧的剑。

天之炽.2
FLAMING HEAVEN

第八章
──倾国之艳──第四骑士──

黑纱飘落，红发披散开来，两条长长的马尾辫，
旋转起来如螺旋形的火焰，她被包裹在其中，像是一只
轻盈的玉色蝴蝶。

063 看戏

黄昏时分，苏菲亚剧院门前人潮涌动。

车水马龙，票贩子们挥舞着演出票高声叫卖。今晚苏菲亚剧院上演《冥神的新娘》，一部很火的歌舞剧，正是票贩子们发财的好机会。

"兄弟，是不是没票啊？"口齿伶俐的票贩子跟上了一个年轻男子，"这可是宝儿小姐的演出，绝对的一票难求！公子哥儿都为抢这票打破头呢！一般人没有门路，连站票也别想！不过呢，你运气真是好得没话说，我这里有几张票，第二排中间！绝对的好座位！想象一下那感觉，舞蹈演员们的大长腿就在你面前起落，那才叫玉腿如林啊！"

年轻人身穿黑色的燕尾服，古铜色皮肤，站在人流里，呆呆地四下张望。票贩子立刻就对他做出了判断，乡下人，第一次来剧院，想要一睹宝儿小姐的芳容，没票，胆小。

这种人，正好把那几张烂位置的戏票卖给他。

"谢谢，我有票。"年轻人说，"我是在找贵宾通道。"

"贵宾通道？"票贩子一脸鄙夷，"不是我看不起你，你这也不像能坐贵宾席的主儿啊！我看你这身燕尾服莫不是租来的？"

"你怎么知道？"

"不合身啊兄弟！"票贩子在鼻子里哼哼，"你这胸肌都快把衬衫撑裂了！"

昆提良心说这贵宾席还真不好坐，花了那么多钱租来的礼服，被人一眼看出来不是自己的。

那枚白信封里装着一张金色戏票，西泽尔竟然邀请他们来看歌舞剧，剧名是《冥神的新娘》，贵宾包厢。

戏票上印有着装要求，昆提良只得去街头的裁缝铺子里租件燕尾服，还特意抹了头油。但土狗就是土狗，戏票上写明包厢观众请走贵宾通道，他转了好几圈都没找到路标。

他并不知道贵宾通道其实并非给人走的通道，而是车辆可以直接驶入剧院地下的路。贵客们都是坐车来的，在休息室中用一会儿茶点后，乘坐升降梯直接进入自己的包厢。

票贩子眼见这人身上没生意做也就走了，留下昆提良独自在人流里抓耳挠腮。

这时左右两边各有一个跟他衣着相似的家伙靠了过来，每人都拿着一张金色的贵宾席票，都是走路来的。

昆提良从西边来，阿方索从南边来，唐璜从北边来，最终三个人在夕阳下的人流里碰了面。三身租来的燕尾服，唯有唐璜身上那件还算得体。

三个人你看看我我看看你，都有点不知所措。

"大家都到得很准时嘛。"唐璜最先回过神来，摆出一副"不是约好的吗"的慵懒笑容，好像"我过得很开心，凭什么要去找死"这话不是他说的。

"喂喂！不是你们两个说来了就没命，死死地阻拦我来着？"昆提良不忿地嚷嚷，"搞得我这两天一直睡不好，翻来覆去地想！"

"没有我们在，你这个笨蛋会死得很快。"阿方索说。

"那你呢？你也是担心我吧？"昆提良一阵感动之后转向唐璜。

"别把我想成阿方索那种嘴里说着冰冷的话心里却为你想了很多事的烂好人！"唐璜从鼻孔里喷出两道气来，"我这种男人只会为爱献身！我是冲着老板身边的那个妞儿来的！那种外面冷漠里面火辣的妞儿是我的菜啊！"

昆提良压低了声音："你的菜好像正站在你背后……"

唐璜一个激灵，就听到背后传来那优雅的女声，可又透着丝丝的冷气："找不到贵宾通道了？早就猜到了，所以出来找你们。"

碧儿今天特意打扮过，身穿天蓝色的礼服裙和三寸的高跟鞋，让那曾被称为白色橡树的身材显得更加挺拔修长，和三位见习骑士不相上下。

"喔！怎么表达我对您今天这身打扮的感觉呢……真是光彩夺目！"唐璜赶快补救，故作关切，"不过看您脸色似乎不太好，是病了么？"

"不是外面冷漠里面火辣么？"碧儿冷着脸，"行了，不要掰了，跟我走，演出快要开始了。"

昆提良幸灾乐祸，阿方索面无表情，唐璜灰头土脸，三个人跟随碧儿上了车，车子拐弯驶入了贵宾通道。

电梯带他们进入自己的包厢，居高临下，苏菲亚剧院一览无余。

屋顶足有二十米高，提供了巨大的回响空间，前方是金碧辉煌的巨型舞台，两侧是精美的壁画，普通观众席位于舞台前方，包厢在最后面和最高处。包厢里是红丝绒面的座椅，落座之后就有侍者托着香槟前来问候。

号称出身于贵族家庭的唐璜也没有享受过这等待遇，昆提良这种土狗更是啧啧称赞，落座先干了三杯——因为香槟是免费的。

"喂！遇到免费饮料就猛喝，只能暴露你乡下人的本质好吗？"唐璜压低了声音，"要表现出无所谓的样子，这才能获得服务生的尊重。"

"可笑！没钱的时候我们连山芋酒都喝！还有，我为什么要获得服务生的尊重，我自己就是服务生！"

"没出息，为了多喝几杯连脸都不要了么？"

"可我们中只有你的脸能换钱啊，我要脸有什么用？说起来这里只提供香槟？没有点小吃什么的吗？"

"有切片奶酪和烤过的坚果。"一个小小的银盏从后方递来，越过昆提良的肩头，银盏中是烤过的杏仁。

"烤得真好！"昆提良咀嚼着杏仁，"再来一点儿。"

快要开场了，金红色的幕布不时波动几下，管弦乐队正在试音，管风琴发出浑厚的低音。

昆提良一颗颗往嘴里丢着杏仁，目不转睛地盯着大幕，高高兴兴地等着接下来会发生什么，却没注意到唐璜和阿方索都站了起来，默默地看向自己背后。

直到站在他背后的那个人把双手放在了他的肩膀上……昆提良忽然意识到了什么，闪电般弹跳起来。

站在他背后、递给他杏仁的并非侍者，而是肤色苍白的年轻人，体形如当年那样消瘦，却比记忆中高出了一个头，那双曾经令人畏惧的紫色瞳孔在昏暗的灯光下像是纯黑的。

几天前在特洛伊酒店门前见到他的时候，昆提良激动得一个劲儿哆嗦，根本没来得及细看他，此刻才注意他跟记忆里差得那么多。

不再意气风发，也不再锋芒毕露，他静静地站在那里，微笑，不知道的人很容易把他误认为一名服务生，或者一个来自外省的年轻人——一个马斯顿男孩。

在马斯顿的那三年里，在他身上到底发生了什么？如今的他还能算是天赋领袖，能带领他的骑士们去博取未来吗？阿方索和唐璜脑袋里都转过这个念头。

但昆提良根本没想，他冲上去狠狠地拥抱了西泽尔，那股凶狠劲儿就像一匹狼扑过去抱住另一匹从荒原跋涉回来、伤痕累累的狼。

然后是唐璜，最后是阿方索……男人们相互拥抱，用力拍打彼此的后背，一个字的问候也没有。

碧儿吃惊地看着这些咬牙切齿的男人或者男孩，忽然间有种流泪的冲动。

他们重新入座，试着找些话来打破沉默。

"我还是第一次来这种高级的地方。"昆提良摸着包裹着红色天鹅绒的座椅扶手，"真棒！不愧是老板的品位！"

"碧儿的一个朋友在乐队里当管风琴手，是他帮忙买到的。"西泽尔轻声说，"包厢的票只留给有身份的人，但我已经不是了。"

这句话引起了三名骑士的不同反应，阿方索面无表情，这一点他来之前就想明白了。唐璜立刻望向管风琴那边，好确认碧儿那个当管风琴手的朋友是不是什么对她有意思的小白脸。

昆提良扬起眉毛挺起胸膛："没什么！老板您的位置，我们会为您抢回来！我们是您的骑士，这是我们该做的！以后您每晚都可以在这里看戏喝酒，想坐哪个包厢就坐哪个，您要乐意其他包厢都空着，我们就让它都空着！"

这么赤裸裸地表忠心，连唐璜这种臭不要脸的都为他脸红。不过谁都知道昆提良说这话是发自内心的，毫不掺假。

阿方索把两个木盒递给西泽尔。小盒子里是重新调校过的腕表蜘蛛巢，大盒子里则是两柄黑色的手铳，蜂巢式枪管，螺旋上弹，象牙柄上雕刻着十字花纹。这是一件优雅的武器，但也很危险。

唐璜一眼就看出这是那天晚上他在阿方索的"仓库"里见过的那对手铳，不知道是哪位客户定做的，阿方索显然是急切间来不及给西泽尔准备礼物，就把客户的东西拿来了。

"防身用，我记得殿下您的枪法不错。"阿方索淡淡地说。

西泽尔还没摸两下就给昆提良抢了过去："之前还劝我说来了会没命的，其实自己偷偷准备了礼物……还有多的吗？我也要两支！" 昆提良抚摸着那对精美的手铳，爱不释手。

阿方索懒得搭理他，心里轻轻地叹了口气。

他当然不是危言耸听，哪怕此时此刻，就在西泽尔面前，他也可以坦白地说，这是一条"向死之路"。他们三个人，加上西泽尔这个失去了地位的"老板"，很可能都走不到最后。

可唐璜有句话也许说得对，唐璜说他们三个里面，最鲁莽的家伙肯定是昆提良，但最冲动的很可能是唐璜自己，而最疯狂的，则毫无疑问是看似冰山的阿方索。

阿方索不愿那样度过他的人生，所谓天才机械师，最终的舞台只能是战场……这就是他的疯狂。至于死亡，他十三岁那年，眼看着烈火吞噬了他的家和养父，就已经不怕死了。

064 艳舞女郎

这时灯光变暗，音乐声起，掌声中大幕缓缓拉开，仿佛打开了神话画卷。

歌舞剧这种艺术从旧时代流传至今，多数都是神话剧。

弥赛亚圣教是单一神教，只承认造物之主为宇宙间的唯一神，而歌舞剧多半都遵从古老的多神信仰，神祇们像人类一样有喜怒哀乐，衍生出很多狗血的故事。教廷不承认这种多神信仰，但允许神话剧作为一种艺术存在。

这部《冥神的新娘》讲的是冥神孤傲冷漠，从不对任何女孩动心，于是爱神和诸神打赌，说她能令冥神爱上一个女孩。为了赢得赌约，爱神向冥神射出了她的金箭，被这箭贯穿的人都会萌生出烈火般的爱恋，爱上他所见的第一个人。冥神也未能抵挡金箭的力量，而出现在他面前的第一个女孩，却是诸神之主天神的女儿贝淑芬妮。冥神发疯般爱上了贝淑芬妮，驾着黑色的马车把她抢入冥界……

按理说这种老派的剧目不该有多大的号召力，可今夜大厅全满，包厢也是全满，最后面还站满了只买到站票的观众。

好几位赫赫有名的年轻公爵和侯爵端坐在包厢的帷幕后，手持金色的小望远镜。这边演出刚刚开场，那边几十位准备上台献花的随从已经在台下就位了，看来主演的号召力非常强大。

碧儿把三个文件夹递给他们三个，每人还有一个包裹。包裹里是三身黑色的军服，文件夹里是军籍证明书，在这些文件下方落笔，他们就重新获得了军籍，成为炽天骑士团的一员。

不过签名也并不是那么简单的事儿，林林总总得签近百个……骑士们走笔如飞地签着字，昆提良嘟哝着："又来一遍。"

当年他们成为西泽尔的部下，也曾来过这么一道，普通人很难办完的调动文件，对西泽尔来说只是动动嘴的事情，他们只需要签字，每签一个字就有一些东西属于他们。

上一次权力之争中他们朝夕间被打入尘埃，现在他们重又握住了一些东西。

"圣座仍然在慷慨地给予支持么？"阿方索合上笔帽。

"不，这是最后的支持，恢复你们三个的军籍。"西泽尔淡淡地说。

阿方索微微点头。他并不诧异，反而觉得这更符合铁之教皇的性格。

这种父子关系在翡冷翠倒也并不罕见，在贵族家中，父亲会给每个男孩安排不同的出路，家族未来的地位就靠这些男孩支撑起来。这些男孩互为竞争对手，表现好的孩子会获得父亲更多的支持，表现差的孩子则有可能被家族放弃，给他点钱，让他碌碌无为地度过一生。

教皇只是把这个原则发挥得更加淋漓尽致而已——如果你不能证明你仍是只狮子，你甚至连我的儿子也不算了。

"下一步的计划呢？先站稳脚跟？或者先锁定一个敌人？"

"还没想，我们可以一起想想。"

"还没想？"阿方索有点惊讶。

别人这么说没问题，但这不该是西泽尔的话，他是以最高标准教育出来的军事机器，永远都是谋定后动的。

"无论做什么事，我想我都需要朋友。"西泽尔轻声说，"这是我在马斯顿学会的道理，可惜我那些在马斯顿认识的朋友，他们都不在了。"

阿方索心里微微一动，但没有追问西泽尔在马斯顿的经历。

人心里总有些往事是被掩埋起来，不愿再挖开的，就像坟墓，只有自己去默默地祭奠。对于阿方索来说，那座教堂的废墟就是坟墓，对于西泽尔来说，马斯顿王立机械学院也是坟墓。

"这么说来我们算是殿下你的朋友咯？"他故意换了轻松的语气。

"是啊，你们明知道我已经没有过去的地位了，可还是都来了，当然是我的朋友了。"西泽尔说，"以后别叫我殿下了，朋友间没必要，如今我也不是什么殿下了，叫我西泽尔好了。"

"好的，西泽尔……"阿方索费了好大劲儿才把"殿下"二字咽了回去，忽然改口还真不适应。

掌声打断了他们的交谈，迫使他们把注意力转回舞台。观众席忽然就沸腾了，连昆提良都站起身来，玩命地鼓着掌。

演出进行到第一幕，冥神遇见了天神的女儿贝淑芬妮，他疯狂地爱上了这个美丽的女孩，不顾一切地想要把冥界的黑色婚纱罩在她身上。这里有一段贝淑芬妮和冥神的双人舞。

扮演贝淑芬妮的女孩将一头耀眼的红发盘在头顶，像是暗夜中的烛火那般明亮。

她穿一件露背露腿的紧身纱衣，双腿笔直，腰肢不盈一握，背后蝴蝶骨的线条完美无缺。纱衣是肉色的，又极致贴身，当她裹着黑纱旋舞的时候，就会产生一种黑纱下赤身裸体的错觉。

观众们正是为此激动了起来，有喝彩的，有吹口哨的，还有高呼"宝儿小姐嫁给我"的。

难怪这种古典舞剧会一票难求，难怪来看剧的都是年轻男人，难怪贝淑芬妮的那身舞裙性感到让人流鼻血……原来是新编过的，借古典舞剧的壳，行卖弄风情之实。

而那位扮演贝淑芬妮的女演员宝儿小姐，老实说演技真是拙劣，唱歌只是能勉强维持在不跑调的边缘，对白念得又娇又嗲，不像是天神的女儿，倒像是天神的小老婆，可那无可挑剔的身材和舞技，让这帮男人对她的一切缺点都可以视而不见。

宝儿小姐就是好！宝儿小姐无敌！管他《冥神的新娘》还是《台伯河边的小寡妇》，宝儿小姐演什么，他们就把那里的票买光光！

可是买这场戏的票是西泽尔指定的，碧儿疑惑地看着西泽尔，难道说男孩到了这个年纪总会变坏么？

"西泽尔，这种舞剧在马斯顿……很流行吗？"阿方索尽量委婉地说。

作为一个在教堂长大、原本立志要当数学家和神父的家伙，你用大炮对着他他绝对面不改色，但在这种场合他也有点坐立不安。

"值得庆祝的变化，这说明殿下长大了！"唐璜打了个响指。

他当然不会像昆提良那个土狗似的表现得很激动，也不会像阿方索那种禁欲派那样流露出尴尬，作为花花公子，他当然要流露出"这就是哥经常混的场合"的派头。

只有西泽尔什么反应都没有，他遥望着舞台中央旋舞的贝淑芬妮，像是孩子用目光追逐着飞舞的蝴蝶。

绳索从上方降下，贝淑芬妮抓住它，旋转着升空。黑纱飘落，红发披散开来，两条长长的马尾辫，旋转起来如螺旋形的火焰，她被包裹在其中，像是一只轻盈的玉色蝴蝶。

灯光熄灭，大幕落下，来不及献花的人们将花束扔了上去，砸在金红色的幕布上。满场都是"宝儿小姐宝儿小姐"的呼声，最后一刻，这个女孩的美终于超出了性感，像神话般令人遐想。

"我有点事，离开一下。"西泽尔起身离席。

065 宝儿

宝儿踢开化妆间的门，甩脱高跟鞋，抓起一束黄玫瑰扔在经纪人脸上。

"这是古典舞剧吗？这是艺术吗？"她一屁股坐在化妆凳上，"看看台下那帮男人的眼神！没有一个人是来欣赏艺术的！都是冲着老娘的胸脯和大腿来的！总让老娘演这种剧，老娘什么时候才能成为载入史册的女演员？"

"艺术……这个艺术归根到底就是美的综合，宝儿小姐您的美本身就是艺术的一部分啊……"经纪人战战兢兢地解释，目光却不老实地落在宝儿的背上……真是柔软的后背啊，让人想枕着睡个午觉。

"艺术个屁！别蒙老娘！穿得少就是艺术的话，老娘还费那么大力气研读艺术史？"宝儿拾起那本《艺术和修养》，劈头盖脸地打向经纪人。

经纪人敏捷地闪过，嘿嘿笑着赔礼，心说叫就您的演技还载入史册的女演员呐？

您的长处在哪里您自己不清楚吗？腰细腿长不是您的错，多少能载入史册的女演员想长成您这样还做不到呢！

"今晚就算了！明晚的戏给老娘改一改！改出点艺术气息来！"宝儿撩开裙摆，开始解吊袜带。

"是是！我这就去暴扁那个编剧本的混蛋！叫他搞得艺术点！"经纪人的目光又在宝儿的大腿上晃了晃。

"看哪儿呢看哪儿呢？"宝儿小姐冷冷地停下动作，不用想她也知道这个色鬼还在那儿磨蹭是为什么。

"啊！是是是！我这就出去，不打搅您休息。哦，刚才一位公爵殿下托我给您带话，想在演出后请您共享晚餐，不知道您意下如何？"

"哟，公爵殿下？长得英俊么？年方几何啊？"宝儿把胯部微微一扭，随随便便就摆出个让人流鼻血的姿势。

"四十五岁，体型保持得相当不错，彬彬有礼。"

"哦，没兴趣，我只喜欢小鲜肉。"

"小鲜肉？"经纪人不太理解宝儿小姐的新名词。

"老娘的意思是老娘只喜欢年轻漂亮的男孩，已经发福的老家伙怎么保持也没用。现在带上门给我滚出去，还有把这里乱七八糟的花都给我拿走！"宝儿以爆豆般的语速将经纪人轰出门外。

出门之前他快手快脚地把屋里的花都收走了，那些都是观众们花钱托剧院的人送进化妆间的，多数花束里都藏着精美的卡片，上面写着情诗或者爱慕的词句。

宝儿无疑是台鲜花收集机，但她其实很讨厌人送花，首先是多数卡片上的情诗都很肉麻，如"您的酥胸让我想起我最亲爱的母亲"之类的，其次……她对花粉过敏。

化妆间里终于安静了，宝儿端起水杯大喝一口，清水滑过口腔，嗅觉忽然灵敏起来，她闻到了一种很特别的香味……微微泛苦，又很润泽，像是夏天的雨水落在草地上。

她猛地放下水杯："回来！"

经纪人赶紧折了回来，推门探头进来："宝儿小姐有什么吩咐？"

"查查你刚才收拾的那些花里，是不是有一束纯蓝色的龙胆花。"宝儿端坐在镜子前，头也不回。

经纪人在花堆里翻了翻，果然找出了一束蓝色的鲜花，可他不知道这是不是龙胆花，总之不是花店里常见的花种。

"再看看那堆花里面是不是有张卡片，卡片上是不是写着……C. B?"

经纪人又找出了一张素白色的卡片，卡片上既无抒情诗又没有署名，只有"C. B"两个手写字母。宝儿接过卡片细看，是C. B，是西泽尔·博尔吉亚（Cesare Borgia）的亲笔签名！

"我要见那个人，请他到我的化妆间里来，就现在……不！等五分钟！"宝儿面无表情地下令，"我稍微收拾一下！"

经纪人疑惑地去了，留下了那束蓝色的龙胆花，一路上琢磨着是不是那束蓝色的鲜花来自异国，所以格外昂贵，宝儿小姐一看那束花就知道送花的人地位非凡，所以破格地在化妆间跟他会面。

五分钟后，一名年轻人在经纪人的带领下推开了化妆间的门。

宝儿已经换下了性感的舞裙，取而代之的是红色短裙和过膝的黑色长靴，那头耀眼的红发仍旧是梳成两条长马尾，柔软地垂在肩上。

穿这身衣服她就不再是舞台上那个魅力四射的性感尤物了，就像你身边的漂亮女孩，是那种能挽着你的胳膊陪你走在路边的女孩。某种程度上还是个小女孩，高兴起来会蹦蹦跳跳的。

"出去吧，没有我的吩咐请不要放人进来。"年轻人坐下的同时，宝儿优雅地吩咐经纪人。

她看向经纪人的目光气势汹汹，真实含义其实是"敢进来坏事就杀掉你哦"！

烛火在年轻人和宝儿之间摇曳，年轻人沉默地看着宝儿，宝儿也毫不介意地回看。很少有人会那么安静地看着宝儿，看向她的目光要么惊艳、要么猥琐，更多的透着情欲。

"看够了吧老板？你的意思是我现在变漂亮了，值得你多看几眼了？"宝儿歪着头，微笑。

"是变漂亮了，宝儿·拉瑟骑士。"西泽尔收回了目光。

这是言不由衷之词，让他迷惑的是宝儿的变化。在他的记忆里，宝儿还是当年那个凶凶的少女，军服腰带扎得很紧，勾勒出她很得意的细腰。

066 宝儿·拉瑟骑士

宝儿·拉瑟，十三岁被炽天骑士团选中，比昆提良他们高两届。在入选时的评价单上，阿方索也只是A级，而宝儿是S级。这意味着她被认为可以成为顶尖的甲胄骑士，甚至成为炽天使。

宝儿对驾驶机动甲胄毫无兴趣，她的理想是当个女演员，堂堂正正的、载入史册的……女演员！

但她出身寒门，父亲早亡，母亲带着她改嫁给一个小有家财的老男人。她发育得很早，十三岁就风姿绰约，继父对她意图不轨。为了避免贞操毁在继父手上，她果断地报名参军。

她压根就没想在炽天骑士团久留，可炽天骑士团想进不容易，想出也不容易，一日是军部的人，一生都是军部的人。像阿方索这样，虽然已经被逐出了军部，还是要每周去报到。

想要彻底脱离军队，就得有人帮她消除档案。宝儿物色来物色去，终于相中了西泽尔，因为这个挂少校军衔的少爷太小了，想必小小地色诱一下就可以，不用付出太大的代价……

于是在某个暴风雨之夜，她偷偷地溜进了西泽尔的办公室，咬着樱色的嘴唇，眼睛骨碌碌地转着："听说你很有本事，能在更大的人物面前说话是吗？如果你能帮我一个忙的话……"

沉默了十几秒钟后，西泽尔把藏在桌下的手拿了出来，握着上膛的枪。宝儿狠狠地打了一个寒战，意识到跟这个男孩合作，她要支付的代价也许更高。

西泽尔想办法剥夺了她的军籍，把她的档案悄悄地转移到某个不为人知的地方，留在那里慢慢地腐朽。于是曾经一度惊艳训练营的那个宝儿·拉瑟完全地消失了，取而代之的是渐渐声名鹊起的女演员。

只有西泽尔知道她的过去，当年她为了脱离军营，做出的许诺是，她这一生都会是西泽尔的隐形下属，西泽尔需要她的时候，她必然出现，哪怕远隔千山万水。

今天西泽尔终于来找她了，到了她兑现诺言的时候。

"老板你看错啦！我以前就是这么漂亮的！只是你那时候还小，对女性缺乏审美！"宝儿做个鬼脸，给西泽尔斟上红茶。

红茶已经泡好了，蛋糕也准备好了，随手乱扔的散落的内衣和鞋子也都收起来了，宝儿在五分钟里干完了通常需要半个小时才能完成的事，表现得乖乖的。

虽然西泽尔知道她的乖是装出来的，她也知道西泽尔知道她的乖是装出来的……大家还是都要装得乖乖的。

"我听说老板你回来了，想过要去看看你，不过我对你最大的价值，是作为不为人知的棋子吧？"宝儿笑，"哭哭啼啼地去看你说你回来啦，表现得好像是前女友似的，对你也没什么用。"

西泽尔挠挠头，有点窘迫，宝儿一下子就乐了，像个小女孩。

"好嘛好嘛，不开玩笑了，现在开始我严肃一会儿。"宝儿一龇牙，"总之老板你是要起用我这颗棋子了对不对？不过我有个问题，我是你最先想到的人吗？"

"不，是最后一个，在你之前我先找了三个人。"

"是你当年从训练营里招的三个笨蛋咯？他们凭什么比我排在前面啊？他们会驾驶机动甲胄，我也会，我长得漂亮，他们长得漂亮吗？"宝儿歪嘴。

"其实没有什么先后，我也是今晚见到他们的，刚才我们一起看了你的演出。"

"他们还不知道我跟他们是一伙儿的吧？千万别跟那三个笨蛋说啊！我可不想收到己方笨蛋写来的求爱信啊！"宝儿大惊小怪的。

"放心吧，他们不知道，你是颗隐秘的棋子……最好永远都是。"西泽尔轻声说，"召回你我很犹豫，你当年跟我说，死也要当自由的演员，现在你已经是自由的演员了，全翡冷翠都知道你，如果召回你，你可能会失去现在的一切。"

"可我不喜欢欠人东西，我欠了你的人情，就一定得还了才舒服。当年我要你帮我抹除档案，也是件危险的事情呢，可你一口就答应了，什么都没问我要。"宝儿骨碌碌地转着眼睛，坏笑着靠近西泽尔，"其实为了那件事我可以支付很高很高的代价哦！"

"你刚说了你要严肃一会儿的……"

"好吧，好吧，老板你这个人什么都好，就是不好玩！"宝儿悻悻地缩了回去，"我说你不是想让我回去驾驶机动甲胄吧？拜托！这未免太大材小用了吧？看我现在这身材！你忍心叫我待在满是气味的骑士舱里？"

"不，我需要情报，上流社会的情报。"西泽尔低声说，"我知道很多年轻贵族都爱慕你，他们什么话都跟你说。"

"那是！我可是老板你的人啊！"宝儿眯起眼笑，"我出马还有搞不定的情报和男人？"

顿了顿她又说："不过现在枢机会盯你盯得很紧，圣座的支持力度又不够，你的手下嘛，虽然各有长处，但都还不太成气候，加上我这个跳艳舞出名的二流演员……靠我们你想夺回昔日的权力，只怕有点不现实哦。"

"宝儿，你觉得这三年里我有什么变化么？"西泽尔看着宝儿的眼睛，轻声问。

"变帅了！"宝儿笑道。

"别闹。"

"变傻了……"

"为什么这么说？"

"你以前呢，乍看也有点呆，其实目光很凌厉，我轻易不敢跟你对视。可现在你的眼神看着很……疲倦，不像以前那么灵动了。"

"你说得对，我退步了。当年我是圣座全力培养的人，可在马斯顿的三年，我错过了最黄金的发展期，落下了太多。但有一点我没有退步，那就是经验。"西泽尔缓缓地说。

"经验？"

"我是被作为最高指挥官来培养的，我会的不仅仅是驾驶机动甲胄，还有权力结构和钩心斗角。军部内外，像我这样具备全方位知识的人，很少。"西泽尔深深地吸了一口气，"只要让我重新进入军队的系统，我就有办法。"

"你是想借助军队的系统来对抗枢机会？"宝儿有点听懂了。

西泽尔微微点头："这个国家号称宗教立国，其实骨子里是军事立国，铁十字堡是个独立的系统，不完全服从于教廷。铁十字堡建立了一套复杂的军功系统……"

宝儿似懂非懂地听着。西泽尔讲的这些东西对她而言很新鲜，虽说她也曾当过几年见习骑士，可从未想过要了解军队系统，她连军规都不太懂，犯了什么错只需要冲军法官撒个娇就完了。

门外响起了轻轻的敲门声，经纪人小心翼翼地说："宝儿小姐，场间休息差不多结束了，大家都等着您返场呐。"

"我还在陪朋友说话！说过了没事别来打搅的！"宝儿没好气地冲门外喊。

"您说的是没有您的吩咐不要放人进去……我可没有进去啊。"经纪人委屈地说，"一个优秀的演员要尊重观众，这也是您说的，我这是代替观众来看看您什么时候能返场。"

宝儿眉头紧锁，咬着牙琢磨了好一会儿："五分钟！现在闭嘴滚开，别来烦我！"

经纪人唯唯诺诺地去了，宝儿还在嘟嘟囔囔地骂，西泽尔已经起身站在窗边了，眺望着外面的城市。

"老娘装乖装得那么辛苦，一发火又前功尽弃了！"宝儿撇嘴。

"没事的，我还不知道宝儿·拉瑟是什么人吗？"西泽尔微笑，"就像你知道西泽尔·博尔吉亚是什么人。"

宝儿拿起西泽尔送来的那束蓝色龙胆花，解开束绳让它们展开在水晶玻璃的花瓶里。这是少数她不反感的花，因为对龙胆花她不过敏，还因为她喜欢这花的花语。

龙胆花的花语是："喜欢看着忧伤时的你。"宝儿只跟很少人说过她喜欢龙胆花，这些人里只有西泽尔记住了。

宝儿来到窗边，和西泽尔站在窗户的两侧，望着外面灯火辉煌的城市。

"这些年大家都很辛苦啊。"西泽尔轻声说。

"吃点苦没事，我会想办法照顾自己，总会过上幸福的生活，所以老板你最不用担心的就是我啦！"宝儿故作轻松地说。

这话倒也没错，她很懂什么时候乖什么时候野，什么时候动用点美色。再怎么困难，宝儿·拉瑟小姐都不会像昆提良那样，惨到只能领着服务生的薪水，住在地下室里。她可是十三岁就能从继父魔爪里逃脱的女孩。

"老板，不是我说你啊，你当头儿真的没问题么？有时候你真像小孩子。"宝儿又说。

"小孩子？"西泽尔愣住了。

"小孩子才会像你这样，在乎什么就死死地抓着不放手。"

"你觉得自己不是小孩子吗？"

"我长大啦。"宝儿耸耸肩，"你别看我现在很红，可作为卖肉的女孩子来说我已经老了。我嘴里囔囔得欢，可我担心我当不了载入史册的女演员了，帮你夺回当年的权力之后，我就准备退出舞台去嫁人了。"

"嫁给谁？"

"不知道，我有好多追求者，到时候选选看，总之不要嫁给老板你这种神经病就万幸啦！"

这时门外响起了咳嗽声，那是经纪人。他不敢敲门，只能用这种方式来催，可西泽尔没有听出其中的意思。

"喂，老板……"宝儿截截他的肩膀。

西泽尔回过神来，宝儿正冲他比着鬼脸，晃着一件黑色的紧身衣："接下来我得换紧身衣了，老板你是留下来旁观呢，还是留下来旁观？"

"对不起耽误你时间了！"西泽尔愣了一下，拔腿就走。

"喂！"宝儿在他身后喊。

西泽尔转过身来，宝儿凑上去，歪着头端详了他半天，忽然伸手帮他整理头发和衣领。西泽尔犹豫了两秒钟，顺从地俯身来迁就她。

宝儿并不高挑，三年前西泽尔离开翡冷翠的时候，两人身高基本相当，如今西泽尔却比宝儿高出一个头了。宝儿在他面前装乖，但实际上比他大了两岁，女孩发育也早，这些年里她已经不再长高了。

最后宝儿重新帮他打了领带，上下打量他："这才是翡冷翠如今最流行的领带打法，叫你的女侍长学学！这样好多了，确实是变帅了，这才是配当我老板的人嘛！"

她换了郑重的神色："无论你喜欢不喜欢这座城市，可你回来了，又有战斗的理由，你就得时时刻刻注意自己的形象，像是穿着你的甲胄那样……因为你已经身在战场之上了。"

西泽尔一怔，旋即点了点头："谢谢。"

他竖起衣领遮挡面容，推门而出，经纪人装作要送他，跟了他好远，其实是想看清这位有资格踏入宝儿小姐化妆间的贵客到底是谁，但是他只记住了西泽尔苍白的肤色。

忽然显得空旷起来的化妆间里，宝儿没有急于换上舞衣，而是坐在窗前，抱着那袭冰雪般的纱裙，默默地望着窗外的夜景，长长的红发及地。

"老板，别说傻话了，找朋友帮忙抢回妹妹，去过平静的生活什么的……一点新意都没有。魔鬼归来，纠集了残部，不是为了复仇，难道还是要办家家酒啊？"宝儿小姐幽幽地叹了口气。

《天之炽.2》完，《天之炽》下一部将继续在《龙文·漫小说》杂志中连载，将于2015年8月热血上市，敬请期待！

作者
江南

总策划
周政

总监制
杨翔森

产品经理
妍晞

责任编辑
彭富强　曾诗玉

特约编辑
段金燕

视觉策划
木子棋

封面设计
彭意明

版式设计
贾志翔

排版
李映龙

赠品设计
龙帆

封面、插图绘制
夏季　杨杨提督

封套绘制
Archlich

甲胄设计
代月

营销推广
本案项目组

印务协作
周文强　周赞

流程编辑
李晶

运营发行
湖南人民出版社营销中心

出版者
湖南人民出版社

出品
龙文·漫小说

官方微博
http://weibo.com/wuliangweiye

平台支持

图书在版编目（ＣＩＰ）数据

天之炽. 2 / 江南著. — 长沙：湖南人民出版社,2015.5
ISBN 978-7-5561-0866-4

Ⅰ.①天… Ⅱ.①江… Ⅲ.①长篇小说—中国—当代 Ⅳ.①I247.5

中国版本图书馆CIP数据核字(2015)第109784号

天之炽. 2

著　　者	江　南
总　策　划	周　政
总　监　制	杨翔森
责任编辑	彭富强　曾诗玉
特约编辑	段金燕
封面设计	彭意明
版式设计	贾志翔

出版发行　湖南人民出版社 ［ http://www.hnppp.com ］
地　　址　长沙市营盘东路3号
邮　　编　410005
经　　销　湖南省新华书店

印　　刷　湖南天闻新华印务有限公司
版　　次　2015年5月第1版
　　　　　2015年5月第1次印刷
开　　本　710×1000　1/16
印　　张　18
字　　数　320千字
书　　号　ISBN 978-7-5561-0866-4
定　　价　28.80元